CW00419590

Michela Scibilia

# VENEZIA (E LAGUNA) LOW COST

## GUIDA ANTICRISI
alla città
più bella del mondo

BUR rizzoli varia

ISBN 978-88-17-06663-1

Prima edizione BUR agosto 2013

Fotografie: © Daniele Resini - www.resini.it
Mappe: © Studio Scibilia - www.teodolinda.it

Per conoscere il mondo BUR visita il sito **www.bur.eu**

# Sommario

# 4. MANGIAR FUORI

# 5. FARE LA SPESA

# 6. SHOPPING CHE PASSIONE

# VENEZIA
# (E LAGUNA)
# LOW COST

# Introduzione
# Venezia non è una città costosa

Sì lo so, vi stupirete di questa affermazione, ma pensateci bene: a Venezia non serve possedere un'auto e, in caso, si usa il car sharing, i mezzi pubblici sono un po' affollati ma assicurano un servizio puntuale, si può andare a piedi quasi ovunque. Inoltre è insito nella città un antidoto naturale alla tentazione di spendere: gli acquisti pesano e quindi si cerca di comprare solo il necessario, per non dover trasportare borsoni da una parte all'altra della città.

Certo se poi, caro lettore, pretendi di arrivare qui e girare comodo comodo sempre in taxi, farti gran mangiate servito e riverito senza spendere troppo, be' sì, allora Venezia è costosa. Ma una Venezia vissuta in questo modo sarebbe solo una sua versione edulcorata e non autentica.

Questa città necessita di tempo e attenzione, bisogna avere la pazienza di conquistarsela. In questa città si è obbligati a muoversi lentamente (a piedi o in battello), rispettando ritmi cinquecenteschi. Si può essere viaggiatori e non turisti, basta essere bene informati su dove andare... e noi siamo qui per questo!

Ma torniamo *ai schei*. Il costo maggiore da sostenere è l'alloggio e questo, purtroppo, vale anche per i residenti. Alberghi fighi ed economici non ci sono; ci sono però sistemazioni carine che non costano un patrimonio, e in questo libro ve ne segnaliamo alcune. Ovvio però che bisogna prenotare per tempo. Una volta sistemate le valigie, si apre un mondo di cose da fare. Ce n'è per tutti i gusti, dal corridore al vogatore, dal grafico al fotografo, dall'artigiano del vetro a quello della stampa, dal cinefilo all'artista, dal buongustaio al naturalista. Tutto a costi assolutamente nella media.

In questo libro troverete soluzioni pratiche ed economiche a seconda delle vostre esigenze e tantissimi spunti di ciò che funziona, che ci piace, che pensiamo abbia senso visitare e conoscere. Per questo motivo, oltre a molti ristorantini e musei, abbiamo cercato di suggerire realtà utili per entrare veramente in relazione con la città: potete scegliere tra un minicorso di vetro a lume o di mosaico, tra imparare a vogare o coltivare un orto in permacultura. Insomma cose divertenti, non molto costose e, soprattutto, uniche.

Però, oltre al «low cost», c'è anche altro da considerare. Venezia ha una pressione turistica non paragonabile con altre realtà del mondo. È una cittadina di 58 mila abitanti nella città storica (270 mila nell'intero Comune, che comprende le isole e Mestre), stretta tra interessi da grande metropoli: il porto e l'aeroporto in primis; grandi investitori e megaprogetti nati vecchi di cementificazione che hanno gioco facile con un Comune sempre sull'orlo della bancarotta; un brand («Venezia») noto in tutto il mondo e che viene sfruttato maldestramente fino all'osso, con una gestione del turismo miope che alimenta una filiera di indotto senza qualità.

Ma in città ci sono realtà importanti come le fondazioni, i teatri, i musei e le università, che portano a Venezia non solo un turismo attento e compatibile ma anche nuovi residenti.

Insieme a tutto ciò c'è anche una grande vivacità di iniziative dal basso, associazioni, gruppi (per lo più informali) che discutono, propongono e accolgono. Un turismo low cost, quindi, può e deve essere anche sostenibile e intelligente. Un visitatore attento, che si documenta prima di arrivare, acquista una buona mappa (fondamentale), si lascia andare nello scoprire la città, assaggia e anche compra con attenzione, ecco un visitatore del genere fa bene a se stesso e alla comunità che lo ospita.

E chissà che anche con il vostro contributo si possa evitare il destino turistico-plasticoso verso il quale la città sembra indirizzata.

# Legenda dei simboli usati

♥ Nostro preferito

€ Gratis

 Anche con i bambini

Anche per comitive

Green

Wi-fi

Cucina tipica

Dintorni

# Muoversi

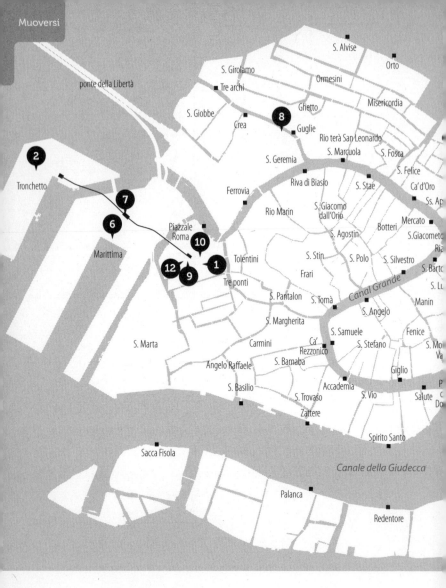

1. Parcheggio S. Andrea
   Autopark Doge
   Autorimessa Comunale
   Garage San Marco
2. Venezia Tronchetto Parking

3. Saba Italia Parking Stazione
4. Green Park
   Terminal service «ai Pili»
5. ASM San Giuliano
6. Venezia Terminal Passeggeri

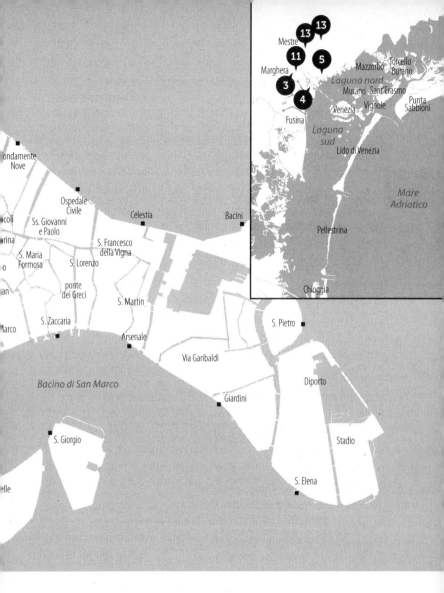

# Arrivare

Venezia è un'isola, ogni tanto vale la pena ricordarlo. Solo alla fine dell'Ottocento è stato costruito un primo ponte ferroviario per collegarla alla terraferma, e l'attuale ponte della Libertà, che permette di arrivare in città anche in automobile, è stato costruito negli anni Trenta del Novecento.

Che sia stato davvero un bene? Qualunque sia la vostra opinione, a piazzale Roma o alla stazione ferroviaria dovete scendere dal vostro mezzo di trasporto e usarne altri tipicamente veneziani: vaporetti, taxi acquatici, barche private e, soprattutto, i vostri piedi. Entrerete in un altro mondo, dove non valgono più le regole delle città «normali». Anche se Venezia è un'isola, in realtà il Comune di Venezia è molto più esteso e comprende Mestre e la laguna veneta. D'ora in avanti, per comodità, quando parleremo di Venezia intenderemo la città storica; negli altri casi diremo Lido oppure Mestre, o genericamente Terraferma, come si dice da queste parti per intendere Mestre e zone limitrofe.

## ■ In treno

Venezia ha due stazioni: Venezia Mestre (cioè prima del ponte della Libertà) e Venezia Santa Lucia (cioè Venezia isola). Quindi fate attenzione a scendere a Venezia Santa Lucia e non a Venezia Mestre, a meno che non dobbiate per davvero scendere a Mestre. Siate altruisti, comunicatelo anche ai turisti stranieri quando li vedete completamente disorientati, fermi immobili a guardare il cartello che recita «Venezia Mestre» senza sapere cosa fare.

Alcuni treni veloci non arrivano fino a Venezia ma passano solo per Mestre. Nessun problema: scendete e prendete un treno per Venezia (ce ne sono ogni cinque, dieci minuti) oppure l'autobus di fronte alla stazione. Come succede spesso nelle città italiane, le stazioni hanno il grande pregio di essere vicine al centro storico. A Venezia, per esempio, appena usciti vi ritrovate direttamente di fronte al Canal Grande, la via d'acqua più spettacolare della città. In sintesi: il treno è sicuramente il mezzo migliore per arrivare.

### Zoom

#### Dove posso lasciarti questo pacchetto?

In tutte le città esistono i depositi bagagli, ma a Venezia si va a piedi e quindi apprezzerete particolarmente quello sotto il garage comunale, a piazzale Roma. È molto utilizzato dagli indigeni anche per far avere a qualcun altro buste, pacchetti, chiavi di casa e quant'altro. Basta scriverci sopra il nome di chi verrà a ritirarlo e pagare i pochi euro che servono. Comodo no?

Deposito bagagli • Santa Croce 497/m • 041 5231107 • 6-21 • Costi: per 24 ore di deposito valigia 7 €, pacchetto 4,50 €, busta 2,30 €

## ■ In aereo

La distanza tra l'aeroporto Marco Polo e il centro storico veneziano è piuttosto breve: circa dodici chilometri. Una volta atterrati, e dopo esservi ripresi dalla vista aerea mozzafiato della laguna, potete scegliere fra due opzioni: via acqua o via terra.

La soluzione più conveniente è via terra tramite la linea Atvo, che costa quanto l'autobus Actv di linea ma è meno affollata e leggermente più veloce.

Se scegliete di raggiungere la città via acqua dovrete fare una piccola passeggiata di dieci minuti per arrivare alla darsena, da dove circa ogni ora parte un grande motoscafo che, a seconda della linea, compie varie fermate in tutta Venezia. Può essere una buona scelta se si alloggia vicino a una di queste.

Se invece si è in tanti si può ammortizzare la spesa del taxi acqueo, che ha il vantaggio di portarvi direttamente a destinazione. Attenzione però al servizio notturno, che applica un ulteriore sovrapprezzo. Prima di salire informatevi sulle tariffe: possono variare a seconda del numero di bagagli e della compagnia di taxi, nonché dell'umore del conducente, che influisce anche sull'eventuale sconto.

**INFO**

Autobus Actv linea 5 (circa 25 minuti di percorrenza) • www.actv.it • Costi: 6 €

Linea Atvo (20 minuti di percorrenza, frequenza ogni mezz'ora) • Costi: 6 € (se si è in tanti si può risparmiare pre-acquistando i biglietti su www.atvo.it)

Motoscafo Alilaguna (se siete pratici della città potete scendere a Murano pagando solo 8 € e prendere un vaporetto) www.alilaguna.it • Costi: 15 €

Taxi terrestre • Costi: circa 40 € (fino a 4 persone)

Taxi acqueo • Costi: circa 110 € (fino a 10 persone)

## Zoom

### Valigie pesanti?

Viaggiare leggeri è un grande lusso, ma non sempre è possibile, soprattutto se si sta via per un periodo lungo. Se proprio non potete farne a meno, fatevi aiutare da un trasporto bagagli, ma attenzione: non è per niente conveniente!

Trasbagagli • Piazzale Roma • 041 5210578 (ufficio 041 713719) • Costi: due valigie da piazzale Roma a un albergo in città storica 36 €

## In auto

Piazzale Roma è l'unico luogo di parcheggio a Venezia. Inevitabilmente i prezzi non sono bassi e spesso è difficile trovare posti disponibili. Quindi la soluzione migliore è: se sostate per poche ore o una sola notte vale la pena parcheggiare a piazzale Roma, altrimenti andate al Tronchetto o, meglio ancora, a Mestre.

Quest'ultima opzione è comunque comoda e molto più economica. Una volta sistemata l'auto, calcolate una ventina di minuti di tragitto (corse frequenti sia in autobus che in treno) per arrivare a Venezia.

**Piazzale Roma**

## ■ Soste veloci a piazzale Roma

Se vi fermate solo per qualche ora avete disposizione due diverse aree parcheggio a pagamento: il Sant'Andrea e il Doge.

**INFO**

Parcheggio Sant'Andrea • Santa Croce 461 (Piazzale Roma) • 041 2727304 • Sempre aperto • Costi: 6 € per 2 ore

Autopark Doge • Santa Croce 467 (Piazzale Roma) • 041 5202489 • 7.00-1.00 • Costi: 4,50 € per 1 ora

**Piazzale Roma**

## ■ Soste lunghe a piazzale Roma

Se preacquistate online un posto nell'autorimessa comunale potete avere degli sconti, a seconda del periodo. Per le lunghe soste è sempre meglio prenotare con un certo anticipo.

**INFO**

Autorimessa Comunale • Santa Croce 496 (Piazzale Roma)• 041 2727211 sempre aperto • www.veniceconnected.com • Costi: a partire da 21 € (le tariffe variano di pochi euro a seconda della stagione

e della tipologia di veicolo) per 24 ore non frazionabile

Garage San Marco • Piazzale Roma 467/F (Piazzale Roma) • 041 5232213 • Sempre aperto • Costi: 28 € per 24 ore

**Tronchetto**

## ■ Tronchetto

È collegato al resto di Venezia da un autobus, dal vaporetto o dal nuovo People Mover che fa tanto Nord Europa. I prezzi non sono molto più bassi ma è più facile trovare posti disponibili se non si è prenotato.

**INFO**

Venezia Tronchetto Parking • Isola del

Tronchetto (Tronchetto) • 041 5207555 • 21 € per 24 ore o frazione

**Piazzale Roma**

### *Zoom*

### *People Mover*

Attivo dal 2010, questo nuovo tipo di trasporto pubblico sopraelevato porta in tre minuti da piazzale Roma al Tronchetto (e viceversa) con una fermata intermedia alla Stazione Marittima.

People Mover • 041 2727211 • Frequenza ogni 10 minuti circa • Costi: 1 €

## ▓ Stazione di Mestre

I parcheggi per auto di fronte alla stazione sono una soluzione low cost molto comoda. Con gli autobus o i frequenti treni arriverete a Venezia in quindici minuti circa. Potete comprare i biglietti per Venezia anche all'edicola della stazione e dal tabaccaio, evitando le code in biglietteria. Guardate il lato positivo: attraversare il ponte in treno anziché in macchina vi permetterà di ammirare con più calma il panorama della laguna.

**INFO**
Saba Italia Parking Stazione • Viale Stazione 10 (Mestre) • 041 938021 • Costi: 10 € (tariffa massima) per 24 ore nei giorni feriali (sabato, domenica e festivi dai 14 € ai 16 € a seconda della alta/bassa stagione)

## ▓ Via Righi

Questa è la soluzione più utilizzata dai pendolari: sono posteggi scoperti che si trovano appena prima del ponte della Libertà (via Righi). Da qui si arriva a Venezia in dieci minuti con qualsiasi autobus Actv.

**INFO**
Green Park • Via Augusto Righi 3 • 041 5317315 • 4,50 € (da mezzanotte a mezzanotte) parcheggio automatizzato
Terminal service «ai Pili» • Via Augusto Righi 1 • 041 5318670, tariffa da 5 a 5,50 € (da mezzanotte a mezzanotte, ma dopo le 18 e fino alle 9 del giorno dopo solo 5 €: perfetto per una cena a Venezia). Questo è preferibile al precedente: trovate sempre un essere umano per interagire.

## ▓ Parcheggi San Giuliano

Questo parcheggio è utilizzato soprattutto dai veneziani possessori di automobile (casi rari), per il basso costo dell'abbonamento mensile. Si trovano lungo le entrate del parco omonimo. Frequenti autobus poi assicurano il collegamento con Venezia.

**INFO**
ASM San Giuliano • Via Orlanda, località San Giuliano (Mestre) • 041 5322632 • www.asmvenezia.it • Costi: 2 € fino a 3 ore, 5 € per un giorno intero, 60 € abbonamento mensile

Marittima

## ■ In nave

Chi arriva in nave a Venezia approderà alla Stazione Marittima, ben collegata dai vaporetti e dal servizio Alilaguna (sempre vaporetti, ma di una compagnia privata) alla fermata Tronchetto. Per chi non ama l'acqua c'è anche l'autobus, che però si limita a portarvi a piazzale Roma, così come fa anche il treno monorotaia People Mover.

**INFO**
Venezia Terminal Passeggeri • Marittima • 041 2403000 • www.vtp.it

# Girare la città

Nella terraferma veneziana (Mestre e dintorni) avrete a disposizione auto, autobus, biciclette ecc., come in una normale città; così anche al Lido. Invece a Venezia, Murano e Burano-Torcello ci si può muovere solo a piedi. O in barca, naturalmente.

## Girare la città

Venezia è una città «densa», ma non molto estesa, e può essere attraversata in meno di un'ora di passeggiata. Perciò la scelta migliore, più sana, economica, ecologica, e soprattutto indimenticabile, è camminare.

Alcune regole di buona educazione da tenere nelle calli più strette (cioè quasi tutte): non passeggiate tenendovi per la manina occupando tutta la larghezza della strada; non fermatevi a guardare le vetrine in mezzo alle calli, ma mettetevi un po' di lato; siate pazienti con i veneziani che cercano in tutti i modi di superarvi (spesso non hanno veramente fretta: sono solo nervosi, un po' come certi automobilisti; probabilmente quella dove vi trovate è la loro circonvallazione).

I mezzi pubblici di solito sono molto puntuali, nonostante i veneziani se ne lamentino in continuazione. Sono però anche molto costosi per i non residenti. Quindi, se sapete di doverli prendere spesso, fatevi un abbonamento (vedi box p. 16).

Ultimo consiglio: nonostante si cammini molto, non serve vestirsi come a una maratona. Evitate il tacco dodici, certo, ma le scarpe da trekking non sono necessarie.

## Perdersi a Venezia

Venezia è divisa in sestieri, ogni numero anagrafico fa riferimento a essi. Il nome della strada (calle, salizada, campo, ramo, rio terà ecc.) è solo di complemento per facilitarne l'individuazione (spesso però troviamo lo stesso toponimo in parti diverse della città, è il caso di: Botteri, Preti, Pistor, Ogio, Magazen, Malvasia, Forno, Spezier e molti altri). Per facilitare l'orientamento in questa guida abbiamo anche aggiunto tra parentesi la zona che trovate sulle mappe, che spesso coincide con il nome della fermata del vaporetto. Ecco due siti che aiutano anche i veneziani a individuare gli indirizzi:

www2.comune.venezia.it/mappaviabilita/
smu.insula.it

# A piedi con i bambini

Nonostante la scomodità dei ponti, il passeggino è comunque preferibile a farsi chilometri con il proprio pargoletto addormentato in braccio. Per cui niente paura, l'importante è dotarsi di passeggini leggeri e pieghevoli. Se il vostro è molto ingombrante, come certi tre ruote da montagna, e ve ne serve uno solo per pochi giorni potete affittarlo (vedi p. 149).

Un sistema molto veneziano di portare in giro i bambini tra i tre e i sei anni è quello di utilizzare i carretti della spesa a mo' di passeggino. Altrimenti potete usare il passeggino a mo' di carrettino della spesa, appendendovi le borse

## E se c'è l'acqua alta?

L'acqua alta è un fenomeno tanto incredibile da vedere quando facile da risolvere per i visitatori occasionali (un po' meno per chi ha un'attività al pianterreno). Se è prevista una marea sostenuta potete comprare degli stivali di gomma (circa 15 €) e godervi la città in una eccezionale normalità: infatti troverete bar, negozi, uffici e tutte le altre attività tranquillamente funzionanti. Evitate però di manifestare esageratamente il divertimento magari facendovi fotografare tipo spiaggia: gli indigeni non apprezzano. Il tragitto dei vaporetti invece può subire modifiche: in alcuni casi, con l'acqua troppo alta non passano sotto i ponti.

# In barca a remi

Venezia, in realtà, è fatta di due città intrecciate: una che si percorre a piedi, l'altra in barca. Un luogo molto vicino via terra può costringere a un lungo giro via acqua e viceversa; se avete un po' di dimestichezza con la città vi accorgerete anche che un giro in barca vi darà la sensazione di visitare una Venezia diversa: scoprirete prospettive mai viste e percepirete suoni e luci differenti.

Potete imparare la voga veneta iscrivendovi a una delle tante remiere cittadine, il che vi permetterà di andare in giro per la città anche in quei canali vietatissimi alle barche a motore. Un'esperienza davvero unica: girando tra gli stretti canali silenziosi ci si sente davvero dei privilegiati .

## ▦ **In gondola**

Passeggiando in città è facile imbattersi in uno stazio di partenza delle gondole. Certo, è una cosa da turisti, ma pur sempre bellissima, per chi non ha ancora imparato a vogare. Non abbiate timore, sono imbarcazioni molto stabili e i gondolieri hanno alle spalle diversi anni di esperienza, necessari per arrivare a ottenere la licenza. Durante il giro vi racconteranno anche qualche aneddoto sui palazzi e i campielli che incrocerete; di solito sono simpatici e contenti di parlare finalmente in italiano. Anche se la tariffa standard è fissa (non varia da una a sei persone), il costo può aumentare la sera o se fate richiesta di itinerari più lunghi: perciò concordate prima di salire.

INFO

Ente Gondola (istituzione preposta alla tutela e alla salvaguardia della gondola e del gondoliere) • 0415285075 • www. gondolavenezia.it • Costi: 80 € un giro in gondola standard (durata 40 minuti, fino a sei persone).

*Zoom*

## *La gondola traghetto*

Potete provare l'ebbrezza di qualche minuto in gondola anche utilizzando le gondole traghetto che servono per attraversare il Canal Grande in zone lontane dai ponti che lo attraversano: Accademia, Rialto, Scalzi e della Costituzione.

Questo servizio è molto utilizzato dai residenti ed è disponibile in 7 punti strategici:

S. Sofia, 7.30-13.00 (festivo 9-19)
S. Marcuola, orario variabile
Riva del Carbon, 8.30-10.30 (solo feriale)
S. Tomà, 7.30-20 (festivo 8.30-19.30)
S. Samuele, 8.30-13.30
S.M. Giglio, tutti i giorni 9-18
Dogana, tutti i giorni 9-14

Il costo è di 2 € a persona (70 centesimi per residenti o possessori di tessera imob).

## ■ **In barca a motore**

Guglie

Possedere una barca a motore non è così semplice come avere un'automobile. Il problema più grande è sicuramente costituito dal posto barca dove ormeggiarla (ce ne sono pochissimi), e poi, a meno che non abbia una copertura a tenuta stagna, dopo ogni pioggia bisogna «andar a sugar la barca».

Certo è che gironzolare per i canali di Venezia o scoprire la laguna è un'esperienza emozionante e piena di novità, anche per chi conosce già bene questa meravigliosa città.

Perciò vi consigliamo due soluzioni: farvi amico qualche veneziano dotato di barca o affittarne una. Attenzione, però, perché non è facile governarla, sia perché i canali interni sono stretti e tortuosi, sia perché vigono infinite norme scritte e non scritte.

**INFO**
Brussa is Boat • Cannaregio 331 (Guglie) • 041 715787 • 7.30-17.30; chiuso solo la domenica pomeriggio • www.brussaisboat.it • Costi: 1 ora, 30 € circa; 1 giorno, 180 € circa (benzina compresa)

---

### *Zoom*

## *Disabili motori*

Certo, una città con più di 400 ponti e dove non ci sono auto non è l'ideale per chi ha difficoltà di deambulazione; però occorre dire che i vaporetti possono aiutare molto a evitare le zone meno accessibili; al contrario degli autobus normali, infatti, hanno il grande vantaggio di avere l'imbarco in piano, quindi sono facilmente praticabili per le carrozzelle.

Il sito del Comune fornisce una mappa dettagliata dei percorsi facilitati, dove sono indicati anche molti itinerari senza barriere; cliccate sul menù «Mi interessa» e fate questo percorso: Cercare informazioni > Città per tutti > Venezia accessibile > La mobilità.

www.comune.venezia.it

---

## ■ **I taxi acquei**

I taxi acquei sono piuttosto numerosi, però hanno un costo alto e un altrettanto alto impatto ambientale. Pertanto usateli con moderazione. I veneziani li prendono pochissimo, anche per una questione di stile: qui si usano di più i vaporetti o la barca di qualche amico.

Nel caso proprio non possiate farne a meno, prima di salire chiedete l'importo complessivo per arrivare a destinazione. Indicativamente un tragitto in città costa 50 euro; il tragitto aeroporto-San Marco si aggira intorno ai 110 euro ma può variare a seconda dell'orario, del numero di persone e di bagagli. I taxi possono essere convenienti in caso di comitive che possono dividere la spesa (un taxi può portare anche 10 persone). Residenti e disabili godono dello sconto del 20%. Prenotando via web ci sono piccoli sconti.

**INFO**
Taxi: Aeroporto 041 5415084 • Cooperativa Serenissima 041 5221265 • Cooperativa Veneziana 041 716124 • Venezia Taxi 041 723112 • Venice Water Taxi 041 5229040 • Cooperativa San Marco 041 5235775 • Consorzio Motoscafi Venezia 041 5222303 • Società Narduzzi Solemar 041 5200838

Grandi motoscafi (fino a 250 persone): Turistica Penzo 041 5300597 • Venice Boat International 041 2602353 • San Trovaso Motoscafi 041 2412086

## Zoom
### Motoscafi blu

Vaporetti-autobus, taxi acquatici, idroambulanze ecc. Venezia traduce in senso acquatico tutto quello che nelle città normali ha quattro ruote. Quindi non possono mancare i motoscafi blu, cioè il corrispettivo veneziano delle auto blu. Comune, Provincia e Regione ne hanno in dotazione alcuni, ma i politici li usano con grande parsimonia: sfrecciare in Canal Grande risulta molto più visibile che essere nascosti nel traffico di una grande città, e i veneziani, come tutti, odiano i privilegi troppo esibiti...

## In vaporetto

I vaporetti sono gli autobus di Venezia. Sono pratici, puntuali, frequenti. Certo nelle ore di punta possono essere un po' affollati, ma con un pizzico di accortezza e una buona mappa si possono evitare brutte esperienze. Unico difetto, il costo: 7 euro a biglietto non è poco. Perciò, a meno che non facciate solo una breve visita nel cuore della città, vi conviene perdere un po' di tempo per capire quale delle varie offerte è la più conveniente per voi. Potete scegliere le tariffe a tempo (da 1 a 7 giorni) oppure optare per l'acquisto della tessera imob (vedi box). I bambini fino a sei anni invece viaggiano gratis.

**INFO**
www.actv.it • Costi: 60 minuti 7 €; 12 ore 18 €; una settimana 50 €

## La tessera imob

Per chi si ferma a Venezia più di qualche giorno, la soluzione migliore per spendere meno è fare la tessera imob con abilitazione Carta Venezia. È rilasciata a chiunque ne faccia richiesta ed è valida 5 anni. Il costo è di 10 € per i residenti nel Veneto, 40 € per tutti gli altri (italiani o stranieri). Con questa tessera (sulla quale possono essere caricati anche i biglietti per gli autobus del Lido e della Terraferma) ogni biglietto costerà solo 1,30 € invece di 7 €. Non è poco.

## ■ Con Alilaguna

Alilaguna è un'azienda privata che offre cinque linee di trasporto pubblico, più veloce (e costoso) rispetto al vaporetto Actv; è una buona soluzione per i collegamenti con l'aeroporto e il terminal crociere. Acquistando i biglietti dal sito internet si risparmia circa il 10% e ulteriori sconti sono previsti per chi ha la tessera imob. Dal sito si può acquistare anche un biglietto valido 72 ore che include un tour gratuito alle isole (55 €), buono, per esempio, per chi arriva in aeroporto e ha tempo solo per una visita supercondensata a Venezia e isole.

INFO
www.alilaguna.it • Costi: andata e ritorno aeroporto-San Marco 27 €

# Andare in terraferma

Nonostante sia un'isola, la città è ben collegata dai mezzi pubblici con il resto del mondo (la «campagna», come dicono i veneziani). Per questo i nati e cresciuti qui spesso non hanno nemmeno la patente e si affidano ad autobus, treni, aerei per visitare il resto del mondo. In fondo non è troppo diverso che vivere in una città come New York: comunque sia non puoi usare la macchina; sarà per questo che tanti newyorkesi amano Venezia.

Ma se proprio vogliamo muoverci in modo indipendente o andare a trovare l'amico che vive in campagna le soluzioni alternative ci sono. Eccole.

## ▦ In Vespa

Piazzale Roma

Quando arriva la primavera niente ti dà una sensazione di libertà come una Vespa. Bene, sotto il garage San Marco, in piazzale Roma, trovate un servizio di noleggio perfetto per delle scorribande veloci in terraferma. «Come è bello andare in giro con le ali sotto i piedi», cantavano i Lunapop a proposito della famosa due ruote della Piaggio. Avevano ragione.

INFO
New Grassato • Santa Croce (Piazzale Roma) 468/B • 041 2410309 (cell. 3351371125) • www.rentmescooter. venezia.it • Costi: da 4,90 € l'ora (compresi due caschi); un giorno costa 49 €

## ■ Con il car sharing

È un servizio che mette a disposizione una flotta di vetture che l'abbonato può prenotare con una semplice telefonata ogni volta che ne ha necessità. Un parcheggio di partenza è anche al piano terra del Garage Comunale a piazzale Roma: perciò comodissimo. Siccome occorre iscriversi ed essere autorizzati preventivamente, potete usufruire del servizio solo se vi organizzate per tempo. Le tariffe sono a consumo (costo orario più i chilometri percorsi), oltre a una quota annuale. È conveniente soprattutto per piccoli giri di qualche ora in zona; per distanze maggiori conviene il noleggio tradizionale.

**INFO**
www.asmvenezia.it • Costi: quota associativa annuale 50 €, tariffa oraria 3 € + 0,43 € a chilometro (benzina compresa)

**10**
Piazzale Roma

## ■ Con il noleggio auto

Vicino a Venezia ci sono città molto belle da visitare (Treviso, Padova, Vicenza, Verona e relative province), per cui, se avete un paio di giorni da dedicare all'entroterra veneto e volete la libertà dell'auto, il noleggio rimane la via più flessibile e, in fondo, più economica.
Come per tutto quello che riguarda le automobili, il luogo dove recarsi per noleggiarne una è sempre lo stesso: piazzale Roma. Quasi tutti gli uffici sono situati sotto il garage comunale.

**INFO**
Maggiore • Santa Croce 496N (Piazzale Roma) • 041 5227454
Avis • Santa Croce 496G (Piazzale Roma) • 041 5237377
Hertz • Santa Croce 496E (Piazzale Roma) • 041 5284091
Costi: Una piccola vettura per una giornata costa circa 50 € benzina esclusa (+ 26 € di parcheggio se si torna oltre l'orario di apertura nell'ufficio).

## ■ In taxi

Sarà perché c'è il lungo ponte da attraversare o per la forza corporativa della categoria, ma anche i taxi su gomma a Venezia sono piuttosto costosi: da piazzale Roma a Mestre centro una corsa costa circa 35 €, che possono aumentare a seconda della tariffa notturna o festiva. Viva gli autobus!

**INFO**
Piazzale Roma • Radio Taxi 041 5237774 • Lido 041 5265974

## In bicicletta

Va bene, le auto a Venezia non ci sono, ma in bici si può andare, vero? No. Nemmeno per sogno. Provate a montare in sella a una bici in una calle e vi troverete una multa in tasca. Non cercate di giustificarvi dicendo che siete appena passati per un campo dove c'era della gente in bicicletta: lo sapete benissimo che avevano otto anni e quelle erano bici per bambini. Mettetevela via, a Venezia non si può.

Bisogna accontentarsi di andarci a Sant'Erasmo, al Lido e Pellestrina e al parco San Giuliano (vedi sezione «Gite fuori porta»).

Se passate a Venezia un periodo abbastanza lungo, vi conviene lasciare la vostra bici in un bici park: costano poco e sono comodi.

## Bici park Mestre

Mestre

Ampio parcheggio per oltre seicento biciclette, a pochi passi dalla stazione ferroviaria di Mestre. Al parcheggio possono accedere sia gli utenti giornalieri che gli abbonati.

Può essere utile punzonare il telaio della bici con un numero identificativo che, in caso di furto (e ritrovamento), permette alle forze dell'ordine di risalire al proprietario del mezzo: il servizio costa 2 euro.

**INFO**
Bici park • Piazzale Favretti (Mestre) • www.asmvenezia.it/accita/bicipark_ mestre.html • Aperto 6-23 (chiuso la domenica) • Costi: giornata 0,50 €, mese € 10

## Bici park Venezia

Piazzale
Roma

Sempre aperto e gratuito. Lo trovate a fianco dell'Autorimessa Comunale di piazzale Roma, alla destra dell'ingresso riservato alle auto. Il parcheggio è totalmente coperto e dotato di comode rastrelliere dove ancorare la propria bicicletta; non è presidiato, né dotato di sistema di video-sorveglianza. Come mai è gratuito? Be', provate a fare il ponte della Libertà in pieno luglio o in gennaio.

**INFO**
Bici park Venezia • Santa Croce 496 accanto all'autorimessa comunale (Piazzale Roma) • www.asmvenezia.it • Sempre aperto

**13** Mestre

## ■ Con la bici in prestito

Bella iniziativa ecologica, nata dalla collaborazione tra AVM S.p.A., il Comune di Venezia e l'Istituzione Casa dell'Ospitalità. Purtroppo, però, solo a Mestre. Consegnando un proprio documento di identità, si ottiene in prestito una bicicletta gratis per tutto il giorno. Ogni giorno in più dopo il primo costerà 2 € e potrete tenere la bicicletta al massimo per una settimana. Il servizio è attivo in due parcheggi in zona Mestre.

INFO
Te presto 'na bici • www.asmvenezia.it/accita/teprestonabici.html • Parcheggio via Bissolati e parcheggio Santa Maria dei Battuti (Mestre) • 8.30-18.30; d'inverno chiuso la domenica

## ■ In autobus

Il caro vecchio autobus rimane il modo più economico per spostarsi nella terraferma veneziana. A seconda della linea e dell'ora i mezzi possono passare dal vuoto al molto molto affollato. Considerate che gli orari di punta sono, ovviamente, quelli mattutini e serali durante i giorni feriali, quando i molti pendolari vanno a lavorare in centro e se ne tornano a casa la sera. In questo, anche Venezia è una città come le altre.

INFO
Actv • www.actv.it • Costi: corsa semplice 1,30 € (75 minuti)

## ■ In corriera

Le linee Atvo coprono tragitti interurbani, in particolare nel Veneto orientale, e sono quindi un modo meno costoso del noleggio auto per esplorare l'entroterra veneto. Ovviamente il trasporto è più lento rispetto all'auto privata, ma alcune linee speciali sono convenienti, come per esempio quella per Cortina d'Ampezzo. Sono attive anche alcune tratte internazionali: non

si sa mai che decidiate di andare in gita a Skopje. Eventualmente, se siete
in tanti, potete avvalervi di un servizio di noleggio pullman per comitive.

**INFO**

Atvo • www.atvo.it • 0421 383671 • Costi: Venezia-Cortina 13 €

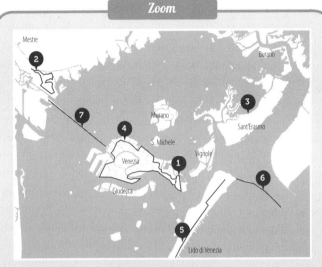

## Jogging a Venezia

Fare jogging a Venezia è un esperienza inconsueta e bellissima. Ma nonostante l'assenza di automobili, non pensiate di potervi mettere a correre
dovunque e a qualsiasi ora: pendolari stressati e visitatori inamovibili
potrebbero farvi perdere il ritmo facilmente. L'orario giusto è la mattina
presto prima delle 8 e la sera dopo le 18. Tutte le larghe rive aperte sulla
laguna sono una buona scelta: Fondamente Nove, Giudecca, Zattere e riva
degli Schiavoni fino al grande parco di Sant'Elena.
Ci sono poi diverse manifestazioni che offrono a tutti l'occasione di correre
e passeggiare in compagnia: la Venicemarathon, la Su e zo per i ponti, la
run530 (vedi calendario p. 208).
Qui di seguito alcuni percorsi suggeriti da maratoneti esperti.

Percorsi
1. Giro di San'Elena 1,5 km
2. Giro di San Giuliano 4,5
3. Giro di Sant'Erasmo 9 km
4. Giro di Venezia 14 km
5. Solo andata al Lido 12 km
6. Solo andata alla diga di San Nicolò 2,8 km
7. Solo andata al Ponte della Libertà 3,8 km

# Alloggiare

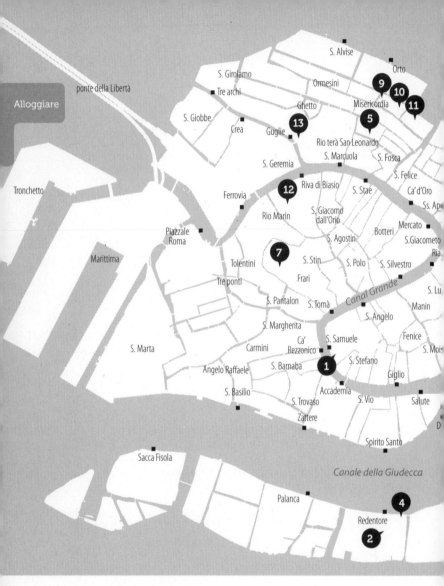

1. Foresteria Levi
2. Foresteria Redentore
3. Ostello Giudecca
4. Ostello Jan Palach
5. Ostello Santa Fosca

6. Foresteria Valdese
7. Domus Civica
8. Frati Minori
9. B&b All'Orto
10. B&b Ca' del Sole

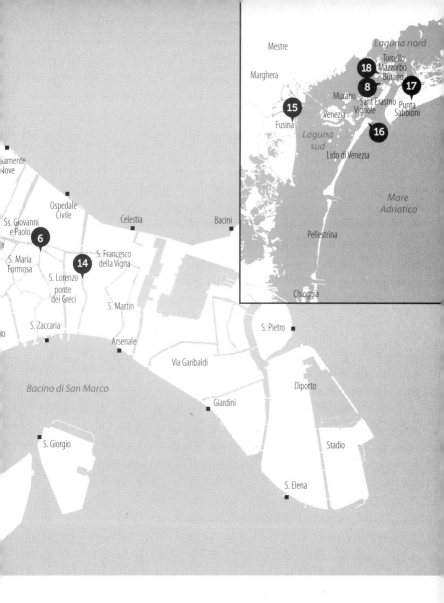

Mestre

Marghera

*Laguna nord*

Torcello
Mazzorbo
Burano

18

8

17

Murano
Sant'Erasmo
Vignole
Venezia
Punta
Sabbioni

15

Fusina

*Laguna
sud*

16

Lido di Venezia

*Mare
Adriatico*

Pellestrina

Chioggia

amente
love

Ospedale
Civile

Celestia

Bacini

Ss. Giovanni
e Paolo

6

S. Francesco
della Vigna

14

S. Maria
Formosa

S. Lorenzo
ponte
dei Greci

S. Martin

S. Zaccaria

Arsenale

S. Pietro

Via Garibaldi

Diporto

*Bacino di San Marco*

Giardini

S. Giorgio

Stadio

S. Elena

| | | | |
|---|---|---|---|
| 11. | B&b Casa Baseggio | 16. | Camping San Nicolò |
| 12. | B&b Il Giardino di Giulia | 17. | Camping Marina di Venezia |
| 13. | B&b Alle Guglie | 18. | Base scout ex Forte Mazzorbo |
| 14. | B&b San Marco | | |
| 15. | Camping Fusina | | |

# Foresterie e ostelli per tutti

Vi diranno che il modo migliore per risparmiare sull'alloggio è prendere una pensione a Mestre. Ed è vero. È vero anche, però, che alloggiare a Venezia centro è tutta un'altra cosa, poiché potete godervi la città di notte, al risveglio sentirne i suoni caratteristici ecc. La bella notizia è che, prenotando con un po' di anticipo, è possibile farlo a prezzi abbordabili. Qui vi presenteremo qualche sistemazione bella e interessante, e vi daremo delle dritte per non farvi sovrastare e ingoiare dalla giungla veneziana.

## ▓ Qualche consiglio per orientarsi

Nell'ultimo decennio l'offerta di ospitalità è a dir poco raddoppiata, con le concessioni bed & breakfast, gli affittacamere e gli alberghi cui è stato consentito di adibire a camere anche appartamenti limitrofi e non. Insomma, non c'è che l'imbarazzo della scelta (per i visitatori; per i residenti è tutta un'altra storia, vedi p. 29). Inoltre l'utilizzo di siti di prenotazione online ha semplificato i confronti.

Gli ostelli sono sicuramente la scelta più conveniente. Occupati da studenti durante l'anno accademico, già da fine maggio possono essere utilizzati dal resto del mondo. Convenienti e pratiche, anche se a volte un po' spartane, queste strutture hanno spesso spazi comuni come la cucina, lavanderia a gettone, sala studio. E a volte anche una vista pazzesca o un giardino con resti trecenteschi. Stranezze veneziane.

Le tariffe sono più alte nel fine settimana e in alta stagione (la bassa stagione a Venezia, lo ricordiamo, va da novembre a febbraio, Natale e capodanno esclusi). I prezzi possono variare moltissimo, per cui conviene fare un giro in rete per essere aggiornati sulle tariffe.

Oltre alle feste comandate, considerate che a Venezia sono considerati alta stagione i periodi della Biennale d'Arte e di Architettura (in particolare la settimana delle inaugurazioni a giugno), la Mostra del Cinema (settembre) e, ovviamente, il Carnevale (in genere in febbraio).

Ultima dritta: per camera doppia si intendono due letti separati (non matrimoniale).

## ■ Alberghi

Se volete un albergo vero e proprio, con tutti i piccoli lussi che può offrirvi, a Venezia non troverete delle occasioni vere, di quelle da raccontare agli amici. Un buon trucco può essere scegliere un periodo di bassa stagione (novembre-febbraio) e magari privilegiare zone non centralissime (Castello e zona stazione. Tranquilli: non è come le zone stazione delle altre città). Di buono c'è che l'alta stagione veneziana non coincide con l'alta stagione tipica delle zone balneari: in agosto, ad esempio, si possono trovare buone soluzioni, mentre è impensabile durante le grandi manifestazioni (come già detto, Biennale e Festival del Cinema). Chi proprio vuole un albergo a tutti i costi ma non vuole pagare qualsiasi costo, farà meglio a optare per il Lido (non in estate, però) e la terraferma (Mestre). Unica regola: prima di prenotare verificate che il vostro albergo sia ben collegato tramite i mezzi pubblici, in modo che, se anche una sera fate tardi in osteria, riuscirete a buttarvi sul letto agevolmente.

**INFO**

Siti utili: www.booking.com, www.venere.com, www.laterooms.com, ma soprattutto www.hostelworld.com. Ci troverete tutte le offerte e le soluzioni economiche disponibili (non solo in ostello). Hostelworld è un sito internazionale ma la gestione è a Rialto.

## Zoom

### Il wi-fi del Comune

Il Comune di Venezia mette a disposizione una connessione wi-fi gratuita ai residenti e city user (lavoratori e studenti). I visitatori occasionali possono scegliere dei pacchetti da uno o più giorni: il costo è conveniente se acquistate online (24 ore € 5, tre giorni 15 €, una settimana 20 €).

Alcune aree sono ben coperte, altre non ancora. Se avete intenzione di utilizzare la connessione soprattutto in una zona specifica, verificate sul sito del servizio la mappa della copertura, per capire dove sono stati collocati gli oltre 200 hot spot.

www.veniceconnected.com

## Abitare a Venezia

Una delle conseguenze di un'offerta di alloggi turistici tanto diffusa e capillare è che rimane ben poco per chi a Venezia vuole abitare tutto l'anno. Perché affittare un monolocale a 500 euro al mese quando la stessa cifra posso farla pagare alla settimana? Per questo gli affitti veneziani sono piuttosto alti e la domanda e l'offerta si incontrano nelle agenzie e sui giornali dedicati, ovviamente, ma anche nei molti avvisi appiccicati per la città, che portano le diciture «trattativa privata» e «no agenzie». Nonostante ogni candidato sindaco prometta migliaia di nuovi appartamenti, la città continua a non offrire affitti abbordabili alla classe media: 60 metri quadri per 1000 euro al mese per una famiglia normale sono troppi. E quindi le famiglie normali vanno ad abitare in città normali, cioè in terraferma. Un dato: ogni anno Venezia città storica perde circa 800 abitanti: oggi siamo quasi sotto i 58.000 residenti.

INFO
Siti utili: affittistudenti.studenti.it e case.100x100venezia.it

## Con vista sul Canal Grande

S. Samuele

La Foresteria Levi ha sede in un bellissimo palazzo storico di origine trecentesca, palazzo Giustinian Lolin, poi restaurato nel Seicento da Baldassarre Longhena, l'architetto veneziano autore della basilica di Santa Maria della Salute. Dalle finestre si gode una magnifica vista del Canal Grande.

Venti camere in tutto, arredate con uno stile moderno ed essenziale, più alcune comodità come due sale riunioni da 60 posti affacciate entrambe sul Canal Grande (prezzo da concordare) in una posizione che più centrale non si può, giusto davanti alle Gallerie dell'Accademia. In ogni camera: rete wireless gratuita e tv LCD satellitare più digitale terrestre. La prima colazione è inclusa nel prezzo della camera. Per chi vuole, servizio di piccola lavanderia e sveglia in camera.

INFO
Foresteria Levi • San Marco 2894 (S. Samuele) • 041 2770542 / 041 2770574 • www.foresterialevi.it • Costi: doppia 50/220 € • Fermata vaporetto S. Zaccaria

## Ex convento per viaggiatori solitari

Redentore

Dormire in una bella cella conventuale: perché no? E allora ecco questo ex convento nell'isola della Giudecca. Un'avvertenza: non lasciatevi confondere dal numero civico, che corrisponde anche a quello dei frati, dall'altra parte dell'edificio. Misteri dell'anagrafica veneziana! Voi guardate la nostra mappa e state tranquilli.

Ambiente (ovviamente) silenzio-sissimo e un po' austero, fatto di 48 camere singole semplici ma confortevoli, dotate tutte di bagno privato e riscaldamento autonomo, minifrigo e wi-fi. Tutto quel che serve, insomma. Le stanze hanno una bella vista sul giardino dei frati, in particolare quelle del secondo piano che spaziano sulla laguna. È possibile anche usare la cucina e altri ambienti comuni, per studiare un po' in santa pace o trascorrere qualche tempo a guardare questa guida per decidere cosa fare nella giornata. A disposizione lavatrici a gettoni.

**INFO**
Foresteria Redentore • Giudecca 194, calle de le Cape (Redentore) • 041 5225396 • www.campluscityheart.it • Costi: variano stagionalmente: una notte a partire da 45 €, una settimana da 270 € • Fermata vaporetto Redentore

**③ Zitelle**

## ▨ Very basic, very international

La Giudecca ha il difetto di non avere un ponte che la collega con il resto di Venezia, ma il grande pregio di avere prezzi più contenuti rispetto al resto della città, pur essendo Venezia a tutti gli effetti. Questo è un ostello di una catena internazionale, per chi non ha grande pretese e punta al risparmio.

Gli ostelli sono sempre un buon modo per viaggiare a prezzi contenuti, perfino a Venezia.
L'Ostello Giudecca è onestamente basic e offre ospitalità in camerate (anche da 16 letti) a un prezzo che varia da periodo a periodo, dai 20 ai 40 € a posto letto. Recentemente riarredato in modo allegro, ha anche stanze con letti a castello. Tutte le stanze e le camerate sono dotate di aria condizionata; ogni ospite ha una chiave elettronica con badge per usare l'ascensore e poter accedere ai piani. Nelle sale comuni wi-fi gratuito. La colazione internazionale (dolce e salato a buffet) costa 3,50 €.

**INFO**
Ostello Giudecca • Fondamenta Zitelle 86 (Zitelle) • 342 5767349 • generatorhostels.com • Costi: posti letto da 20 €. Sul sito le tariffe variano a seconda di sistemazione e periodo • Fermata vaporetto Zitelle

**④ Redentore**

## ▨ L'ostello in una location da urlo

A Venezia anche un semplice ed economico ostello della gioventù può trovarsi in una location a dir poco straordinaria: da qui il panorama sulle Zattere e la Punta della Salute è a dir poco mozzafiato.

Proprio sulla riva dell'isola della Giudecca, questo ostello offre camere doppie e multiple, sia con bagno privato che con bagno in comune. Durante l'anno è una residenza universitaria con studenti da tutta Italia e dall'estero. Approfittando del vicino e conveniente supermercato e della cucina attrezzata a disposizione potrete organizzare una spaghettata internazionale in compagnia degli altri ospiti. Il battello è a due passi e in una fermata vi porta alle Zattere.

INFO
Ostello Jan Palach • Giudecca 186 (Redentore) • www.ostellojanpalach.it • 041 5221321 • Costi: doppie con bagno da 55 €; multipla, massimo 4 letti, da 70 € • Fermata vaporetto Redentore

## ▨ Una posizione strategica

**5**
S. Fosca

Ecco un ostello in pieno centro storico, a dieci minuti dal ponte di Rialto e a quindici da San Marco, giusto a un passo dall'antica chiesa di Santa Fosca.

Aperto tutto l'anno, tranne che nel periodo natalizio, l'ostello Santa Fosca (che si affianca a una residenza universitaria) offre camere doppie e multiple arredate in modo essenziale, a prezzi molto convenienti. Servizi aggiuntivi: wifi gratuito, cassette di sicurezza, salotto con tv; nel periodo estivo cucina attrezzata.

Qualche gradito «plus» di ambientazione: l'ostello incorpora alcuni elementi dell'antica chiesa dei Servi (del Quattrocento), che fu la terza chiesa più grande di Venezia; in giardino, invece, potrete prendere il sole ammirando le rovine dell'antica chiesa di Santa Fosca, risalenti al XIV secolo.

INFO
Ostello Santa Fosca • Cannaregio 2372, Fondamenta Canal (S. Fosca) • 041 715775 • www.santafosca.com • Costi: doppia a partire da 50 €, posto in camerata da 20 €.

## ▨ Una foresteria vicino a Santa Maria Formosa

**6**
S. Maria Formosa

Ospitata nel suggestivo palazzo Cavagnis, questa foresteria gestita da un organismo della Chiesa Valdese e Metodista in Italia fa parte del network di strutture ricettive valdesi in Italia.

La Foresteria offre un servizio di pernottamento e prima colazione a singoli, coppie, famiglie e gruppi, senza distinzione di religione, razza, sesso ed età. La struttura offre sala concerti, spazio bimbi, spazio tv e perfino ascensore (cosa non scontata, a Venezia). Tutte le camere hanno un arredamento spartano, bagno e biancheria inclusa nel prezzo. Ottimo indirizzo per vacanze di gruppo.

Ma se non avete mai dormito in una stanza affrescata, qui vi può capitare.

**INFO**
Foresteria Valdese • Calle Lunga Santa Maria Formosa, Castello 5170 (S. Maria Formosa) • 041 5286797 • www.foresteriavenezia.it • Costi: doppia da 115 €, posto letto in dormitorio da 35 € • Fermata vaporetto S. Zaccaria

---

**7**
Frari

## Non solo per donne

A soli dieci minuti dalla stazione ferroviaria Santa Lucia e da piazzale Roma, la Domus Civica si trova a due passi da San Rocco e dalla basilica dei Frari. Un buon punto di partenza per scoprire le bellezze di Santa Croce e San Polo.

Come altre strutture di ospitalità che abbiamo già segnalato, anche la Domus civica ha due stagionalità distinte: durante l'anno ospita solo studentesse a 455 € al mese per la singola e 405 per un posto in camera doppia (vitto e alloggio compresi); da giugno a settembre ospita turisti di entrambi i sessi, anche solo giornalieri. Il costo per una camera singola, con lavandino ma senza bagno in camera, è di 38 €, compresa biancheria. I bagni sono in comune sullo stesso piano. Nello stabile ci sono sale comuni, due terrazze ampie, deposito bagagli, wifi.

**INFO**
Domus Civica • San Polo 3082 (S. Rocco) • 041 721103 • Aperto dalle 7 a mezzanotte e mezza. • Costi: posto letto da 32 € in camera doppia o tripla. Sconto studenti circa 20%

---

**8**
Laguna nord

## Ritiro spirituale in isola

L'isola di San Francesco del Deserto è abitata dai Frati Minori fin dal 1230 circa. La tradizione vuole che san Francesco ci sia passato nel 1220. Oggi è un angolo appartato di laguna, per chi ha bisogno di una pausa dal mondo.

Il nome del luogo risale al Quattrocento, quando l'isola di San Francesco per alcuni anni rimase abbandonata e deserta a causa dell'insalubrità della laguna. Oggi i frati ospitano pellegrini per ritiri spirituali, solitamente dal venerdì pomeriggio al pranzo della domenica. Chi viene qui condivide tutti i momenti di preghiera e i pasti con la comunità. Ci sono due momenti di meditazione, mentre il resto del tempo è lasciato alla preghiera e alla riflessione personale. Le stanze sono singole con bagni in comune; occorre portare lenzuola e asciugamani. I monaci accolgono pellegrini durante tutto l'anno escluso il mese di novembre e dal 7 gennaio fino all'inizio della Quaresima.

Foresterie e ostelli

INFO
Frati Minori • Isola San Francesco del Deserto • Per prendere accordi con il responsabile dell'accoglienza telefonare ore pasti allo 041 5286863 • www.sanfrancescodeldeserto.it • Costi: offerta libera. Non è possibile arrivare con i mezzi pubblici (vedi box).

## Zoom

### *In visita all'isola di San Francesco*

L'isola di San Francesco del Deserto è aperta anche ai turisti che non si fermano a dormire ma vogliono visitarla in giornata. Gli orari di visita sono 9-11 e 15-17 (escluso il lunedì). Un collegamento dall'isola di Burano è assicurato da Laguna Fla ogni giorno (escluso il lunedì) alle 14.30 (fermata dei vaporetti). Il biglietto costa 10 €.

www.lagunafla.it

# Bed & breakfast e camping

rarità). Oltre a essere accoglienti e a offrire un'atmosfera calda e familiare, hanno prezzi abbordabili e hanno permesso a qualche famiglia in più di rimanere ad abitare in questa costosa città.

Qui vi consiglieremo una decina di autentici b&b (una

## ■ B&b: a ciascuno il suo

I b&b, tra l'altro, sono spesso una chiave per entrare davvero nella vita cittadina: chi avvia un'attività di questo tipo ha fatto la scelta di aprire la propria casa ai visitatori e spesso è prodigo di consigli azzeccati. Approfittatene! Unico inconveniente: riuscire a prenotare per tempo.

**9**
Orto

## ■ Colazione in giardino

Nel cuore del quartiere di Cannaregio, vicino alla chiesa della Madonna dell'Orto, Paola saprà accogliervi con calore e gentilezza nella sua casa.

Qui troverete una sola camera per gli ospiti, ma completa di bagno privato con doccia, e che può ospitare fino a tre persone. La vera notizia è che in questo b&b i bambini sono molto graditi, quindi troverete lettino, seggiolone, giochi e libri.

La camera è situata al piano terra ed è affacciata sul giardino, dove si può consumare la colazione o riposarsi un po' dopo le camminate della giornata. D'inverno la colazione viene servita in cucina oppure in camera.

**INFO**
B&b All'Orto • Cannaregio 3362, calle Gregolina, vicino al Campo dei Mori (Orto) • 393 9271778 • www.bballorto. it • Costi: da 50 € a persona • Fermata vaporetto Orto

## A casa di una scrittrice

**10**
Orto

A Cannaregio, accanto alla casa del Tintoretto, Paola vi offrirà una sistemazione calda e accogliente, oltre a darvi molti consigli per entrare veramente nello spirito della città.

Paola, la padrona di casa, è autrice di molti libri e guide alla città (anche per bambini) ma soprattutto è prodiga di attenzioni e dritte per i suoi ospiti. Sarà felice di condividere anche con voi la sua conoscenza della città, alla scoperta di una Venezia sconosciuta e segreta che turisti e «foresti» altrimenti non scopriranno mai.

Per gli ospiti è a disposizione una camera doppia arredata con mobili liberty, bagno privato e doccia. La prima colazione è servita in cucina, disponibile anche per cucinare qualcosa. Molto fornita la biblioteca su Venezia; connessione wifi per i web addicted.

**INFO**
B&b Ca' del Sole • Cannaregio 3394, Sotoportego Porton dei Mori (Orto) • 041 722176 • Costi: camera doppia 80/130 € • Fermata vaporetto Madonna dell'Orto

## Nel cuore di Cannaregio

**11**
Orto

Campo dell'Abbazia è uno dei campi più particolari della città, con due lati rivolti all'acqua, le due facciate della chiesa e della Scuola e la pavimentazione in mattoni rossi. Da lì prendete la fondamenta dell'Abbazia e dopo pochi metri sarete arrivati.

A casa Baseggio si arriva entrando in una corte piena di verde (corte Nova); è l'ultimo edificio a destra, quello rosso al civico 3556. Marco e Alessandra mettono a disposizione due camere doppie (matrimoniali o con letti separati), dotate di ampi ambienti e con bagno privato. Le camere sono al primo piano, ma hanno una splendida vista sulla corte verso la Misericordia. Una sistemazione comoda da cui partire per scoprire le bellezze e le buone osterie del quartiere di Cannaregio.

INFO

B&b Casa Baseggio • Cannaregio 3556, fondamenta dell'Abazia (Orto) • 348 3432069 o 041 0994079 • www. casabaseggio.it • Costi: doppia da 70/120 € • Fermata vaporetto Orto

## ■ Vicino ai Frari

Rio Marin

Posizione strategica nel cuore della città: a cinque minuti dalla stazione dei treni e da piazzale Roma, ma anche a tre passi dalle bellezze della basilica dei Frari.

Questo b&b ha ereditato il nome romano di un altro b&b, quello romano del cognato dei proprietari. Quindi non aspettatevi giardini; in compenso trovate tre bellissime camere distribuite su due livelli: Libeccio, Tangerine e Marcello. Più in alto invece si va in cucina a far colazione insieme a Marco e Monica. Il tipo di sistemazione non si presta per la gestione dei bambini. I proprietari hanno invece una grande passione per i cani, anche di taglie importanti.

INFO

B&b Il Giardino di Giulia • Santa Croce 965 (Rio Marin) • 041 710412 • www. ilgiardinodigiulia.com • Costi: singola 50/80 €, doppia 70/150 € • Fermata vaporetto Riva de Biasio

## ■ Al Ghetto, lassù in alto

Guglie

L'appartamento si trova vicino al Ghetto ebraico, con i suoi alti edifici e il suo fascino esotico e un po' misterioso.

Siamo all'ultimo piano di un edificio risalente al XVI secolo, arredato con mobili antichi e il tipico pavimento in terrazzo. In sintesi: una casa veneziana a tutti gli effetti. La camera matrimoniale è ampia e luminosa con una grande terrazza e tutti i comfort: aria condizionata, televisione, bagno adiacente. La bellissima vista sui tetti della città vi ripagherà della fatica (non c'è ascensore). La generosa colazione si fa in compagnia di Antonio, nella sua cucina, o nella terrazza panoramica. Assolutamente impensabile portarsi i bambini: è un rifugio per coppie molto romantiche.

INFO

B&b Alle Guglie • Cannaregio 1308, calle del Magazen (Guglie) • 320 3607829 • www.alleguglie.com • Costi: camera doppia da 70 € a 125 € • Fermata vaporetto Guglie

## ▣ Elegante, e che terrazza!

La casa di Marco Scurati si affaccia su un caratteristico canale che arriva dritto in bacino di San Marco e sul lato della scuola di San Giorgio degli Schiavoni, famosa per gli affreschi del Carpaccio.

Campeggi

**14**
S. Lorenzo

Marco e Alice sanno creare un'accoglienza calda e amichevole, oltre che fornire preziose informazioni sulla città. Loro se ne stanno nel piano mansardato, mentre al piano principale ci sono le tre camere a disposizione degli ospiti, due con bagno in comune, la terza con bagno privato interno. La colazione è self service nella cucina in comune con l'abitazione, spesso occasione di socializzazione tra gli ospiti.

Dalle camere al terzo piano, arre-date con i mobili d'epoca originali della famiglia, si gode di una vista spettacolare sui tetti, sul canale, sulla chiesa e sul ponte sottostante. Unico difetto: non c'è l'ascensore. Ma che sia davvero un difetto?

**INFO**
B&b S. Marco • Castello 3385L, fondamenta San Giorgio dei Schiavoni (S. Lorenzo) • 041 5227589, 335 7566555, 347 2442237 • www.realvenice.it • Costi: doppia da 65/135 € • Fermata vaporetto S. Zaccaria

---

# Campeggi

Nel centro di Venezia campeggi non ce ne sono, ma nei dintorni sì, collegati con la città tramite mezzi pubblici acquei: circa mezz'ora di battello in tutti e tre i casi che vi raccontiamo.

## ▣ Una location particolare

**15**
Fusina

Il Camping Fusina si trova nella terraferma mestrina; è posizionato sulla riva della gronda lagunare. Con, lì in fondo, Venezia.

Il camping di Fusina è un classico per chi arriva in auto, molto economico anche per la sua localizzazione appena a sud di Porto Marghera. Il camping compensa questa «particolarità» con una vista niente male sulla laguna e con un collegamento acqueo diretto con

Venezia fermata Zattere (13 € A/R). Sono presenti servizi di ristorazione, bar e supermarket. C'è anche una darsena per l'ormeggio barche.
Chi ha l'auto, da qui può partire per una bella gita nella riviera del Brenta.

**INFO**
Camping Fusina • Via Moranzani 93, Fusina • 041 5470055 • www.camping-fusina.com • Costi: 2 persone con auto e tenda 33 € (servizi di base compresi) • Fermata linea 18 Fusina

## 16  In tenda al Lido

Lido

Il Lido è l'isola di villeggiatura dei veneziani; quindi, come in tutti i luoghi di villeggiatura, non può mancare il camping, ubicato nella zona di San Nicolò, vicino alla chiesa omonima.

Consigliato soprattutto a chi non ha l'automobile (anche se, volendo, si può arrivare con il ferryboat) perché affittano anche le biciclette (8 euro a giornata). A chi arriva senza attrezzatura il campeggio affitta sia le tende (5 euro) che i sacchi a pelo (3 euro). I bambini fino a due anni non pagano e fino a dieci pagano una tariffa giornaliera ridotta, di 8 euro. All'imbarcadero per il vaporetto per Venezia si arriva in cinque minuti di autobus (al Lido non c'è traffico) o mezz'oretta di tranquilla passeggiata. È la soluzione più economica per alloggiare in zona durante il Festival del Cinema, ma prenotate con un certo anticipo!

**INFO**
Camping San Nicolò • Via dei Sanmicheli 14, Lido di Venezia • 041 526 74 15 • www.campingsannicolo.com • Aperto da aprile a settembre • Costi: 2 persone con auto e tenda 32 € (servizi di base compresi) • Fermata vaporetto Lido S.M. Elisabetta

## 17  Atmosfera balneare

Punta Sabbioni

Punta Sabbioni è l'estremità della lingua di terra che protegge, a Oriente, la laguna di Venezia. Quindi non è un'isola, ma ci potete arrivare comodamente in auto.

Il camping di Punta Sabbioni è ideale per chi ha bambini: ha molte aree attrezzate con giochi, negozi, minigolf, piscine e una grande spiaggia. Sono benvenuti anche i cani. Perfetto per una vacanza in famiglia con qualche gita a Venezia oppure, per i più giovani e tiratardi, per una serata in discoteca nella vicina Jesolo.

Da maggio fino ad agosto con cinque minuti di navetta si arriva all'imbarcadero della motonave per Venezia. Da lì, in una quarantina di minuti siete a Fondamenta Nuove.

INFO
Camping Marina di Venezia • Via Montello 6, Punta Sabbioni • 041 5302511 • www.marinadivenezia.it • Costi: 2 persone con auto e tenda 20/40 € a seconda del periodo (servizi di base compresi) • Fermata motonave Punta Sabbioni

Campeggi

## Zoom

### *Dormire in sacco a pelo tra le isole*

18
Burano

A Burano c'è la base scout dell'ex Forte Mazzorbo, che ospita spesso gruppi di scuole o altre associazioni dallo stile avventuroso. Oltre all'ex forte completamente ristrutturato – con cucina, camere con 35 posti letto, wc, docce e sala da pranzo comune – ci sono 30 canoe a 3 posti per andare in giro a conoscere la laguna nord e molto spazio per piantare tende.
Insomma, se avete dimestichezza con spazi e strutture autogestite è la soluzione giusta per voi.

Info
Base Scout ex Forte Mazzorbo (Burano) • 041 5221858 • http://quagliati. altervista.org • www.veneto.agesci.it • Costi: offerta libera

# Cicheti e dintorni

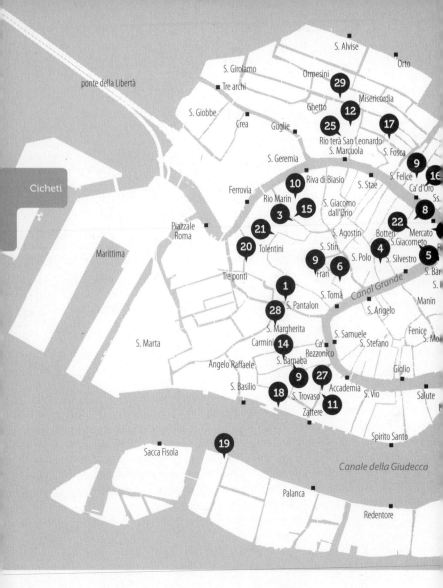

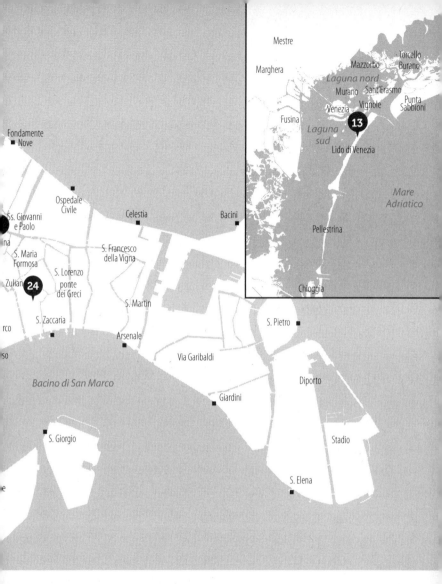

# La colazione dei campioni

«La colazione è il pasto più importante della giornata» dice sempre la mamma. A Venezia è ancora più vero, visto che probabilmente vi troverete a scarpinare per tutta la giornata. Quindi, tanto vale scegliersi un bel posto dove farla! Ricordate che, per costosa che sia, almeno sulla colazione Venezia non si discosta troppo dalla media nazionale: caffè e brioche circa 2 euro, o poco più. Naturalmente stiamo parlando dei prezzi al banco: se vi sedete ai tavolini, possono lievitare del doppio e oltre. Che li chiamiate brioche, cornetti o croissant (in veneziano «curassàn»), nella maggior parte dei bar veneziani non sono di grande qualità: per lo più vi imbatterete nelle solite brioche surgelate messe in forno un attimo prima di infilarle nell'espositore. Con un po' più di pazienza, però, potrete trovare, allo stesso prezzo, anche vere brioche da pasticceria. Seguiteci...

S. Pantalon

## ◼ Colazione in piedi d'alta qualità

Gentili, bravi ed economici: Tonolo è la pasticceria di riferimento di Dorsoduro, ma è anche una delle migliori di tutta la città. Non ha tavolini per sedersi ma un lungo e spazioso bancone. Ordinate qui il San Martino (vedi box)!

Affollatissimo a tutte le ore, ma non desistete: il servizio efficientissimo vi esaudirà velocemente. Bavaresi, bignè al cioccolato, zabaione o crema, cannoli, sfogliatelle, pasticcini, petit four, millefoglie. L'assortimento è notevole e continua con paste, Sacher e, solo a Carnevale, le eccezionali frittelle, soprattutto quelle alle mele. Cappuccini e caffè sono serviti in sottili tazze che li rendono ancora più piacevoli. Se siete invitati a cena, passate di qui per prendere un semifreddo alla frutta: non ve ne pentirete.

**INFO**
Tonolo • Dorsoduro 3764, crosera San Pantalon (S. Pantalon) • 041 5237209 • 7.45-20; chiuso la domenica pomeriggio e il lunedì; chiuso ad agosto • Costi: caffè 1 €, cornetto 1 €, babà 1,40 €, cappuccino 1,30 € • Fermata vaporetto S. Tomà

## Dolce e salato in campo Santa Marina

Campo Santa Marina è a metà strada tra la splendida chiesa dei Miracoli e quella di Santa Maria Formosa. È un campo tranquillo, non attraversato dai flussi turistici: perfetto per una golosa colazione.

Didovich è un'ottima pasticceria, con la tipica produzione delle pasticcerie venete (cannoncini, pastine alle mandorle o riso, frolle e sacher), ma con in più la passione per i formati mignon: irresistibili i piccoli bignè al cioccolato, crema o zabaione o i microcannoli alla crema perfetti per accontentare i bambini senza far loro saltare la cena. Si è tentati di assaggiarli tutti (tanto sono mignon) seduti ai tavolini all'aperto, sorseggiando un buon caffè.

Molto interessanti le specialità salate dell'ora di pranzo, apprezzate non a caso da chi lavora in zona: pasticcio alla bolognese, polpette di carne o di tonno, gnocchi alla romana, anche da asporto. In alcuni periodi dell'anno, su prenotazione, si preparano specialità stagionali, come la tipicissima e rarissima castradina (zuppa di verza e montone).

**INFO**
Didovich • Castello 5908 (S. Marina) • 041 5230017 • 7-20; chiuso la domenica • Costi: al banco caffè 1,10 €, cornetto 1,10 €, piatti da portar via a porzione 7/10 € • Fermata vaporetto Rialto

## Metri di dolcezza

Siamo a un ponte di distanza dalla stazione, ma in una zona tranquilla, bella e molto veneziana. Nella sua pasticceria lungo rio Marin, Dario saprà rendere piacevole il vostro risveglio.

Per cominciare un saccottino pere e cioccolato. Poi, perché no, un tiramisù: non dimentichiamoci che l'hanno inventato a Treviso, a pochi chilometri da qui, e i veneziani l'hanno adottato volentieri. Non è escluso che vi proponga qualche metro di crostata da portare via. Sì, proprio così: Dario propone singolari e comode torte «a metro», in particolare crostate di marroni, cioccolato o marmellata, ma anche

«pinza», dolce tipico veneto preparato con farina di mais e semi di finocchio, da mangiare accompagnata da vin brulé soprattutto in occasione dell'Epifania.

Non trascurate i salati, in particolare i frollini al parmigiano. In primavera potete assaggiarli seduti ai tavolini con vista sul rio, anche per uno spritz serale. Negli umidi inverni veneziani, non perdetevi la meringata al rum.

INFO
Pasticceria Rio Marin • Santa Croce 784/785 (Rio Marin) • 041 718523 • 6.30-20.30; chiuso il mercoledì • Costi: caffè 1,10 €, cappuccino 1,50 €, cornetto 1,10 € • Fermata vaporetto Biasio

## ◼ Pasticceria all'antica

Cicheti

**4**

S. Polo

Siamo tra campo San Polo e Rialto, in una calle ad altissima intensità di traffico (pedonale, ovviamente). Qui troviamo una delle più antiche pasticcerie veneziane, che mantiene ancora un aspetto molto tipico e non «normalizzato» da designer «d'avanguardia».

Da Rizzardini non troverete tavolini per riposarvi le stanche membra, ma solo posti in piedi e un servizio veloce e simpatico. In compenso vi tufferete in un'ottima scelta di pastine e pasticceria secca. Speciali, in particolare, le lingue di suocera, le torte di mandorle e le «greche», pastine di pasta di mandorle. Se volete rimanere sulla colazione classica, le brioche sono ottime, così come i krapfen alla crema e la cioccolata calda.

Presso il pubblico di intenditori veneziani, Rizzardini si gioca con Tonolo il primato delle frittelle più buone. Naturalmente solo a Carnevale.

INFO
Rizzardini • 041 5223835 • San Polo 1415, campiello dei Meloni (S. Polo) • 7.15-20.15; chiuso il martedì • Costi: caffè 1,00 €, cappuccino 1,50 €, cornetto 1,20 €, pastina 1,20 € • Fermata vaporetto S. Silvestro

**5**

S. Giacometo

## ◼ Caffè caffè caffè

Qui c'era una torrefazione, ora trasferita in terraferma (così come molte altre attività veneziane, purtroppo). A memoria dell'antica destinazione d'uso, è rimasta attaccata a questo locale una grande passione per il caffè.

Meta prediletta per gli incontentabili del caffè: con crema, con vaniglia, con panna, con cioccolato oppure, addirittura, a strati o shakerato freddo con anice stellato. L'arredamento è moderno, con faretti e bancone frigorifero a onda tutto in legno. Molti tavolini per sedersi, sia all'interno che in calle. Per un caffè espresso è possibile

scegliere tra la miscela doge rosso e doge nero, e tra nove caffè in purezza: Mexico Altura, Cuba Caracolillo, Ethiopia Sidamo fino ad arrivare al suadente Jamaica Blue Mountain. Senza dimenticare il caffè di Huehuetenango, presidio Slow Food in Guatemala. Tutti macinati al momento, anche per chi vuole acquistarli per la caffettiera di casa

(2,60 € all'etto le loro miscele anche decaffeinate).

E poi succhi di frutta fresca (mela con banana, sedano o carota), cioccolata calda, densa e non, piccola pasticceria (leggerissime le meringhette con panna) e stuzzichini salati.

**INFO**

Caffè del Doge • San Polo 609, calle dei Cinque (S. Giacometo) • 041 5227787 • 7-19; chiuso la domenica • Costi: caffè normale al banco 1 €, caffè e cappuccini speciali al tavolo dai 3 € • Fermata vaporetto Mercato

La colazione

# Fuori pasto

A metà pomeriggio arriva quel languore lì, proprio quello lì che, se non ponete rimedio, rischia di farvi sedere al ristorante a orari nordeuropei. Per evitarlo vale la pena fare uno spuntino. A Venezia questo può significare tre cose: un dolcetto in pasticceria (vedi capitolo «La colazione dei campioni»), un cicheto fuori orario (vedi capitolo «Tempo d'aperitivo») oppure un tramezzino, il re della merenda veneziana.

## Tramezzini delle mie brame

Diciamolo subito: a Venezia è un'istituzione. Stiamo parlando del tramezzino, il rompifame per eccellenza, il salvatore di metà mattinata o metà pomeriggio, ma anche, per i più affamati, il grande accompagnatore degli spritz durante l'aperitivo. A Venezia il tramezzino è esageratamente ciccione, con il pane morbido e fresco e la maionese a tenere insieme il tutto. L'orgoglio dei veneziani per questa prelibatezza è tale che si litigano con i mestrini il primato di averlo inventato. Noi non ci esprimiamo, così evitiamo di perdere degli amici.

A Venezia trovate le combinazioni classiche più collaudate: prosciutto e carciofini, uova e asparagi, porchetta e funghi, tonno e olive, mozzarella e pomodoro... ma anche altre mille varianti che vale la pena assaggiare. Di solito il costo si aggira intorno all'euro e cinquanta.

Però, se è vero che quasi tutti i bar di Venezia li mettono in bella mostra sul bancone, non tutti i tramezzini di Venezia sono buoni davvero: spesso il pane è a lunga conservazione, la maionese è di bassa qualità e gli altri ingredienti anche. Ecco perché qui vi consigliamo alcuni locali attentamente selezionati dove il tramezzino è preparato con scienza e coscienza.

Un'avvertenza: non chiedete di scaldarlo. Rischiate di essere guardati come degli alieni.

Fuori pasto

##  Tramezzini per tutti i gusti

♥

**6**

S. Tomà

Non sempre nelle calli ad alta intensità turistica ci sono solo locali turistici. L'osteria Ai Nomboli ne è un esempio, con la sua clientela indigena che non può resistere a una pausa-tramezzino.

I tramezzini di Francesco sono i più fantasiosi in quanto a ingredienti, ma li unisce una regola comune: le materie prime sono sempre fresche. Asparagi, porchetta, gorgonzola, casatella (il tipico formaggio veneto a pasta morbida), fondi di carciofo, salsa di ortiche, roast beef, coppa calabrese, radicchio e melanzane ai ferri e, ovviamente, affettati, dalla soppressa allo speck. Provate il panino con zucca porcini e provola affumicata e pancetta stufata oppure gamberoni, zucchine trifolate, salsa di pistacchio e porcini o ancora fiori di zucca fritti

mozzarella e acciughe, riso freddo ai tre cereali e verdure...

È il caso di dirlo: ce n'è per tutti i gusti. All'interno solo posti in piedi o qualche alto sgabello, ma con un po' di fortuna si può trovare un angolino libero ai tavoli esterni.

**INFO**
ai Nomboli • San Polo 2717/C, rio terà dei Nomboli (S. Tomà) • 041 5230995 • 7-21; chiuso il sabato pomeriggio e la domenica • Costi: tramezzino 2 €, panino piccolo 2 €, panino grande 6 €, insalate 10/15 € • Fermata vaporetto S. Tomà

##  Rosasalva: un'istituzione cittadina

**7**

S. Zulian

La famiglia Rosasalva è a dir poco un'istituzione, e non solo nella gastronomia: da sempre sostengono e sponsorizzano molte attività sportive (tra cui recentemente anche il rugby) e sono tra i principali promotori della regata Vogalonga (vedi p. 210).

A due passi da San Marco c'è la sede storica della pasticceria dei Rosasalva, recentemente rimodernata. Ora la sala interna accoglie i clienti anche per un pranzo veloce (insalatone, primi piatti, piatti unici) o per uno spuntino a tutte le ore. L'offerta non manca, visto che il laboratorio è situato proprio qui, e serve i cinque bar cittadini e il servizio di catering della famiglia.

Buoni i croissant integrali al miele oppure quelli salati farciti con prosciutto crudo e brie; notevoli i cestini di riso; da non perdere i piccoli budini di semolino. Fra i tramezzini i loro cavalli di battaglia sono: salmone e cetriolini, insalata di pollo, uova e asparagi. I prezzi sono allineati con la media cittadina. Per cui se siete appena usciti dalla basilica di San Marco e state morendo di fame questo è un buon indirizzo.

**INFO**
Rosasalva • San Marco 950, calle Fiubera (S. Zulian) • 041 5210544 • 8-20; chiuso la domenica • Costi: tramezzino al banco 1,70 €, primo piatto al tavolo 7 € • Fermata vaporetto S. Marco

## 8 ▪ Gli originali tramezzini di Pietro

Mercato

Siamo nel cuore del mercato di Rialto, un luogo pieno di odori, colori e veneziani veri con borse della spesa. In campo delle Becarie, cioè «dei macellai», c'è un barettino d'angolo con grandi finestre e qualche sgabello, l'ideale per una pausa veloce e due chiacchiere davanti a uno spritz.

Il simpatico Pietro ha rilevato da alcuni anni il bar di un signore che si autodefiniva il «re del tramezzino». Ha superato il maestro, o meglio, ha aggiornato gli ingredienti ai palati sempre più incontentabili degli amici gourmet. Al banco non troverete i soliti cartellini («tonno e cipolline», «prosciutto e funghi» e così via) ma alcune trovate buone e divertenti, come per esempio il «Papa scampa» (il «Papa scappa») con mortadella, asparagi, maionese, zafferano. Da assaggiare!

Ogni tanto Pietro propone qualche risottino di pesce, sfruttando il vicino mercato, anche accompagnato da musica dal vivo.

**INFO**
Fiamma • San Polo 317, campo delle Becarie (Mercato) • 347 4279794 • In estate 6-21/22, in inverno 7,30-21/22; chiuso la domenica • Costi: bicchiere di vino 1 €, tramezzino 1,50 € • Fermata vaporetto Mercato

# Passione gelato

Anche a Venezia, come nelle altre città italiane, i chioschetti di gelato sono innumerevoli e sfavillanti di colori. Naturalmente sono tutti laboratori rigorosamente «artigianali», o almeno così c'è scritto sull'insegna. Noi, altrettanto rigorosamente, li evitiamo e ci gustiamo un buon gelato dove ne vale veramente la pena.

Fuori pasto

## ■ Alta qualità in franchising

**9**
S. Barnaba
Ca' d'Oro
Frari

Grom lo conoscono ormai tutti e, certo, è un po' caro. La differenza però si sente, e dopotutto un buon gelato all'ora di pranzo non è altro che un pasto a buon mercato.

La lentezza leziosa con la quale qui accomodano il gelato sul cono probabilmente fa parte del manuale. Sicuramente la fila che si crea attira ancora di più l'attenzione. Infatti, eccoci in coda per assaggiare i gelati di Grom, dai più classici (pistacchio, stracciatella, pera) a quelli più originali (caramello al sale, noci di Sorrento, cannella e noci pecan). Buoni, non c'è che dire. Vale la pena anche andare oltre il gelato e assaggiare i sorbetti, la cioccolata calda, la granita siciliana e il frappé.

A Venezia Grom ha aperto già tre sedi che pressappoco si equivalgono come arredamento, servizio e dimensione.

### INFO

Grom • Da aprile a settembre 11-23 dalla domenica al giovedì e 11-0.30 venerdì e sabato; da ottobre a marzo 11-22 dalla domenica al giovedì e 11-23 venerdì e sabato • Costi: cono piccolo 2,50 €, grande 3,50 €, frappé 3,50 €, cioccolata calda 3 €, gelato 20 €/kg

Dorsoduro 2761 (S. Barnaba) • 041 2413531• Fermata vaporetto Ca' Rezzonico

Cannaregio 3844, Strada Nuova (Ca' d'Oro) • 041 2602349 • Fermata vaporetto Ca' d'Oro

San Polo 3006 (Frari) • 041 5227194 • Fermata vaporetto S. Tomà

## ■ Il signor Pistacchi

**10**
Rio Marin

Una piccola e modesta bottega, occupata totalmente dal banco frigo e dal laboratorio. Qui il signor Pistacchi (si chiama proprio così) crea i suoi gelati superartigianali. Un must.

Negli ultimi anni abbiamo assaggiato molti gelati di rinomate catene nazionali, alcuni di buona qualità. Abbiamo, però, una sorta di pregiudizio: per noi le cose sono genuine solo quando possiamo chiamare per nome chi ha creato il prodotto dagli ingredienti di base. Quindi, per quanto riguarda i gelati a Venezia, il punto di riferimento è Carlo Pistacchi: la sua è una vera passione per l'alta qualità delle materie prime e la sperimentazione.

Nella bottega di Pistacchi, a due passi dalla stazione, si possono trovare i classici fiordilatte, nocciola e cioccolato (ma fatto con la cioccolata vera), poi, a seconda dell'ispirazione: fragola, pera, fico ma anche finocchio, carciofo, sedano, asparago oppure zenzero, tè verde, fagioli azuki, wasabi, cannella, malto o cardamomo, tutti preparati a partire da materie prime fresche, frullate o centrifugate.

Gli ingredienti seguono il ritmo delle stagioni e provengono spesso dalla laguna veneta; a volte si tratta di prodotti biologici, come per esempio il cacao boliviano utilizzato per la sua splendida granita al cioccolato (da abbinare con quella alla pesca), fatta solo di acqua, zucchero, farina di carruba (o di guar) per addensare e, naturalmente, cacao. Sembra impossibile in questi tempi di etichette piene di sigle incomprensibili. Da provare anche le granite di limone o arancio. Attenzione: in estate i gelati di Pistacchi si sciolgono velocemente. Sono gelati veri, i suoi.

**INFO**
Alaska • Santa Croce 1159, calle Larga dei Bari (Rio Marin) • 041 715211 • 12-24; in dicembre e gennaio chiuso il lunedì • Costi: cono piccolo 1,40 €, medio 2 €, grande 3 €, gelato 16 €/kg • Fermata vaporetto Biasio

##  11 ■ Un gelato in passeggiata

S. Trovaso

Ai primi caldi la fondamenta delle Zattere (detta in breve «le Zattere») è la passeggiata preferita dei veneziani. Qui si può camminare lungo l'ampia riva, godendosi la brezza, il paesaggio e, perché no, un buon gelato preso allo Squero.

La qualità media delle gelaterie della zona si è abbassata tragicamente, negli ultimi anni, così come il costo di un cono si è proporzionalmente alzato, soprattutto se consumato ai tavolini all'aperto. Perciò, senza troppe remore, optiamo per un gelato da passeggio da Simone, che ha la sua bottega in fondamenta Nani, una via perpendicolare alla passeggiata delle Zattere.

Da provare il pistacchio di Sicilia (anche se costa un po' più degli altri), la nocciola del Piemonte e l'esotico macadamia australiano. Poi gustatevi il gelato seduti sulla balaustra lungo il rio, oppure sulle passerelle per l'acqua alta.

D'inverno vanno a ruba i ciocco-
latini fondenti con peperoncino,
fichi o datteri.

**INFO**
lo Squero • Dorsoduro 990, fondamenta Nani (S. Trovaso) • 041 8653548 •
10.30-21; d'estate orario prolungato fino
a mezzanotte • Costi: coni da 1,20 a
5 € a seconda del numero di palline;
il pistacchio parte da 1,50 €; gelato
16 €/kg • Fermata vaporetto Zattere

# Pizza in versione street food

Anche a Venezia, come in tutte le città italiane, non mancano i
take away di pizze al taglio. Inutile dire che spesso la qualità non
è eccezionale, e i lieviti scadenti non ci fanno dormire la notte.
Quindi ecco un paio di buoni consigli.

## ▓ Pizze quadrate per tutti i gusti

Rio terà
S. Leonardo

Una volta, da queste parti, le pizze al taglio erano così, come quelle che
trovate all'Arte della pizza: delle grandi teglie quadrate, che poi venivano
tagliate a loro volta a quadrati. Solo in seguito le pizze al taglio sono
diventate tonde.

Piccolo locale in una laterale di rio
terà San Leonardo, un rio interrato
nel cuore del sestiere di Cannaregio.
Ottima pizza al taglio, tante varietà
sempre appena sfornate: a rotazione potrete trovare le più tradizionali,
oppure provare quella con radicchio di Treviso e formaggio grana
o bianca con patate e rosmarino.
Se poi siete fortunati trovate anche

la speciale focaccia con finocchio
e pepe rosa. Anche su ordinazione
per un party all'ultimo minuto.

**INFO**
Arte della pizza • Cannaregio 1861/A,
calle dell'Aseo (Rio terà S. Leonardo) •
041 5246520 • 11-14 e 17-21; chiuso il
lunedì • Costi: porzione di pizza 1.50
€, farcita 2 €, focaccia 2 € • Fermata
vaporetto S. Marcuola

## ▓ La buona pizza di Maurizio

Lido

Se, mentre siete al Lido per la Mostra del Cinema o per una giornata di mare,
vi viene voglia di uno spuntino, ecco una pizzeria al taglio che fa per voi.

Quando non è in giro a ritirare qualche premio per le sue «pizze di qualità», Maurizio lo trovate qui nel suo laboratorio a impastare, preparare, sfornare.

Se arrivate a piedi dall'imbarcadero di Santa Maria Elisabetta (passeggiatina di un quarto d'ora) potete gustarvela senza troppi sensi di colpa per la dieta.

Peccato sia aperto solo la sera.

**INFO**
Punto Pizza da Maury • Via Sandro Gallo 135 (Lido) • 17-21.30 • 041 5264416 • Costi: margherita 2 € a spicchio, maxi da asporto 12 € • Fermata vaporetto Lido

---

# Sale da tè

Quasi una novità nel panorama veneziano, queste due sale da tè sono dei rifugi tranquilli, ottimi anche per una pausa pranzo leggera ed economica. Una bella scoperta, per una città dove la cosa più costosa è trovare degli spazi accoglienti dove riposarsi un po'.

 ### ■ Relax quasi giapponese

S. Barnaba

Sala da tè quasi orientale con tanto di giardino con glicini e gelsomino. Il clima è sempre rilassante, con libri da sfogliare e guide da studiare.

Fujiyama è una bella tana per chi ama leggere, chiacchierare a bassa voce o solo riposarsi con un buon tè. Ma non pensate di trovare le solite bustine incartate: qui ci sono oltre quaranta miscele di tè, tisane e infusi. Le torte sono di qualità (prodotte da Vizio e virtù, vedi p. 121), così come i toast e le quiche, per chi ama il salato. Per i più salutisti, invece, macedonie di frutta e yogurt.

La mattina fanno colazione qui anche i clienti del b&b dei piani soprastanti.

**INFO**
Fujiyama • Dorsoduro 2727/ab, calle lunga San Barnaba (S. Barnaba) •041 7241042 • www.bedandbreakfast-fujiyama.it • 11-20; chiuso il sabato mattina e la domenica • Costi: tisane e tè a partire da 2,50 €, fetta di torta a partire da 3,50 € • Fermata vaporetto Ca' Rezzonico

 ### ■ Un toscano quasi inglese

Rio Marin

Pareti azzurre, musica classica in sottofondo, dolci inglesi e piatti salati toscani. La sala da tè che non ti aspetti.

Un ottimo posto in rio Marin a due passi e un ponte dalla stazione. Un unico grande luminosissimo ambiente con quadri vivaci alle pareti e musica classica in sottofondo. Francesco vi accoglie con una flemma d'altri tempi ed Elena sbuca dalla cucina con qualche sua specialità, come i dolci anglosassoni (scone, crumble) e torte di frutta non banali, da accompagnare a un tè (bianco, verde, nero, oolong naturale o aromatizzato) o a una delle decine di tisane in lista.

Propone anche qualche piatto salato che profuma di Toscana, vegetariano e addirittura vegano: zuppa di ceci, pappa al pomodoro, panzanella, ribollita, e poi ancora quiche, crêpe e schiaccine.

INFO
Caffè Orientale Tearoom • Santa Croce 888 (Rio Marin) • 041 5201789 •12-21, chiuso il lunedì • Costi: piatti unici da 10 €, schiaccina 5 €. dolci 4 €, tisana 3,50 € • Fermata vaporetto Biasio

# Il mondo della birra

Venezia è la città del vino. D'altronde siamo a due passi dai prosecchi del trevigiano, dai rossi veronesi, dai bianchi e rossi del Friuli Venezia Giulia. Quindi in città non c'è una gran scelta di birrerie. Eccone lo stesso un paio che vi potranno consolare adeguatamente se siete in astinenza di buone birre alla spina.

###  Pub irlandese per chi ama il rugby

Ca' d'Oro

Uno dei pochi pub a Venezia e, soprattutto, uno dei pochissimi aperti fino a tardi.

Frequentatissimo soprattutto per le partite di rugby (ma attenti con il tifo: a volte gli avventori italiani sono in minoranza), all'Irish pub potete sedervi ai tavolini esterni nella piccola corte, gustando con calma un bicchiere di birra. La vera notizia è che il servizio ai tavoli costa solo 0,50 euro, caso eccezionale nel panorama cittadino. Quindi se amate la birra potete dedicarvi tranquillamente a Guinness, Kilkenny, Tennent's Super, Nastro azzurro, Hoegaarden, Pilsner Urquell e Sidro in bottiglia. Da mangiare: panini e piatti freddi.

INFO
The Irish pub • Cannaregio 3847, corte dei Pali (Ca' d'Oro) • 041 0990196 • 10-2 • Costi: birra media (500 ml) 5-6 € • Fermata vaporetto Ca' d'Oro

## 17 ■ **Ampia scelta di birre alla spina**

S. Fosca

Appena attraversato il ponte di campo Santa Fosca troverete una birreria dove si beve molto, si mangia qualcosa e si ascolta musica.

Cicheti

Al Santo Bevitore hanno ben venti birre alla spina: Oyster, Blanche de Namur, Chimay, qualcuna del Birrificio Italiano, Trappe Dubbel... e tantissima scelta anche in bottiglia, perciò potete evitare gli spritz. Inoltre ottimi cocktail preparati con professionalità; quindi si può osare un Long Island Ice Tea o un Manhattan. Caso raro, qui in laguna.
I prezzi sono buoni (e non hanno sovrapprezzo neanche ai fantastici

tavolini in fondamenta), adatti alla clientela giovane che frequenta il locale fino alle ore piccole.
Udite udite: ogni dieci pinte una è in omaggio. Tanto poi non dovete prendere l'auto.

**INFO**
Il Santo Bevitore Pub • Cannaregio 2393/a (S. Fosca) • 335 8415771 • www. ilsantobevitorepub.com • sempre aperto, 16-2 di notte • Costi:1 birra media 4/7 €, Mojito 7 € • Fermata vaporetto Cà d'Oro

# Tempo d'aperitivo

A Venezia si può anche non andare a cena fuori, ma l'aperitivo è d'obbligo. Per i veneziani è il momento di socializzazione per eccellenza, e qualsiasi scusa è buona per un «vediamoci in campo per un aperitivo».

L'aperitivo veneziano non è accompagnato da cibarie varie, come nell'happy hour milanese; anche per questo il costo non è particolarmente elevato. Un bicchiere di vino sfuso costa intorno a 1 euro; i prezzi dei vini in bottiglia sono solitamente esposti su lavagnette in bell'evidenza e si aggirano intorno ai 3 euro. Stiamo parlando di prezzi al banco; se vi sedete a un tavolino all'aperto può accadere di tutto, a seconda della zona e del panorama. Per evitare brutte sorprese basta chiedere o guardare i listini.

Se volete vedere un po' di gente, i luoghi più frequentati per socializzare all'ora dell'aperitivo sono l'Erbaria in zona Rialto, Campo Santa Margherita e la fondamenta degli Ormesini.

 ■ **Aperitivo alle Zattere**

Zattere

Piccolo chiosco sulla larga fondamenta delle Zattere, davanti al Molino Stucky, con tanti tavolini e ombrelloni che pare di essere in spiaggia. D'estate qualche ragazza sembra pensarlo davvero, vista la percentuale di corpo che troverete scoperta.

Il chiosco delle Zattere è un classico della bella stagione per gli studenti delle vicine università. Qui si possono trovare ottimi paninetti ma soprattutto spritz e long drink. L'offerta è da bar standard, ma sedersi ai tavolini in estate o in primavera è un piacere assoluto, con il panorama che spazia lungo tutto il canale della Giudecca da Marghera fino quasi a San Giorgio. D'estate spesso musica dal vivo con giovani gruppi locali. In poche parole: il più economico panorama con spritz della città.

Ogni tanto vedrete passare spettacolari navi da crociera. Non fate ciao con la manina, anche se i passeggeri lo fanno a voi: questi condomini galleggianti mettono in grave pericolo la città. I passeggeri poverini non lo sanno, ma voi ora sì. Fine della lezioncina.

**INFO**
El Chioschetto • Dorsoduro 1406 (Zattere) • 8.30-22, aperto da febbraio a novembre; nella bella stagione chiude all'una di notte • Costi: ai tavoli: spritz 3,50 €, prosecco 3,50 €, paninetto 2 €, Margarita o Mojito 7 € • Fermata vaporetto Zattere

Cicheti

## *Zoom*

### *Ombre e ombrete*

Ecco i due termini chiave del buon vivere veneziano: ombra e cicheto. Per «ombra» si intende il bicchiere di vino. Ci sono varie leggende sull'origine del termine. Pare che nasca dai banchetti che vendevano vino sfuso e che d'estate si posizionavano all'ombra degli edifici, oppure era semplicemente un modo per definire una quantità ridotta di vino, un'ombra, appunto. Esiste anche nella variante ombreta, un bicchiere di vino di quelli piccoli. Quindi nel vostro vocabolario italiano-veneziano, la prima frase da imparare sarà: «N'ombra de bianco, per piasèr».

### 19 ◼ **Romantico mulino**

Palanca

Il Molino Stucky, alla Giudecca, era il più grande della città e produceva anche 2500 quintali di farina al giorno. A guardarlo lì, esposto sul canale della Giudecca, sembra un pezzetto di Nordeuropa trapiantato in laguna. E lassù in alto, proprio sul tetto c'è...

Oggi il Molino Stucky è un super albergone stellato, con motoscafi in arrivo e in partenza per gli eleganti ospiti. In cima all'edificio c'è lo Skyline: un lounge bar accessibile anche per clienti esterni all'albergo. Quindi entrate, dite che andate al bar sulla terrazza, prendete l'ascensore fino in alto e poi godetevi lo straordinario panorama con un cocktail in mano. Vi chiederanno 10 euro per un prosecco e 15 per un cocktail, ma con uno spettacolo del genere davanti agli occhi, il prezzo è quasi economico, se ci pensate bene...

Il momento più suggestivo è ovviamente l'ora del tramonto, con a est i tetti di Venezia che rosseggiano e a ovest lo skyline di Porto Marghera che ha un suo fascino. Nel programma ci sono spesso eventi speciali, serate a tema, dj set con finger food settimanale.

**INFO**
Skyline Molino Stucky • Giudecca 810 (Palanca) • 041 2723311 • 17-1; chiuso il lunedì da dicembre ad aprile • www.molinostuckyhilton.it • Costi: prosecco 10 €, cocktail 15 € • Fermata vaporetto Palanca

## Zoom

### Un giro di cicheti

Il cicheto, grande protagonista dell'aperitivo veneziano, è un assaggio di cibo, una specie di «tapa» alla veneziana: folpeti, crostini di vario genere, sarde in saor, mezze uova sode, polpette, museto... fino a cicheti più ricercati che non mancheremo di segnalarvi nelle varie schede dei locali.

Ombra e cicheto sono a Venezia un modo tipico di passare la serata: un'ombra e cicheto qua, un'ombra e cicheto di là, poi un'ombra e cicheto un po' più in là e così via, finché siamo tutti molto allegri e contenti. Di cenare, beninteso, non se ne parla.

Aperitivo

---

## ◼ I minipanini di Lele

**21**
Tolentini

Veramente low cost e di qualità. È da sempre una sicurezza per docenti e studenti della vicina università e per i pendolari che poi corrono a prendere l'autobus a piazzale Roma, lì a due passi.

L'osteria da Lele è letteralmente minuscola: a essere generosi ci stanno al massimo quattro persone in piedi. Ma quel minibancone zeppo di paninetti è irresistibile. Pancetta e carciofini, salame piccante, Asiago mezzano, lardo valdostano (non se ne può più delle imitazioni di quello di Colonnata!), salame nostrano con l'aglio, porchetta o mortadella... ecco alcune delle farciture di questi irresistibili e genuini panini. Naturalmente da accompagnare con un bicchiere di merlot, cabernet o aspro ma autoctono raboso. Se siete da queste parti a novembre è facile che ci sia anche il clintòn, vino povero molto tipico di queste parti, straordinariamente aromatico e ormai, purtroppo, quasi del tutto scomparso.

INFO
Da Lele • Santa Croce 183, campo dei Tolentini (Tolentini) • 6-14 e 16-20 • chiuso il sabato pomeriggio e la domenica • Costi: minipanino 0,90 €, bicchiere di vino bianco 0,60 €, prosecco 0,90 € • Fermata vaporetto P. Roma

Cicheti

**21**

Tolentini

## ■ Tipicamente rustici

La Rivetta è un'osteria di quartiere molto tipica e con osti molto tipici, ruvidezza compresa.

Alla Rivetta troverete l'atmosfera delle osterie di una volta, l'arredamento old style delle osterie di una volta e i vini in damigiana delle osterie di una volta. Al banco potete scegliere tra cicheti semplici, ma perfetti da accompagnare con un'ombreta: crostini con baccalà o gorgonzola, paninetti caldi con soppressa, salame, pancetta, melanzane e zucchine alla piastra. Invece, dietro il banco, troverete Franco: oste molto rustico al quale non dovrete far capire che siete arrivati lì grazie a

una guida turistica. Pertanto cercate di confondervi con la fauna di studenti, vecchietti e artigiani a fine giornata lavorativa e godetevi le gustose e spumeggianti battute a catena tra gli osti.
Per chi vuole sedersi c'è anche una saletta interna.

INFO
Rivetta • Santa Croce 637a, calle Sechera (Tolentini) • Aperto lunedì-sabato 8.30-21.30; chiuso la domenica • panino 1,40 €, mezzo uovo sodo 0,40 € • bicchiere di vino 0,80 € • Fermata vaporetto P. Roma

**22**

Mercato

## ■ Un cicheto da intenditori

Ci sono locali che ti fanno sperare che Venezia continuerà a essere se stessa nonostante il turismo di massa, che riuscirà ancora una volta a cambiare, mantenendo però il suo spirito profondo. L'Arco è uno di questi.

Francesco e il figlio Matteo litigheranno bonariamente su quale cicheto proporvi e voi non potrete fare altro che accettare i loro consigli e godervi questo fantastico

bacaro (osteria) veneziano, ascoltando gli avventori indigeni che si prodigano in consigli ai pochi turisti bene informati approdati qui. I tavolini esterni non hanno servizio, pertanto potete prendervi un piattino con qualche crostino o un assaggio del piatto del giorno e appropriarvi di un posto all'aperto. I vini sfusi sono decisamente gradevoli e soprattutto ci sono cicheti tra i migliori della città: ricercati paninetti e crostini caldi con robiola, funghi e carne salata, piccole mozzarelle in carrozza con acciuga, involtini di asparagi e fiori di zucca ripieni di ricotta e speck, involtini di melanzane con prosciutto e mozzarella e, per i cultori, i cicheti «filologici» di spiénsa (milza), tetina (mammella di vacca) o rumegàl (esofago di vitello). Peccato non sia aperto anche la sera!

Aperitivo

## Zoom

### Storia dello spritz

Non c'è dubbio, lo spritz è l'aperitivo più popolare della città e dell'intero Veneto. Perché è fresco, dissetante, stordente ed economico: non supera i 2 €, in alcuni casi arriva a 3. A Venezia lo bevono tutti: signore al bar a metà mattinata, professionisti in uscita libera, giovinastri sfaccendati in campo Santa Margherita. Tutti col bicchiere arancione o rosso in mano. L'origine? Pare sia austriaco, probabilmente risale alla dominazione ottocentesca, nato per diluire un po' il vino. Poi i veneti hanno pensato bene di aggiungerci un rinforzino...

**INFO**

All'Arco • San Polo 436, calle dell'Occhialer (Mercato) • 041 5205666 • Dal lunedì al sabato 8-15; da aprile a fine novembre orario prolungato alle 20 da mercoledì a venerdì; chiuso la domenica • Costi: bicchiere di vino dai 2 €, crostino 2 €, panini 3/5 € • Fermata vaporetto Mercato

## ▦ Alla buona

**23**

Miracoli

Tipico bar da spritz, con tavolini esterni e un'alta botte con qualche sgabello presieduta costantemente da indigeni alticci, ma non troppo.

Il preferito di molti veneziani per l'atmosfera simpaticamente conviviale e l'ottimo rapporto qualità/prezzo. Al banco qualche tramezzino e panino o meglio un più tradizionale mexo vovo (uova barzotte – quasi sode – tagliate a metà) o un'aciughetta con cipollina sottaceto. A pranzo qualche piatto caldo (8 euro) come gnocchi alle verdure, musetto con polenta o insalatone. Al piano superiore una saletta per ospitare piccole riunioni e colazioni di lavoro. Nella bella stagione gustatevi uno spritz seduti all'esterno: il Milanbar è uno dei locali che applicano meno ricarico sui tavoli all'aperto. Oste, portamene un altro!

**INFO**

Milanbar • Cannaregio 5979, campo San Canzian (Miracoli) • 041 5201418 • Costi: tramezzino 1,50 €, un prosecco o uno spritz seduti ai tavolini 4 € • Fermata vaporetto Rialto

## ■ Una sicurezza

S. Zaccaria

Appena dietro piazza San Marco, in una zona molto turistica, c'è il locale di Gianni, un ristorante pizzeria con un banco davvero sfizioso.

Cicheti

Ogni veneziano che si rispetti conosce L'Aciugheta, e continua a frequentarlo nonostante si trovi in una zona zeppa di ristorantoni turistici. Il gestore, Gianni, ha una grande passione per il cibo e il vino, quindi evitate pure i tavolini all'aperto e andate direttamente al bancone dove potete gustare polpette, minuscoli panini con burro e acciuga, un arancino o, naturalmente, un'ottima pizzetta bella calda con l'acciuga appena sfornata. Buoni anche i vini proposti al calice.

Dopo decenni di duro lavoro al suo bancone, Gianni è riuscito ad aprire anche il ristorantino dei suoi sogni. Lo trovate giusto dall'altra parte della calle: se un giorno siete in vena di spendere un po' di più, è una buona scelta.

**INFO**
L'Aciugheta • Castello 4357, campo Santi Filippo e Giacomo (S. Zaccaria) • 041 5224292 • 11-24 • www.aciugheta-hotel-rio.it • Costi: polpetta 1,80 €, pizzetta 2,50 €, minipanino con acciuga 1,80 €, calice di vino 2/6 € (al tavolo i prezzi lievitano di circa il 20%) • Fermata vaporetto S. Zaccaria

## ■ Aperitivo con porchetta e senape

Rio terà
S. Leonardo

Cannaregio è un quartiere molto veneziano e popolare, attraversato da rio terà San Leonardo, un fiume sempre in piena di turisti e pendolari che vanno e vengono dalla stazione. In una laterale di questa via troverete però una bella sorpresa ad aspettarvi.

L'osteria le Do colonne è perfetta per il languorino di metà mattina, una vorace pausa pranzo o un aperitivo «rinforzato». Sul maxibancone trovate un'offerta varia e stuzzicante: ottimi grandi tramezzini di pane nero con porchetta e senape o manzo e verdure (senza maionese), paninetti e crostini, fiori di zucca fritti ripieni di acciuga e mozzarella, sarde panate, baccalà fritto, mexi vovi, polpette, picco-li panini con pancetta steccata, crostini e qualche piatto caldo da accompagnare a un'ombreta o una birretta alla spina. All'esterno ha una decina di tavolini per guardare il viavai del rio terà.

**INFO**
Do colonne • Cannaregio 1814/C, rio terà del Cristo (Rio terà S. Leonardo) • 041 5240453 • 10-21 • Costi: crostini 1,50 €, paninetti 1,80/2,50 €, baccalà fritto 1,80 € • Fermata vaporetto S. Marcuola

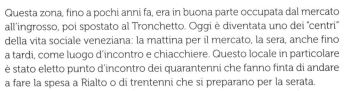

## *Ricetta del vero spritz*

La ricetta dell'aperitivo d'ordinanza veneto è molto semplice: 4 parti di vino bianco (anche prosecco), 3 di acqua minerale gassata o selz e poi, a scelta, 2 parti di Campari, Aperol, Select oppure (pochi) Cynar. Come guarnizione: una fetta d'arancia o una scorza di limone.
Ogni oste naturalmente vi dirà che lo spritz come lo fa lui non lo fa nessuno. Voi annuite e fate cin cin.

Aperitivo

## ▨ **Una sosta in campo**

**26**
Mercato

Questa zona, fino a pochi anni fa, era in buona parte occupata dal mercato all'ingrosso, poi spostato al Tronchetto. Oggi è diventata uno dei "centri" della vita sociale veneziana: la mattina per il mercato, la sera, anche fino a tardi, come luogo d'incontro e chiacchiere. Questo locale in particolare è stato eletto punto d'incontro dei quarantenni che fanno finta di andare a fare la spesa a Rialto o di trentenni che si preparano per la serata.

Servizio veloce e buon rapporto qualità/prezzo. Il Marcà è una micro osteria completamente occupata dal bancone della mescita e dalla vetrinetta con piccoli panini, crostini e polpette. Perciò non rimane che sostare in mezzo al campo con un bianco, un rosso o uno spritz a osservare la fauna locale, o magari a intercettare qualche amico in una zona ricca di locali molto frequentati.

Una ventina i buoni vini al calice; molto stuzzicanti i panini con sfilacci di cavallo, carciofi e robiola o tonno, sedano e olive o semplicemente con buoni affettati. E poi polpette di carne, di tonno o di melanzane.

**INFO**
Al Marcà • San Polo 213, campo Cesare Battisti, già della Bella Vienna (Mercato)

• 9-15 e 18-21.30; chiuso la domenica • Costi: bicchiere di vino da 2 a 4 €, paninetto 1,50 €, polpetta 1,30 € • Fermata vaporetto Mercato

## *Le fontanelle di Venezia*

Esistono luoghi dove l'acqua è buona, fresca e soprattutto gratuita: sono le fontane. Qui a Venezia ce ne sono parecchie e tutte con acqua potabile. Quindi evitate di comprare acqua in bottiglia: le bottigliette di plastica intasano i cestini o finiscono in canale, e poi costano uno sproposito: i più onesti le vendono a 80 centesimi ma verso piazza San Marco possono arrivare a 1,60 €.

## ■ I crostini creativi di Alessandra

S. Trovaso

Il Cantinone ti conquista per l'ambiente rivestito di bottiglie di vino e per i crostini creativi di mamma Alessandra.

Cicheti

Al Cantinone si viene per bere un'ombreta in un ambiente da osteria di una volta e per assaggiare i pluripremiati crostini di mamma Alessandra. La sua fantasia spazia dalla classica salsa tonnata e porro tagliato sottile, alla più fusion salsa di noci con ricotta e ribes, fino all'audace salsa tartara e cacao amaro. Chi ha gusti più classici al Cantinone trova anche mortadella, formaggio e, per i più affamati, dei buoni panini con l'affettato.

I vini alla mescita sono una decina: Custoza, Soave, Cabernet di Pramaggiore, Sauvignon dei Colli Euganei, Recioto (dolce) o un prosecco di Valdobbiadene. Tutti da degustare mentre si esplorano le etichette delle bottiglie alle pareti, magari per portarsene via una, oppure fuori seduti sulla balaustra del ponte.

**INFO**
Enoteca Cantinone già Schiavi • Dorsoduro 992, ponte San Trovaso (S. Trovaso) • 041 5230034 • 8.30-20.30; chiuso la domenica • Costi: bicchiere di vino da 1 a 2 €, spritz 2 €, crostino 1,20 € • Fermata vaporetto Zattere

## ■ Un prosecco e qualche buon affettato

S. Margherita

Campo Santa Margherita è uno dei campi più frequentati dai veneziani e uno dei più genuini per chi vuole conoscere la Venezia vera. E Alla Bifora è il posto giusto per sperimentarlo.

La mattina truppe di studenti, mamme con passeggini, banchetti di pesce, fiori e cianfrusaglie; il pomeriggio ragazzini con pallone e turisti disorientati; verso sera crocchi di studenti a sorseggiare spritz fino alle 23, quando, a seconda dei periodi, scatta il coprifuoco imposto dai residenti della zona: tutto questo è campo Santa Margherita, uno dei luoghi più «vissuti» dai residenti. Per accontentare tutti, l'offerta dei locali della zona è varia, ma mediamente non di gran livello. Alla Bifora, invece, troverete una buona accoglienza, un ambiente caldo, grandi tavoloni all'interno e qualche tavolino all'aperto dove potrete ordinare degli invitanti taglieri di affettati e formaggi selezionati, accompagnati dal buon prosecco del locale. Ne vanno molto orgoliosi!

**INFO**
Alla Bifora • Dorsoduro 2930 (S. Margherita) • 041 5236119 • 12-15 e 18-24 • Costi: bicchiere di vino dai 3 €, piatto di affettati da 8/13 €, carpaccio di tonno affumicato 15 € • Fermata vaporetto Ca' Rezzonico

## ■ Aperitivo doc in fondamenta

**29** Ormesini

La fondamenta degli Ormesini è una lunga fondamenta che si estende per tutta Cannaregio con numerosi locali dove bere o mangiare qualcosa. Il Timon è uno dei preferiti dai veneziani per un buon aperitivo.

Anche se non è il più economico della zona, il Timon è uno dei più frequentati dai veneziani perché offre cicheti e vini di qualità e non applica supplemento a chi si siede ai tavolini esterni.

Gustosi e invitanti i crostini: baccalà alla vicentina, paté di fegato, formaggi ricercati, acciuga e burro, verdure sott'olio e affettati vari e taglieri di formaggi non banali accompagnati da frutta e miele.

Se amate la carne per cena propongono delle eccezionali fiorentine, i primi piatti (12 euro) sono fatti con pasta fatta in casa (crespelle,

lasagne, gnocchi), come pure i dolci (6 euro). Vi potete sedere, sempre che riusciate a trovare posto, anche nella barca attraccata proprio davanti al locale. Cosa ci può essere di più tipico che sorseggiare prosecco seduti su una barca a vela lagunare?

**INFO**
Al Timon • Cannaregio 2754, fondamenta degli Ormesini (Ormesini) • 041 5246066 • 18-1 dal lunedì al sabato, domenica 11-1 • Costi: ombra 1,50 €, spritz 2,50 €, crostini 1 €, ma soprattutto non c'è supplemento al tavolo • Fermata vaporetto S. Alvise

## ■ Aperitivo con vista

**30** Vallaresso

A pochi passi da San Marco, all'interno di Ca' Giustinian (sede degli uffici della Biennale), c'è un bar-ristorante spazioso e luminoso, lontano dalla baraonda dei banchetti di maschere.

Per arrivarci dovete passare la reception e il corridoio dell'edificio, dove c'è anche un luminoso e spazioso bookshop con una interessante selezione di volumi di design, architettura, e libri per bambini figli di architetti e designer. Ideale anche per un pranzo di lavoro, un tè o una pausa pranzo rilassante. Il menu ha una tendenza al light, sicuramente condizionato

dalla forte presenza di pubblico femminile che lavora negli uffici dell'edificio e della zona in genere, quindi: pasta con radicchio e piselli, zuppa di legumi, prosciutto crudo e mozzarella, salmone al forno con salsa al curry, tagliata di pollo con verdure.

Il servizio non è eccessivamente veloce e attento, né particolarmente simpatico, però qui potete bervi un aperitivo con una vista di rara bellezza: le vetrate del locale e la terrazza con i tavolini (nella bella stagione) danno sul tratto finale del Canal Grande, proprio davanti alla Punta della Salute. Il costo è solo 4 euro. Che si vuole di più?

Cicheti

**INFO**
L'Ombra del Leone • San Marco 1364 (Vallaresso) • 041 2413519 • 9-21 chiuso domenica solo d'inverno • Costi: un piatto 12/15 €, spritz al tavolo 4 € • Fermata vaporetto Vallaresso

# Mangiar fuori

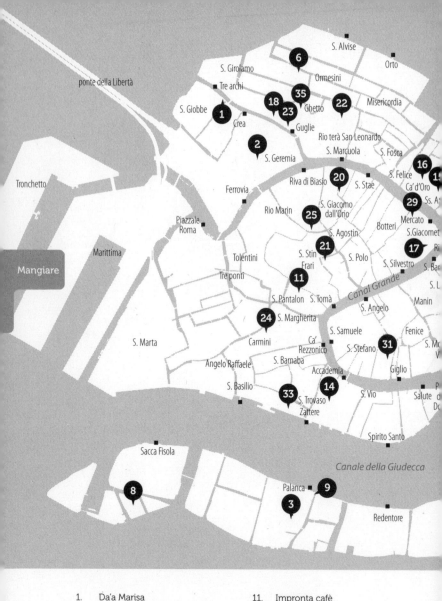

Mangiare

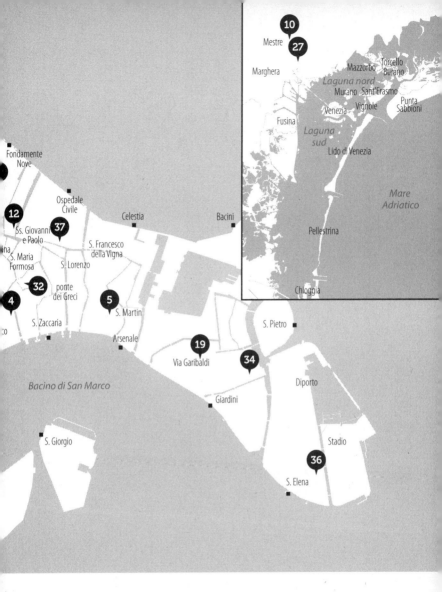

# Ristorantini per tutte le tasche

Ogni giorno a Venezia arrivano in media 80.000 visitatori. Ognuno di loro vuole mangiare e bere, almeno un paio di volte al giorno, perciò l'offerta di ristoranti e tavole calde certo non manca. Ovviamente la città è piena di pseudo-trattorie turistiche con menu a base di lasagne/cotoletta/tiramisù, ma ci sono molte soluzioni più interessanti e non per forza molto più costose. Alcuni dei locali che vi segnaliamo magari non sono economicissimi, ma a volte è meglio accontentarsi di un piatto di qualità piuttosto che optare per un inevitabile primo-secondo-dessert, se non altro perché poi, diciamolo, si fa più fatica a camminare. In altri casi abbiamo segnalato anche ristoranti self service, dove si risparmia di sicuro.

Se a pranzo troverete interessanti soluzioni da «lavoratori», la sera è sicuramente più difficile spendere poco. Noi proviamo a darvi lo stesso qualche consiglio.

## Sotto i 15 €

Chiariamo subito: un pasto completo sotto questa cifra è possibile solo nei giorni feriali, a pranzo. In questo paragrafo vi elenchiamo

una serie di locali molto economici di giorno e che la sera, se non sono chiusi, propongono menu più ricercati e costosetti.
Per pranzi veloci e meno costosi vi rimandiamo al capitolo «Cicheti e dintorni».

## **Per appetiti molto robusti**

S. Giobbe

Nonostante sia stata ormai scoperta dai foresti, la trattoria Da'a Marisa rimane un punto fermo per le mangiate ciclopiche. Ruspante come poche.

Mangiare

A pranzo menu lavoratori a prezzo fisso, la sera solo su prenotazione; costa un po' di più ma è davvero difficile superare i 30 euro. Anna detta Vanda (figlia di Marisa) continua con passione e simpatia la tradizione della famiglia, gloriosa dinastia di bechèri (nel senso di macellai) e propone una cucina molto verace soprattutto a base di carne: sughi d'anitra per condire enormi piatti di tagliatelle, risotti con le sècoe, sguassétti alla bechèra (sugo di carne), bolliti misti, trippe, salmì di cervo e capriolo accompagnati da verdure di stagione. L'interno (un'unica sala) non è certo molto intimo, per cui lo consigliamo più per piccoli gruppi che per una cenetta romantica, a meno che non riusciate a trovare un tavolo in fondamenta. Al momento della prenotazione (consigliatissima) vi diranno se il menu sarà a base di carne, cacciagione o pesce.

**INFO**
Da'a Marisa • Cannaregio 652/b, fondamenta San Giobbe (S. Giobbe) • 041 720211 • Chiuso le sere di domenica, lunedì e mercoledì • Costi: pranzo con menu prezzo fisso 15 € (primo, secondo, 1/4 di vino e caffè) • Fermata vaporetto Crea

## **Una buona osteria a due passi dalla stazione**

Ferrovia

In Cannaregio, calle della Misericordia, proprio alle spalle della stazione di Santa Lucia, si può trovare riparo dalla folla di Lista di Spagna in una piccola osteria con saletta interna e qualche piatto gustoso.

I due fratelli Simone e Marco portano avanti con baldanza il Cicheto (nome non casuale), una piccola osteria di quartiere che a pranzo sfama molti impiegati della zona (qui dietro c'è anche la sede della Rai) e qualche pendolare bene informato. Quindi non spaventatevi dell'affollamento, perché verrete accontentati in fretta con piatti semplici ma gustosi: risotto con radicchio, bigoli in salsa, tagliata di manzo, baccalà alla vicentina, cotoletta alla milanese e insalate e verdure spadellate. Nell'attesa di sedervi, gustatevi una mozzarella in carrozza o una buona polpetta. La sera si trasforma invece in un posticino tranquillo per una cenetta di chiacchiere e segreti. Interessante selezione di vini, anche al bicchiere: chiedete a Simone di raccontare un po' degli esperimenti con il vino naturale e dell'associazione Laguna nel bicchiere (vedi box p. 245).

INFO
Osteria Al cicheto • Cannaregio 367/a, calle della Misericordia (Ferrovia) • 041 716037 • Aperto 8-16 e 17.30-22; chiuso il sabato mattina e la domenica • Costi: pranzo 10/15 €, la sera un po' di più (primi 10 €, secondi 12/14 €, servizio e coperto inclusi) • Fermata vaporetto Ferrovia

Sotto
i 15 €

## *Zoom*

### *Vino naturale*

Oggi che la chimica può creare dal nulla, o quasi, qualsiasi fragranza, recuperare i gusti veri e naturali è una grande sfida. Per questo ci piacciono certi vini che si ribellano alla «cosmetica» del gusto e ai sapientoni del vino perfetto. I vini cosiddetti «naturali» hanno origine da uve coltivate senza concimi chimici, senza diserbanti, disseccanti e spesso sono prodotte secondo protocolli biologici o biodinamici, lasciando che la vite scopra le proprie energie. La vinificazione avviene con lieviti autoctoni (non quelli selezionati, che producono risultati molto simili, dal Chianti alla Nuova Zelanda) e il risultato rispecchia il territorio, l'andamento stagionale e l'uomo che li ha creati. Provate a chiedere questi vini in qualcuna di queste osterie (per esempio li trovate Al Cicheto, pp. 74-75 o al Timon p. 67).

## ■ **Self service alla Giudecca**

Palanca

Nella profonda Giudecca, l'isola dei giardini e delle (scomparse) fabbriche, dei cantieri e dei quartieri popolari, c'è una grande e spaziosa mensa a buon prezzo che alle pareti ospita a rotazione mostre di giovani artisti.

Frequentata soprattutto da lavoratori della zona e turisti che hanno sbagliato vaporetto, questa mensa offre menu sostanziosi a pochi euro: lasagne di carne, di pesce e di verdure, pastasciutte, arrosti, verdure cotte e crude. A vedere i prezzi, sembra quasi di essere in una città normale.

Al venerdì specialità veneziane di pesce come le seppie in nero, il baccalà o i bigoli in salsa, polpette col sugo, coniglio con patate. Ideale per grandi compagnie e cene sociali. Uscendo, passeggiate fino alla riva per godervi il quieto panorama della laguna sud.

INFO
Food & art self service • Giudecca 554, corte Cordami (Palanca) • 041 2411413 • 12-14.30 (da maggio a settembre aperto anche a cena) • chiuso il sabato sera e la domenica • Costi: 12 € menu completo • Fermata vaporetto Palanca

## ■ Non solo per pellegrini

Mangiare

Il Giubileo del 2000 ha lasciato un'eredità: questa mensa, che era stata aperta alle spalle della Basilica di San Marco per offrire un pasto caldo a chi era venuto in città in pellegrinaggio.

**4**

S. Zaccaria

Oggi la trattoria alla Basilica (è veramente a 300 metri in linea d'aria dalla basilica) è un ristorante normale, che però ha conservato della sua origine un po' di atmosfera spirituale, arredamento semplice e dei prezzi non comuni qui in città. È molto frequentato dagli indigeni stufi dei soliti panini della zona e vogliosi di un pasto come si deve, con una certa tendenza al salutista: pesce al vapore con verdure, petto di pollo alla griglia, crespelle gratinale, spaghetti al ragù, scaloppine, nonché una buona scelta di verdure crude e al vapore.

INFO
Ristorante alla Basilica • Castello, calle Albanesi 4255-4260 (S. Zaccaria) • 041 5220524 • www.allabasilicavenezia.it • Chiuso il lunedì • Costi: un primo, un secondo, un contorno, escluse bevande da 14 € • Fermata vaporetto S. Zaccaria

# Sotto i 25 €

Anche stare sotto i 25 € è un obiettivo non semplice da perseguire a Venezia, soprattutto per chi vuole mangiare «coe gambe soto a tola» (con le gambe sotto la tavola, cioè seduti al ristorante). Quindi, anche in questo caso vale la regola di privilegiare il pranzo e i menu «da lavoratori». In alcuni, anche il menu alla carta rimane abbordabile, magari senza pretendere primo-secondo-contorno-dessert.

## Fantàsia, cucina e impegno sociale

Arsenale

Questo ristorante a pochi passi dal grande campo della Bragora è il frutto di un bel progetto d'integrazione e formazione lavorativa: molti dei cuochi e camerieri sono ragazzi diversamente abili supportati a turno dai generosi volontari dell'impresa sociale Uniamo-Goldin.

L'atmosfera è familiare e gioviale, quasi casalinga (c'è anche la tv accesa per guardare insieme qualche partita). Si può passare per un bicchiere di vino e un cicheto o sedersi per un pranzo completo: buone zuppe, piatti tipici veneziani a base di pesce, ottimi piatti unici come verze con carne o couscous di pesce (15 euro), ma anche cotolette con patate e pizza per i ragaz-

zini che fanno i difficili a tavola. Ospita spesso attività culturali e di sensibilizzazione sociale.

INFO
Fantàsia • Castello 3911 (Arsenale) • 041 5228038 • www.uniamogoldin.it • 12-23; chiuso il lunedì • Costi: pizza da 6 a 10 €, menu fisso primo e secondo bibita caffè 12/16 € • Fermata vaporetto Arsenale

Sotto
i 25 €

## Sapori casalinghi alle due gondolette

S. Girolamo

Difficile capitarci per caso a meno che non stiate lavorando a una tesi in Antropologia del veneziano verace. Ma se è ora di pranzo non perdetevi un tuffo in uno degli ultimi scorci popolari della città.

Qui i lavoratori della zona riescono ancora a mangiare con pochi euro. Tutto grazie a Davide e alla formidabile moglie Luisa, ora affiancata in cucina dal figlio Sebastiano, che propongono una cucina genuinamente casalinga ma non banale: pastasciutta al ragù di coniglio alla mediterranea o con pesto di melanzane e peperoni, lasagne al forno con radicchio e carciofi, rotolo di manzo con ripieno di funghi, arrosto di coniglio e di maiale, polpettine di pollo, polpettone con la zucca e

verdure cotte e crude. Su prenotazione apre anche la sera con menu più ricercati e tematici (gustosissima la serata baccalà) a volte anche con piccoli spettacoli teatrali nostrani a tema gastronomico, ma sempre a prezzi contenuti.

INFO
Alle due gondolette • Cannaregio 3016, fondamenta Coletti (S. Girolamo) • 041 717523 • www.alleduegondolette. com • Aperto 7-15 e la sera su prenotazione, da settembre aperto anche

venerdì e sabato sera; chiuso il sabato e la domenica • Costi: a pranzo menu a prezzo fisso 16 € • Fermata vaporetto Tre archi/S. Alvise

## Il vero low cost è sotto la frasca

Fondamente Nove

In questa zona frequentata da residenti o da turisti che sfrecciano frettolosi verso il battello per Murano, in ogni campiello c'è un ristorantino a prezzi abbordabili. Approfittiamone!

Questo è sicuramente il ristorante più economico della zona: menu di pesce senza pretese, dai tagliolini al nero di seppia alla sogliola ai ferri. Il menu a prezzo fisso a 16 euro comprende primo, frittura e insalata mista.

L'ambiente è alla buona, ma i tavolini esterni attorno alla vera da pozzo e sotto la fresca frasca rendono davvero pittoresco l'ambiente.

**INFO**
Trattoria Cea • Cannaregio 5422/a (Fondamente Nove) • 041 5237450 • www.trattoriacea.com • 10-14 e 17.30-21 dal lunedì al venerdì, 10-14 il sabato; chiuso il sabato sera e la domenica • Costi: primi 9 €, secondi 10/15 € • Fermata vaporetto Fondamente Nove

## Quando si è in tantissimi

Sacca Fisola

Sacca Fisola era una zona paludosa, poi bonificata e resa edificabile. Oggi è collegata alla Giudecca con un ponte e ne costituisce l'estremo occidentale.

Per arrivare qui bisogna volerlo, perché Sacca Fisola non è esattamente una zona turistica, né di passaggio. A dire il vero non sembra nemmeno Venezia, e infatti qui ci sono quelle cose che a Venezia si trovano a fatica: campi da tennis, una piscina e altre strutture sportive. Proprio dove sono ubicate le strutture sportive, trovate un ristorante pizzeria gestito dalla cooperativa sociale Il Cerchio, che promuove l'integrazione: molti soci lavoratori sono ex detenuti.

Pizzeria al piano terra e ristorante al piano superiore, con bella terrazza panoramica. È l'ideale per gruppi numerosi soprattutto nella bella stagione quando si può approfittare della panoramica terrazza che dà sulla laguna. Una pizza, una pasta semplice semplice, un secondo. Qualità standard a prezzo onesto. Per cene a base di pesce, soprattutto se si è in tanti, prenotare.

E perché non prenotare anche qualche ora di tennis?

INFO
Ai Campi Sportivi • Sacca San Biagio (Sacca Fisola) • 041 5203953 • www. lagunasud.com/ristorante.htm • 12-14 e 19-22 • Costi: menu lavoratori solo a pranzo 11 €, primi 5/8 €, secondi 8/13 € • Fermata vaporetto Sacca Fisola

##  Panorama sfizioso a prezzo fisso

**9**

Palanca

Per raggiungere l'isola della Giudecca ci vuole il vaporetto, però può valerne la pena, sia per il fascino industriale dell'isola, sia perché si possono trovare dei posti non troppo costosi dove mangiare.

Alla fermata Palanca del vaporetto c'è questo bar trattoria omonima, con un personale cordiale ed efficiente, purtroppo aperta solo a pranzo. Ma potete passare di qui fino alle nove di sera, per un aperitivo sfizioso.

Non vi mentiremo: il posto è piuttosto noto, citato da svariate guide molto amate dagli stranieri. Voi non fatevi scoraggiare: la Giudecca non è comunque un luogo affollato.

Il menu è vario e sfizioso: pesce spada marinato agli agrumi, tagliatelle ai porcini, spaghetti con calamari e carciofi, gamberi al curry con riso pilaf, risotto al nero di seppia e, per finire, torta cioccolato e mandorle.

Seduti ai tavolini sulla riva potete godere di un panorama che domina tutta la riva delle Zattere. La sera la cucina è chiusa, ma è una buona scusa per far durare di più l'aperitivo. Buon appetito!

**INFO**

Alla Palanca • Giudecca 448, fondamenta Sant' Eufemia (Palanca) • 041 5287719 • 7.30-21; chiuso la domenica e le festività • Costi: primi 6/10 €, secondi 10/16 €, spritz seduti fuori 2,70 €, menu fisso per lavoratori (che può ordinare chiunque ovviamente) 13 € • spritz 2.70 € • Fermata vaporetto Palanca

Sotto i 25 €

##  In Terraferma

**10**

Mestre

A Mestre, per l'esattezza nel quartiere di Carpenedo, c'è una realtà molto interessante: il Pala Plip, la centrale per l'economia solidale, un polo unico in Italia. Qui trovate un'osteria molto particolare.

All'Osteria Bio-solidale le materie prime provengono da commercio equo e solidale, da economia sociale, dove possibile, da produzioni biologiche e locali, quasi a km zero. I piatti proposti riscoprono le antiche ricette e la biodiversità degli ingredienti, preparati secondo procedimenti semplici e sani. L'Osteria non è solo un luogo dove sfamarsi ma anche per frequentare degustazioni, corsi, cene a tema, laboratori, presentazioni di progetti legati alla sostenibilità, all'equo e solidale e a nuovi possibili stili di vita.

Prezzi decisamente on budget. Spesso incontri, dibattiti o presentazioni di libri. È una bella scoperta.

**INFO**
Centrale Plip - Osteria Bio-solidale • Via San Donà 195, Mestre • 347 9944257 • www.centraleplip.it • 11-23 dal lunedì al sabato, domenica solo la sera; chiuso il lunedì • Costi: bio ombra 2 €, caffè equosolidale 1 €, cappuccino 1,20 €, birra alla spina artigianale 2/5 €, primi 6/8 €, secondi 7/9 €, contorni 4 €, dolci 4 €, solo a pranzo menu bio a prezzo fisso 11 € (acqua, vino e due piatti inclusi) • Autobus linea 2 o 24 da piazzale Roma.

Mangiare

# Sotto i 35 €

In questa fascia di prezzo Venezia offre qualche possibilità in più, ma non illudetevi: non è facile restare sotto i 35 euro, se volete regalarvi un pasto sfizioso. Vi segnaliamo comunque locali abbordabili, se non altro per le porzioni abbondanti o le proposte a piatto unico.

## ■ Sempre aperto e very cool

S. Pantalon  Nella superstudentesca Santa Margherita, a due passi dall'università Ca' Foscari, questo ristorantino/bar con grandi lavagne informative alle pareti è molto adatto a coloro a cui piacciono le cose cool.

L'Impronta è sempre aperto: dalla colazione al pranzo, dalla merenda alla cena, fino all'ultimo drink prima di andare a dormire. Tutto a prezzi abbordabili, tranne la cena che ha costi più alti, soprattutto per la scelta di menu ricercata: per esempio, ravioli ripieni di ricotta con noci, uvetta e pinoli, maialino da latte confit con mela verde e contorno di stagione.

A pranzo invece potete assaggiare il salmone alla mediterranea o le scaloppine di maiale al timo con finocchio e pomodorini oppure l'ottimo club sandwich boscaiolo (con porchetta funghi e melanzane). Interessante anche la carta dei vini con una buona selezione da poter ordinare anche al bicchiere.

**INFO**

Impronta cafè • Dorsoduro 3815 (S. Pantalon) • 041 2750386 • www.improntacafevenice.com • 7-2 dal lunedì al venerdì, 9-2 il sabato; chiuso la domenica • Costi: a pranzo 8/10 € a piatto, la sera 12/18 € • Fermata vaporetto S. Tomà

## ▨ A cichetare su e zò per il ponte

🍲

Ss. Giovanni
e Paolo

Fotogenico dentro e fuori: infissi rossi, entrata ai piedi del ponte, panchetta parapetto del ponte, anche se non si potrebbe andare in giro con i bicchieri...

Giusto dall'altra parte del ponte rispetto alla splendida Scuola Grande di San Marco (oggi costituisce l'ingresso principale dell'Ospedale civile di Venezia), c'è questa piccola osteria con qualche tavolino perfetto per cichetare in compagnia della simpatica anziana clientela, qualche professionista in pausa pranzo (compresa l'autrice di questo libro) e qualche turista incredulo. Per decidere cosa mangiare basta andare al bancone e indicare direttamente all'oste i vari piattoni esposti: gamberoni, seppioline alla

griglia, carciofini, melanzane e zucchine, anguilla, insalata di pesce... oltre ai piccoli panini e crostini con baccalà mantecato o con buoni affettati, soprattutto trevigiani come la porchetta e la soppressa con l'aglio.

**Sotto i 35 €**

**INFO**

Al Ponte • Cannaregio 6378, ponte del Cavallo (Ss. Giovanni e Paolo) • 041 5286157 • www.ostariaalponte.com • 8-16 e 18-23; chiuso la domenica sera • Costi: piattone misto 15 €, crostino 2 €, ombra 1 € • Fermata vaporetto Ospedale

## ▨ Menu di pesce ai Gesuiti

🍲

Gesuiti

Le Fondamente Nove sono l'inevitabile punto d'approdo per i reduci dalla gita Murano-Burano-Torcello. Qui vicino, una trattoria con tavolini all'aperto dove sfamarsi dopo una gita impegnativa.

A due passi dalla fermata delle Fondamente Nove, attraversate l'ampio e solitario campo dei Gesuiti (da non confondere con i Gesuati, che sono dall'altra parte della città) e,

alla fine del campo, subito dopo il ponte a sinistra, trovate questa simpatica trattoria, che ha il grande pregio di avere anche molti tavolini all'aperto. Menu turistico

24 (di carne, di pesce o vegetariano). Abbordabile il menu di pesce completo: scampi in saòr (marinati in aceto con cipolla), tagliolini con capesante, orata alla griglia (36 €). Stesso prezzo per il menù completo di carne e vegetariano. Ancora più conveniente (ma più banale) a pranzo il menu a prezzo fisso (12 €) per venire incontro alle esigenze dei lavoratori della zona.

INFO
Trattoria Storica • Ponte dei Gesuiti, Cannaregio 4858 (Gesuiti) • 041 5285266 • www.trattoriastorica.it • Costi: primi 10/15 €, secondi 15/20 € • Fermata vaporetto Fondamente Nove

## Per pasti in compagnia

Mangiare

**14**

S. Trovaso

Affaticati, affamati e con bambini o ragazzini difficili da accontentare: se siete in questa condizione, avete trovato il posto che fa per voi. L'ampio giardino e una cotoletta con patatine fritte sistemerà i più ribelli.

Il ristorante San Trovaso è un po' nascosto dietro le gallerie dell'Accademia; lo riconoscete perché ha un caratteristico ingresso con vialetto e piccola corte (da non confondere con la Taverna San Trovaso, che si trova lungo la fondamenta e ha prezzi un po' più alti). Dispone di molti tavoli esterni; offre un vasto menu di pesce e carne, a prezzi onesti. Perfetto per una bella spaghettata in compagnia.

INFO
Ristorante San Trovaso • Dorsoduro 967 (S. Trovaso) • 041 5230835 • www.tavernasantrovaso.it • Aperto tutti i giorni 12-15 e 19-22 • Costi: menu turistico 21 €; giorni feriali menu di mezzogiorno 12 € (piatto del giorno, contorno e acqua) • Fermata vaporetto Zattere

# Pittoreschi quasi romantici

In questo capitolo vi proponiamo una selezione di ambienti più intimi e sicuramente tipici, quasi pittoreschi. Non troverete gruppi o cene di compleanno, ma qualche coppia in cena romantica-casual o amici in vena di confidenze.

## ▨ Un nome non casuale

Ss. Apostoli

Nascosta in una stretta calle fuori dal flusso dei turisti, vicino a campo Santi Apostoli, l'osteria con cucina dei Promessi sposi saprà ospitarvi con dei buoni piatti della cucina tipica veneziana.

All'entrata un bancone con una piccola scelta di cicheti giusti per accompagnare un buon prosecco mentre aspettiamo il nostro tavolo (meglio prenotare): sarde beccafico, cozze ripiene, ma soprattutto le loro piccole saporite polpettine. Nelle due piccole sale possiamo assaggiare piatti tradizionali di pesce e di carne a seconda del mercato e della stagione: insalata di piovra, saltata di cozze e vongole, bucatini con le sarde, tartare o costate di manzo piemontese, fegato alla veneziana, grandi pesci al sale o al forno, frittura di pesce e verdure, tortino morbido di cioccolato, bavarese alla liquirizia. Bravi.

**INFO**
La Bottega ai Promessi sposi • Cannaregio 4367, calle dell'Oca (Ss. Apostoli) • 041 2412747 • 11-23; chiuso lunedì e mercoledì mattina • Costi: primi 11/13 €, secondi 13/16, dolci da 6 €, coperto 2 € • Fermata vaporetto Ca' d'Oro

Romantici

## ▨ Le polpette con l'aglio della Vedova

Ca' d'Oro

In una laterale dell'affollata Strada Nuova un'osteria, piena di pentole di rame appese al soffitto, che ha saputo mantenere inalterata un'atmosfera calda e vociante.

Le polpette della Vedova rimangono un punto fermo dei giri di ombre a Cannaregio. Così come anche l'accoglienza rustica degli osti. La Vedova è ancora frequentatissima dagli indigeni, sia per un piatto ai tavoli (ottimi gli spaghetti con sugo di scampi o con il nero di seppia; obbligatorio prenotare) sia per la varietà dei cicheti al banco, praticamente un greatest hits della gastronomia veneziana tradizionale: pesciolini fritti, polpettine, verdure alla griglia, lesse o ripiene, castraùre (vedi box p. 210) e fondi di carciofo, sardèle in saor, baccalà mantecato, spiedini di gamberi, seppie arrosto. Con 4-5 euro potrete fare un buon aperitivo con un paio di polpette e un'ombreta di vino sfuso. E poi via con la cena oppure con un'altra osteria della zona.

**INFO**
Ca' d'Oro - alla Vedova • Cannaregio 3912 (Ca' d'Oro) • 041 5285324 • 11.30-

14.30 e 18.30-22.30; chiuso il giovedì e la domenica mattina • Costi: polpetta 1,50 €, primi 10 €, secondi 11 €, frittura di pesce 12 € • Fermata vaporetto Ca' d'Oro

**17** S. Giacometo

## ■ Un'osteria con un buon ritmo

Nascosto in una zona superaffollata all'aperitivo e nelle serate del finesettimana, il Sacro e profano vanta un'alta percentuale di avventori indigeni che amano cichettare e chiacchierare.

Mangiare

Valerio Silvestri gestisce con piglio genuino questo locale nascosto negli oscuri soporteghi nel cuore di Rialto. Un ambiente alla mano, al riparo dagli aperitivi rumorosi del campo dell'Erbaria. L'ideale per cichetare in calle con l'accompagnamento di una bella ombra e di una buona polpetta. Se vi sedete, troverete un piccolo, curato menu che va dal risotto di pesce al baccalà, al polipo, alle seppie.
Se tra gli avventori sentirete qual-

che commento esperto sull'ultimo disco ascoltato, non è un caso: Valerio è un ex dei Pitura Freska, gruppo cult veneziano di musica reggae. *Papa nero* ve la ricordate?

INFO
Sacro e profano • San Polo 502, sotoportego Parangon (S. Giacometo) • 041 5237924 • 11.30-14.30 e 18-24; chiuso il mercoledì • Costi: cicheti a partire da 1,50 €, primi 10/16 €, secondi 13/17 € • Fermata vaporetto Mercato

---

*Zoom*

## *Cicheto con chele di granchio*

Un modo sicuro e veloce per misurare la qualità di un locale veneziano? Date uno sguardo al buffet e verificate se tra i cichetti offre anche le orripilanti chele di granchio decongelate. I veneziani la chiamano amichevolmente «polpeta co' l'ongia» (polpetta con l'unghia).
Se le individuate, scappate lontano!
Non sarebbe più onesto e salutare offrire dei meno ingannevoli (e più nutritivi) bastoncini di pesce azzurro?

---

**18** Guglie

## ■ Un'onesta trattoria a due passi dal Ghetto

Un'onesta trattoria tra il ponte delle Guglie e il Ghetto, sulla fondamenta di Cannaregio che costeggia il canale omonimo, il secondo in larghezza dopo il Canal Grande.

Qui c'era una secolare mescita di vini veneti e friulani, ora c'è Alla Fontana, questa piccola trattoria casalinga che dell'antica destinazione d'uso ha mantenuto i prezzi popolari e una frequentazione indigena. Il piccolo menu cambia a seconda del mercato (non vengono usati mai surgelati), ma siamo sempre in un contesto di ricette di pesce: spaghetti con bisàto (anguilla) o con cozze alla marinara, risotto di gamberoni e verza, linguine con code di rospo, carote e zucchine. Tutto sobrio e curato.

All'interno solo pochi posti; all'esterno, lungo la fondamenta, tavolini perfetti per godersi il tramonto e la brezza della laguna nord.

**INFO**
Alla Fontana • Cannaregio 1102, fondamenta di Cannaregio (Guglie) • 041 715077 • 19-22; d'inverno chiuso la domenica e il lunedì • Costi: primi 10/14 €, secondi 14/16 € • Fermata vaporetto Guglie

Romantici

# L'altra cucina

Per chi è stufo di nero di seppia, baccalà e sarde in saor, in città si può trovare anche qualche locale un po' diverso. Qui vi offriamo una selezione per tutti i palati.

## Quasi vegetariana

Cari vegetariani e vegani, che a Venezia rischiate di sopravvivere cibandovi di pizza e contorni, qui di seguito troverete due locali interessanti che potete aggiungere alla vostra lista di posti «sicuri», insieme ad alcuni locali di cui parleremo nel paragrafo successivo, dedicato all'etnico.

### ■ Cucina naturale da asporto

Via Garibaldi

Nella popolarissima via Garibaldi a Castello trovate l'unico posto completamente vegetariano e biologico della città. Dopo una gita alla Biennale potrebbe essere la vostra salvezza.

Quello di Doriana non è un vero e proprio ristorante: è un laboratorio di pasta fresca e cucina naturale dove potete farvi fare un bel piattone misto, da mangiare sugli alti sgabelli. L'offerta è ampia e si compone di almeno una decina di piatti: fagioli neri, tofu e verdure allo zenzero con riso integrale, ricercate insalate di stagione con frutta secca e semi, cavolo cappuccio crudo con salsa di nocciole e ceci, ma anche muffin vegani con farina di farro e senza lievito e torta di mele vegana per gli irriducibili. Tutto viene venduto a peso ed è anche da asporto, naturalmente. Al venerdì e sabato, ma solo d'inverno, pasta fresca: tagliatelle (1,20 circa l'etto) e ravioli a seconda delle stagioni (carciofo, o barbabietola e ricotta affumicata, oppure arancio, limone e zenzero) a tra i 2 e i 3 euro all'etto (prezzo da asporto). Se avete la dispensa vuota, sugli scaffali trovate anche alimenti biologici in vendita.

**INFO**
Le Spighe • Castello 1341 (Via Garibaldi) • 041 5238173 • Pagina Facebook: Le Spighe cucina vegetariana e vegana a Venezia • 9.30-14.30 e 17.30-19.30; chiuso la domenica • Costi: 10/15 € al piatto • Fermata vaporetto Giardini

Veggie

**20**

S. Giacomo dall'Orio

## Intramontabile Zucca

♥

Vicino al placido campo San Giacomo dall'Orio, la Zucca offre da anni una cucina sfiziosa e attenta anche a chi non mangia carne.

Maturi architetti che, negli anni Ottanta, frequentavano la vicina sede universitaria di Ca' Tron (oggi occupata dagli studenti per evitarne l'alienazione, come è successo per molti altri spazi cittadini) vi diranno che non è più quella di una volta. Noi diciamo che, fortunatamente, si è adeguata ai tempi (nuovi impianti, compresa la cucina, lista di vini notevole), riuscendo a mantenere però la sua anima. L'ambiente è lo stesso, con quella caratteristica soluzione a fascette di legno inclinate alle pareti e panche per sedersi nei tre ambienti interni. Ai piedi del ponte, qualche tavolino per sedersi all'aria aperta.

La Zucca non è un ristorante vegetariano, ma offre una dozzina di buoni contorni e qualche piatto a base di verdure fresche di stagione con suggerimenti orientali: porri gratinati al gorgonzola e pistacchi, cappuccio rosso brasato alle mele, piatto vegetariano con riso e sesamo, flan di zucca con ricotta stagionata. Tra i loro classici: cous cous con polpettine speziate, costicine di agnello al forno con salsa tzatziki, e, per finire, torta di pere allo zenzero o crostatine speziate al vino rosso e lamponi. Prenotate con un certo anticipo.

**INFO**
Osteria la Zucca • Santa Croce 1762, ponte del Megio (S. Giacomo dall'Orio) • 041 5241570 • www.lazucca.it • 12.30-14.30 e 19-22.30; chiuso la domenica • Costi: verdure 6/7 €, primi piatti 8/10 €, piatti unici 19/20 €, dolci 7 € • Fermata vaporetto S. Stae

# Cucina etnica

A Venezia i locali di cucina etnica non sono molti. Forse anche per questo motivo quelli che ci sono spesso mescolano insieme tradizioni culinarie diverse in pochi metri quadri. Divertente!

**21**
Frari

## ■ Melting pot mediterraneo

Un locale caldo e silenzioso, con comodi divanetti e un'atmosfera rilassante, giusto di fronte alla facciata della basilica dei Frari.

Mangiare

Ricette greche, libanesi, beduine, curde, tunisine: al Frary's bar troverete una specie di melting pot mediterraneo. I piatti: falafel (polpettine di ceci), dolmades (involtini di riso in foglia di vite), salsa tzatziki, hummus (salsa di ceci), souvlaki (spiedini di pollo speziati), kubbe (polpette curde di riso con carne speziata), mansaf (riso beduino con pollo, mandorle e yogurt), cous cous vegetariano oppure con carne di montone, pollo o pesce (gambe-

ri, piovra, calamari), magluba (riso con verdure, pollo, uvetta, pinoli, yogurt e menta). Delizioso il gelato di pistacchio, datteri, uvetta e acqua di rose. A pranzo, nei giorni feriali, piccolo menu a 12 euro.

INFO
Frary's bar • San Polo 2559, fondamenta dei Frari (Frari) • 041 720050 • 11-15 e 18-23; chiuso il martedì • Costi: piatti unici 13/16 € • Fermata vaporetto S. Tomà

**22**
Rio terà
S. Leonardo

## ■ Afgano-pakistano-iraniano-turco-greco

Di recente apertura ma già molto apprezzato dai giovani della zona, l'Orient Experience è una tavola calda vicino alla fondamenta degli Ormesini. Perfetto per sfamarsi dopo le «vasche» pre-cena.

I gestori di questa vivace tavola calda avrebbero molte storie da raccontare. Sono afgani, iracheni, turchi; alcuni di loro si occupavano di cinema; altri hanno fatto viaggi lunghi mesi per arrivare in Italia. Le loro storie le raccontano con i piatti

proposti, che provengono da tradizioni diverse del Medio Oriente, tutti da consumare sugli alti tavoloni all'interno o all'esterno del locale: Kabuli (riso basmati con carne di agnello, uvetta, carote e mandorle) Mujaddarah (riso e lenticchie con cipolle caramellate e yogurt), Bourgoul con pomodori e peperoni, falafel (polpette di ceci), Kofta (polpette di manzo con noci e patate), Pollo pakistano (in crema di panna, cipolle e mele), Shishlik (costolette di agnello alla griglia), Dopiazah (agnello marinato con cipolla e noci), Sabzi Palak (spinaci con ceci, formaggio e yogurt), Qorma kadu (zucchine in salsa di pomodoro e spezie), Kara badimcan (melanzane ripiene di carne macinata), Shorba adas (zuppa di lenticchie, menta, peperoncino servita con limone e crostini) e, per finire, i dolci datteri ripieni di mandorle, ricoperti di cioccolata fondente e cannella. Alle pareti vivaci decorazioni; sulle lavagne citazioni; nel frigo: bibite da prendere direttamente. Prezzi molto convenienti.

**INFO**
Orient Experience • Cannaregio 1847/b (Rio terà S. Leonardo) • 041 8226919, 340 3930845 • 11-23.30 • Costi: 3/5 € a porzione; piatto misto vegetariano 8 €, con carne 10 € • Fermata vaporetto S. Marcuola

Etnica

## Un tuffo nella cucina kasher

**23**

Guglie

Se vogliamo assaggiare la cucina ebraica ovviamente non possiamo che andare al Ghetto. Proprio accanto a uno degli ingressi (fino all'Ottocento di notte il quartiere veniva chiuso), troviamo un locale che propone diverse specialità tradizionali a prezzi bassi.

Il Gam Gam si riconosce subito, perché i tavoli all'esterno lungo la fondamenta di Cannaregio sono molto frequentati da avventori ebrei soprattutto stranieri, spesso riuniti in tavolate. Nella stagione fredda, l'interno è comunque accogliente.
Il menu propone diverse specialità ebraico-mediorientali (cous cous di verdure 9 €, oppure di carne o di pesce 11 €, antipasti israeliani con falafel 10 €) giudaico-veneziana (come le sarde in saor e i fondi di carciofo), e molti piatti internazionali ma tutto rigorosamente a base di prodotti conformi ai dettami dell'ortodossia ebraica (anche se forse spesso decongelati). Molto sfizioso e invitante il vassoio di antipasti misti. Offre anche una piccola selezione di vini israeliani. È possibile ordinare per asporto. Per sedersi all'esterno, meglio prenotare.

**INFO**
Gam Gam • Cannaregio 1122, sotoportego del Gheto Vecio (Guglie) • 366 2504505 • gamgamkosher.com • 12-22; chiuso il venerdì sera e il sabato ebraico • Costi: primi 8/10 €, piatti unici 11/17 € • Fermata vaporetto Guglie

## Mangiare alla Giudia

Partecipare a uno dei corsi organizzati dalla Scuola di cucina ebraica kosher del Ghetto è sicuramente un modo coinvolgente per entrare in contatto con la vera comunità ebraica veneziana, che da quasi cinque secoli custodisce il proprio patrimonio culturale e tramanda le proprie tradizioni. Sono lezioni, anche singole, per piccoli gruppi di una decina di persone. Al costo di 30 € a incontro imparerete a cucinare i piatti delle feste (Yom Kippur, Sukkot, Hannukà, Tu Bi-shvat) e quelli di tutti i giorni, le paste, le pizze e i dolci. Il sito internet è generoso di ricette.

www.jewishkitchen.org

## ■ Mix curdo-veneziano

S. Margherita

Nel vivace campo Santa Margherita, questa tavola calda curdo-veneziana offre un buon posto per mangiare qualcosa di più buono dei soliti toast dei bar della zona.

Il nome «Mi e ti» («io e te» in dialetto veneziano) riassume bene l'intento del locale: una contaminazione di diverse cucine, soprattutto mediterranea e mediorientale. Dal banco possiamo scegliere tra: pollo o vitello con riso e uvetta, cous cous, dolma di peperone con riso, carne e spezie, tzatziki, purè di melanzane arrostite e di ceci, shish kebab, kobbe, falafel e buonissimi dolcetti a base di mandorle e miele. Tutto da gustare sui tavoloni all'interno, sui (pochi) tavoli esterni, oppure da portare a casa.

**INFO**
Mi e ti • Dorsoduro 2920 (S. Margherita) • 041 5200217 • 11.30-15.30 e 18-23.30; chiuso la domenica • Costi: piatto unico 9 €, dolci 2 € • Fermata vaporetto Rezzonico

## ■ Cento per cento indiano

Rio Marin

Alla fine di rio Marin, magari dopo un aperitivo in zona San Giacomo, provate a godervi una cenetta in questo ristorantino indiano.

Dopo tante tavole calde melting pot, questo è un vero e proprio ristorante indiano (e basta). I prezzi sono convenienti, ma ovviamente un po' più alti; l'ambiente è accogliente, il servizio cortese e c'è anche qualche tavolo sulla terrazza che dà sul canale. La gestione è veneziana ma i cuochi sono indiani veri che, per fortuna, si sono saputi adeguare alla nostra (scarsa) tolleranza del piccante.

Se non avete voglia di ordinare banalmente il (seppur ottimo) pollo al curry, optate per chicken shai e i bocconcini di pollo cucinati in salsa delicata di yogurt con zafferano, mandorle, anacardi e spezie. Nel

menù ci sono anche molti piatti vegetariani e carni al forno tandoori. Anche da asporto.

INFO
Ganesh Ji • San Polo 2426 (Rio Marin) • 041 719804 • Pagina Facebook: Indian Restaurant Ganesh Ji • 12.30-14 e 19-23; chiuso il giovedì mattina • Costi: piatti unici a 15/17 €, menu vegetariano 26 € • Fermata vaporetto Riva di Biasio

## ▨ Bangladesh

Etnica

26
Gesuiti

Erano anni che il vecchio pasticciere Puppa si lamentava di non riuscire a lasciare la sua bottega a qualcuno. Segno dei tempi, è arrivato il sorridente e intraprendente Masudur.

La mattina trovate le solite buonissime e burrosissime brioche di sempre, ma subito dopo, insieme alle classiche pizzette, sbucano singara e samosa: fagottini ripeni di verdure un po' piccanti, tipici street food del Bangladesh e dell'India. Lì accompagnano il tè; qui invece gli spritz e i bianchetti al banco. A pranzo Masudur propone due piatti (abbondanti) anche take away: insalata di riso (con piselli,

pollo, lattuga, pomodoro) o pollo al curry. Per mangiare sul posto: qualche tavolino con sgabelli, se non sono già occupati da qualche professionista in pausa pranzo della zona.

INFO
Puppa • Cannaregio 4800, salizada del Spezier (Gesuiti) • 041 4761454 • 8-21 • Costi: un samosa 1 €, piatto 8 € • Fermata vaporetto Fondamente Nove

## ▨ Mix di Oriente

27
Mestre

Sembra incredibile ma, nonostante intere calli si siano trasformate in Chinatown lagunari, a Venezia non si riesce a mangiare un raviolo al vapore passabile. In città i ristoranti cinesi sono rimasti agli anni Ottanta, hanno un'aria asfittica e non sono neppure economicissimi. Perciò meglio optare per la terraferma.

In una zona di Mestre dall'identità incerta (capannoni, alberghi extra-

lusso con darsena e studi professionali) troviamo il Sushi Wok, locale frequentato anche dai lavoratori e professionisti della zona in vena di esotismi. Una buona idea se avete l'irrefrenabile desiderio di Oriente, ma non aspettatevi un ristorante a quattro stelle: è solo un onesto posticino dove mangiare sfizi cino-giapponesi senza pagare un conto a troppi zeri.

Entrerete in un grande salone luminoso con lungo buffet self service affollato di minestre, insalate, sushi, involtini primavera, riso cantonese, spaghettini di soia, ravioli al vapo-re, verdure fritte... ma soprattutto avrete la possibilità di comporre un piatto con carne, selvaggina, pesce e/o verdure. Poi sceglierete le salse e via, il tutto verrà spadellato sapientemente nel wok sotto i vostri occhi.

**INFO**
Sushi wok • Via Torino 105/b (Mestre) • 041 5312156 • www.sushiwok-mestre.it • 12-15.30 e 19-11,30 • Costi: pranzo 9,90 €, cena 16,90 € (bevande escluse), i bambini sotto gli 8 anni pagano la metà • Autobus linea 4 da piazzale Roma.

Mangiare

# Soluzioni saporite e low cost

Chi non ha budget per i ristoranti veneziani (mai troppo economici) può ripiegare su una pizzeria o su qualche take away/self service per niente banale.

## Anche da asporto

Un modo sicuro per risparmiare c'è: togliere dal conto il servizio e il coperto. Per cui niente di meglio che trovare delle gastronomie o dei self service che offrono buoni piatti a prezzi onesti: andare da soli a prenderseli al banco non sarà una gran fatica.

###  Non solo mozzarella in carrozza

S. Bartolomeo

A due passi da Rialto e tre da San Marco, nella centralissima San Bartolomeo dove la maggior parte delle persone si danno appuntamento sotto il monumento di Goldoni, ecco Gislon.

La mozzarella in carrozza di Gislon è la tentazione perenne di molti veneziani in giro per bàcari o anche solo in passeggiata pomeridiana. Ma in questo self service potete vedere e assaggiare moltissime specialità veneziane, e altri piatti a prezzi contenuti. La prima impressione è da tavola calda turistica, ma voi, che siete bene informati, affacciatevi al lungo bancone e assaggiate quello che vi ispira di più: pasticci di carne, pesce o verdure, zuppe, risotti, insalata di polipo, verdure lesse, baccalà mantecato e alla vicentina, spezzatino di vitello, cotolette alla milanese, tutto sempre fresco, visto l'alto affollamento.

Gislon è adatto per un pranzo veloce seduti sugli sgabelli, così come per una cena non certo romantica, ma un po' più comoda, ai tavolini al piano superiore.

**INFO**
Gislon • San Marco 5424/a, calle della Bissa (S. Bartolomeo) • 041 5223569 • 9-21.30 • Costi: mozzarella in carrozza 1,60 €, arancini 1,40, baccalà fritto 2 €, primo piatto 7 € circa, baccalà mantecato o seppie in umido per esportazione 3.20 €/hg • Fermata vaporetto Rialto

## Zoom

### *Direttamente in ufficio*

La Vivandiera è un servizio di consegna di pasti semplici, genuini e con ingredienti biologici e locali. Le ragazze che l'hanno fondata e che la portano avanti sono attente alle «minoranze alimentari» (vegetariani, vegani, celiaci, intolleranti), oltre che delle brave cuoche: rigatoni radicchio e speck, orecchiette semintegrali al pesto di carote, strudel con cavolo nero, pancetta e formaggio, muffin di verdure con radicchio tardivo alla piastra e finocchi al curry, gnocchetti di grano saraceno alla crema di radicchio, sarde al forno con cipolla di tropea e finocchietto selvatico e molto altro. Tutti i contenitori sono biodegradabili e compostabili. I prezzi sono compresi tra 7 e 9 € a porzione: onesto, anche considerando che vi portano le loro buone cose ovunque vi troviate, e a Venezia non esistono motorini ad agevolare l'impresa.

www.vivandiera.it

**29**  ## ■ **Ottimo pesce al volo**

Mercato

Dopo aver fatto un giro al mercato del pesce di Rialto e aver fantasticato su tutte le specie esposte, non vi resta che fare un salto qui per un piatto di pesce fatto con tutti i crismi. Fantastico.

Pronto Pesce è un gioiellino a due passi da Rialto, dove potete gustare non solo dei piatti di pesce freschissimo, ma anche preparati con professionalità e un pizzico di originalità: pasticci, cous cous e insalate di pesce da portare a casa, ma anche originalissimi assaggi monoboccone da consumare lì per lì, accompagnati con una buona ombra: capesante, pomodorini e finocchietto, moscardini con salsa fresca di verdure, coppette con yogurt fragole e gamberoni rossi, budini di baccalà e zucca, piccole brioche di spada con mascarpone e pomodorini; tutto con un'attenzione particolare per misticanze di erbe aromatiche, profumi a volte orientali e abbinamenti con ortaggi dell'estuario. La gestione giovane di Umberto vi farà venire voglia di fermarvi anche per due chiacchiere. Se avete amici a cena, passate da qui per stupirli con un sughetto al nero di seppia, branzino e ostriche o capesante e asparagi. Per chi vuole mangiare sul posto ci sono tre piatti espressi a scelta e, il sabato dopo mezzogiorno, un buon risottino. La sera degustazioni e cene su prenotazione.

INFO
Pronto pesce • San Polo 319, Pescheria di Rialto (Mercato) • 041 8220298 • prontopesce.it • 10-15 dal martedì al sabato, 11.30-15 il lunedì, la sera apre solo su prenotazione; chiuso domenica • Costi: risotto 8 €, piatti espressi a richiesta 10/12 €, take away 4/10 €, brioche con pesce spada, mascarpone e pomodorini o con tonno affumicato e crema di carciofi 2,50 €; bicchiere di vino 2,50 €, no servizio e coperto (il cliente si serve da bere da solo) • Fermata vaporetto Mercato

Asporto

## ▨ Tutti i gusti di Annika

**30**
S. Marina

Diciamo subito che da Annika Gourmet sembra un po' di essere a Milano. Arredamento moderno molto curato, alti tavolini e altrettanto alti sgabelli, molti punti luce ben calibrati. Qui sanno il fatto loro.

Dopo anni di esperienza in osteria, Annika ha deciso di mettere in piedi qualcosa di più cool. Nel suo locale trovate piatti preparati con materie prime di stagione, possibilmente bio e a chilometro quasi zero, oltre a pescato del giorno: risotto con asparagi, cous cous di verdure, sushi (2 € al pezzo) torta salata di patate e salsiccia, polpette di pesce, di manzo, di anitra, seppie in nero con polenta, zucca in saor, pasticci di pesce o di verdure anche preparati espressi nella cucina a vista. Buoni anche i dolci. Il tutto servito in piccoli vassoi con-

tenitori (quasi le scatole take away che ricordano certi film americani) di materiale biodegradabile.
Molti anche i piatti vegetariani e quelli per celiaci e intolleranti ai latticini. Le dosi non sono massicce e i prezzi non bassissimi. D'altronde la qualità costa.

INFO
Annika Gourmet • Castello 5988 (S. Marina) • 347 710 0073 • Pagina Facebook: Annika gourmet • 12-15 e 19-24; chiuso lunedì • Costi: primi piatti 8 €, secondi 10 €, insalatone 10 € • Fermata vaporetto Rialto

## 31 ■ Una gastronomia insospettabile e centralissima

Giglio

Ecco un'onesta gastronomia non molto conosciuta, perfino dai veneziani: forse perché in questa zona, tanto vicino a San Marco, è difficile incontrarne.

In una zona costosissima e con un'offerta di qualità piuttosto bassa, alla Gastronomia San Maurizio potete mangiare dignitosamente a prezzi contenuti. L'esterno del locale è molto modesto e anonimo; all'interno una accogliente saletta arredata in legno vi offrirà un po' di ristoro dopo aver camminato per ore. Avvicinatevi al self service e provate le lasagne di pesce, carne o verdure, la parmigiana, il pollo arrosto, le seppie con polenta, o

Mangiare

anche alcuni sughi da portar via per condire una buona pastasciutta casalinga. Buonissime le polpettine fritte di baccalà mantecato, sconsigliate a chi è a dieta.

**INFO**
Gastronomia San Maurizio • San Marco 2629, campo San Maurizio (Giglio) • 041 5226795 • 11-21.30; chiuso martedì • Costi: piatti dai 5 € in su, menu a prezzo fisso 15 € • Fermata vaporetto Giglio

## 32 ■ Pastasciutta e basta

S.M. Formosa Questa per i veneziani è una scónta (una calletta stretta e poco conosciuta che serve da scorciatoia per evitare i turisti). Malgrado ciò, qui trovate sempre una coda di turisti bene informati e impiegati affamati. Le buone notizie corrono veloci.

Alfredo è trafelatissimo: non è facile gestire tutte quelle richieste di pasta espressa. Ma aspettare dieci minuti vale la pena, per un piatto (o meglio una scatola take away) preparato come si deve: rigatoni al ragù di carne, bucatini all'amatriciana, penne alla carbonara, al pomodoro e basilico, al nero di seppia. Il problema semmai è trovare un posto

tranquillo dei dintorni dove sedersi a sforchettare. Unica regola: vietato lasciare le scatole in giro per la città.

**INFO**
Alfredo's Fresh Pasta To Go • San Marco 5324, calle de la Casseleria (S.M. Formosa) • 335 5487020 • Pagina Facebook: Alfredo's Fresh Pasta To Go • 12-20.30; chiuso il lunedì • Costi: 6/7 € a porzione • Fermata vaporetto S. Zaccaria

# Care vecchie pizzerie

La pizza rimane la grande sicurezza: è quasi sempre soddisfacente ed economicamente conveniente, purché non si ecceda con gli extra. A Venezia è consigliata se si è in comitiva.

##  Pizza con vista

**33**
Zattere

Pizzerie

I ragazzi delle Oche hanno anche altri locali, ma questo è sicuramente il più apprezzato per la posizione (alle Zattere) e per le dimensioni, che lo rendono adatto per compagnie in cerca di ospitalità dopo un aperitivo di gruppo.

Ristorante-pizzeria in uno scenografico spazio interno su due piani, un ex magazzino dell'Adriatica sistemato in stile vintage. Certo a volte il servizio è un po' rustico e i tempi di attesa nei giorni intensi possono essere lunghi. Per non esasperarvi, godetevi la magica posizione lungo il canale della Giudecca e magari ordinate un po' di patatine fritte prima della pizza, che avrete pazientemente scelto tra una esagerata lista di variazioni. Consiglio: optate per una fresca pizza caprese con pomodorini mozzarella di bufala e basilico. Da bere: una Beck's, Tennent's o Leffe alla spina.

**INFO**
Pizzeria Ae oche • Dorsoduro 1414 (Zattere) • 041 5206601 • www.aeoche.com • 12-15 e 19-23; d'estate orario continuato 11.30-23.30 • Costi: margherita 4,50 €, pizze speciali 9 €, una pizza caprese e una birra media 17 € circa • Fermata vaporetto Zattere

##  Pizza nella Venezia profonda

**34**
Giardini della Biennale

Le zone intorno ai Giardini della Biennale hanno questa divertente caratteristica: sono tra le più profondamente veneziane (chi può abitare così lontano dalla terraferma?) ma nei mesi giusti diventano very international. Una simpatica schizofrenia!

Paolo e sua moglie Jackie gestiscono questo bar-trattoria-pizzeria-ritrovo-per-indigeni nella solitaria zona di Sant'Isepo, un po' nascosta dietro via Garibaldi. I tavolini in calle sono perfetti per la bella stagione. Qui potete approfittare delle buone pizze (da provare la sostanziosa gorgonzola radicchio noci, oppure prosciutto crudo e mozzarella di bufala) o qualcosa di più veneziano, come le coloratissime tagliatelle con scampi, mazzancolle, calamari e verdure (13 euro, ma vi sfido a mangiare ancora qualcos'altro, dopo). Un buon posto da visitare dopo una impegnativa – ma cul-turalmente gratificante – visita alla Biennale. Poi potete tornare verso il centro a piedi, cercando di capire qualcosa delle opere che avete appena visto.

INFO
Dai Tosi piccoli • Castello 738, Seco Marina (Giardini della Biennale) • 041 5237102 • 11.30-23.30; chiuso il mercoledì • Costi: margherita 4.50 €, spritz 2 €, coperto 2 € • Fermata vaporetto Giardini

Mangiare

## 35 ■ **Pizza nel cuore del Ghetto**

Ghetto 👪

Qui siamo in pieno quartiere ebraico, ma questo locale è gestito da volenterosi egiziani. Spazioso sia dentro che fuori, con tanti tavolini in campo davanti alla scuola del quartiere.

Il Faro è un locale poco impegnativo, anche solo per una birra con un po' di patate fritte, o una pizza in compagnia, anche numerosa. Le pizze sono rinomate e i golosi chiedono il pezzo forte del locale: la pizza Faro con crema di zucca, speck, olive nere e mozzarella di bufala.
Ma vi suggeriamo anche di assaggiare qualche specialità proposta da Jimmy, come i tortelli con cape-sante e gamberi al profumo di timo o un sostanzioso shish kebab con verdure e salsa di sesamo

INFO
Al Faro • Cannaregio 1181, Gheto Vecio (Ghetto) • 041 2750794, 041 8223837 • www.pizzeriaalfaro.com • 10-23 • Costi: primi 7/11 €, piatti unici 12/18 €, pizze 5/9 €, coperto 2 € • Fermata vaporetto Guglie

## 36 ■ **Pizza al parco**

S. Elena 👪

Sant'Elena è un quartiere un po' speciale, un'isola edificata negli anni Venti del Novecento, con un'atmosfera del tutto particolare e, caso unico a Venezia, molto verde per riposarsi un po'.

Proprio in fondo alla passeggiata lungo la riva degli Schiavoni che va da San Marco fino alla fine di Venezia, ma proprio in fondo in fondo oltre i Giardini della Biennale, incontrerete l'isola di Sant'Elena, raggiungibile tramite un ponte. Qui trovate un'ospitale pizzeria di quartiere dove tutti si danno del tu. Ai tavoli soprattutto pizze e piatti nazionalpopolari per comitive affamate, ma anche qualche piatto tipico come il baccalà con polenta. Altrimenti prendete una pizza da asporto e, senza dare troppo nell'occhio (il picnic è vietatissimo!), portatevela fino alla panchina più vicina e sfamatevi al fresco degli alberi. Da lì avrete tutto lo skyline di Venezia di fronte a voi. Piccoli lussi del low cost.

**INFO**
Vecia Gina • Sant'Elena, via IV novembre 54 (S.Elena) • 041 5285733 • Aperto 7-22; chiuso il mercoledì • Costi: margherita 5,50 €, coperto 1,50 €, baccalà con polenta a partire da 9,50 €, spritz al tavolo 2,50 € • Fermata vaporetto S. Elena

Pizzerie

# ▓ **Ristorante pizzeria in stile dark**

**37**

Ss. Giovanni e Paolo

In Barbaria de le tole, a due passi dalla Scuola Grande di San Marco e dalla sua splendida facciata, troviamo una onesta pizzeria-ristorante con corte interna.

Pizze grandi, servizio veloce e prezzi onesti fanno di questo locale il preferito da molti veneziani. Oltre alle proposte classiche (anche in versione ridotta a 4/5 euro per i più piccoli), è da segnalare il calzone Lucifero con acciughe, gorgonzola, capperi e salame piccante, ma anche qualche piatto tradizionale (spaghetti al nero di seppia), i piatti unici (riso al pollo gamberi e curry, 14 €) e le originali "pansalate": insalatone servite sopra la schiacciata condita con olio e rosmarino. Piccola scelta di cicheti, intanto che si aspetta la pizza.
Ad Halloween, naturalmente, qui è festa grande.

**INFO**
Pizzeria alla Strega • Castello 6418, Barbaria delle Tole (Ss. Giovanni e Paolo) • 041 5286497 • Pagina Facebook: Pizzeria - Cicchetteria Alla Strega • 11.45-15.00 e 18.45-22.30; chiuso il mercoledì • Costi: primi 7/11 €, secondi 10/13 €, pizze 6/8 €, coperto 2 € • Fermata vaporetto Ospedale

# Fare la spesa

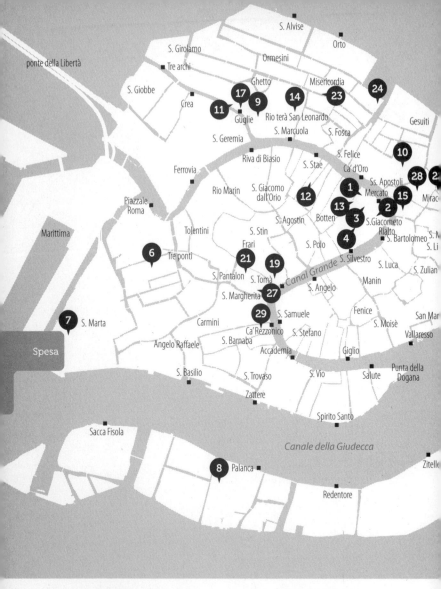

1. Mercato di Rialto
2. La Baita
3. Laguna Carni
4. Marafante
5. Bottegon
6. Mercato di Altraeconomia
7. Farmer's market
8. Banco dell'orto delle meraviglie
9. Torrefazione Marchi
10. The Peter's Tea House
11. Casa Mattiazzi
12. Casa del detersivo
13. Màscari
14. Cibele
15. Rizzo
16. Serenissima

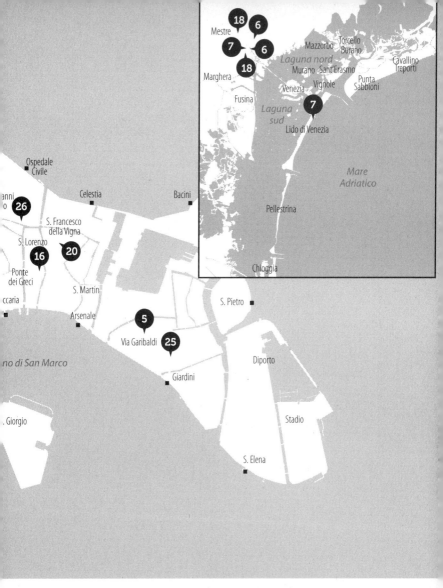

# Mercati, negozietti e mercatini

Nonostante quel che si dice, a Venezia i piccoli negozi di quartiere (di quelli che hanno un po' tutto) resistono, almeno nelle zone meno turistiche, perché rispondono adeguatamente alle esigenze di chi non può far lunghi tragitti e numerosi ponti per raggiungere un vero e proprio supermercato.

## I must della spesa veneziana

La spesa, a Venezia, è una cosa seria. Se non altro perché qui i supermercati delle catene si devono adeguare agli angusti spazi della città, e chiamarli supermercati è fargli un complimento. Certo, una volta ogni tanto si può fare una scappata in terraferma per le spese «grosse»: questo è il momento nel quale il veneziano tipico entra in contatto con il mondo vero e si trova di fronte a una possibilità di scelta cui certo non è abituato.

Ma per la spesa quotidiana abbiamo anche noi qualche certezza. Ve ne raccontiamo alcune.

### ■ Mercato di Rialto

Mercato

Questa è la zona per eccellenza dove si fa la spesa a Venezia. Tutte le mattine (escluso domenica e lunedì) dall'alba fino all'ora di pranzo.

### FRUTTA, VERDURA E PESCE

Altissima concentrazione di bancarelle e negozi a prezzi onesti, il mercato di Rialto è anche una grande occasione sociale: soprattutto al sabato mattina, per un veneziano è impossibile non incontrare qualcuno che si conosce. Un'ottima scusa per andare a prendere un cicheto e far due chiacchiere.

Sotto la loggia neogotica (modernissima per Venezia visto che è del 1907) trovate i banchetti del pesce: attenti a non scivolare sui marmi sempre umidi e ricordate che i venditori verso il Canal Grande sono un po' più economici.

Un consiglio: cercate di acquistare i pesci secondo le stagioni e soprattutto privilegiate le specie lagunari. I mesi più ricchi di varietà sono settembre e ottobre, quando il mercato è un trionfo di triglie, calamaretti, canoce, canestrelli.

Le verdure invece le trovate nell'ampio campo che dà sul Canal Grande, decine di banchetti affollatissimi. Qui la stagione più ricca è la primavera, quando arrivano le primizie dalle isole: castraure (vedi p. 210), tegoline (fagiolini), carletti (erbe spontanee), bruscandoli (piccoli asparagi selvatici), fiori di zucca, sparese (asparagi verdi) con cui poi i bravi ristoratori si sbizzariscono in insalate e risotti.

### FIORI

Se non di solo pane vive l'uomo, ma anche di bellezza, oltre al pesce e alle verdure, tra le bancarelle del mercato di Rialto, troverete anche splendidi fiori.

La spesa del sabato non è completa senza un bel mazzo di tulipani o profumate fresie: qui li trovate a 3-6 euro al mazzo. Quasi sotto la loggia, tutti i martedi e al sabato, potete trovare delle signore con dei gran cesti pieni di fiori. A seconda della stagione verrete avvolti dal profumo dei girasoli, i rami di pesco o di semplici grandi margherite.

Negli stessi giorni trovate dei mercatini floreali anche in campo Santa Margherita, in campo Santa Maria Formosa e in campo Santa Maria del Giglio.

### INFO

Mercato di Rialto • Loggia e campo della Pescaria (Mercato) • 6-13; chiuso domenica e lunedì. I cesti di fiori freschi a lato della loggia li trovate dalle 8 • Costi: fiori 3/6 € al mazzo • Fermata vaporetto Mercato

## Zoom

### *Verze soffegae*

In città è molto facile trovare verze a km zero, proprio perché sono prodotte molto spesso nelle isole della laguna. Una gustosa ricetta tradizionale veneziana sono le verze soffegae, ovvero soffocate: tagliatele a listarelle, cucinatele coperte (soffegae, appunto) con aglio, cipolla, qualche seme di finocchio e olio extravergine a fuoco molto basso, per circa un paio d'ore. Le verze si ammorbidiscono e assorbono la loro stessa acqua.

## La bottega di formaggi e affettati

Mercato

Incastonata all'inizio dei portici di Rialto trovate una piccolissima bottega: non a caso il suo nome vi farà pensare agli alpeggi di montagna.

La Baita è quasi sempre affollata di persone in fila, ma non preoccupatevi: sono velocissimi e, in realtà, può essere molto divertente chiacchierare con gli avventori mentre si aspetta il proprio turno. La specialità sono le casatelle e mozzarelle, anche di bufala, i formaggi 100% capra (da quello freschissimo allo stagionato), formaggi siciliani e sardi ma soprattutto veneti come l'asiago, il montasio e il vezzena. Ma non scordatevi il baccalà mantecato, l'insalata russa e gli ottimi affettati e insaccati (se non avete appuntamenti galanti: la soppressa con l'aglio).

Potete anche farvi impacchettare qualcosa sottovuoto da portare agli amici come souvenir.

**INFO**
La Baita • San Polo 47, ruga degli Oresi (Mercato) • 041 5236906 • 8-13.30, chiuso mercoledì e domenica • Costi al chilo: baccalà mantecato 28 €, caprini 17,50 €, asiago vecchio 18 €, montasio mezzano 13 € • Fermata vaporetto Mercato

Mercati

 ## Roba da carnivori

Mercato

Nelle zona delle Beccherie si concentravano un tempo le macellerie della città. Ancora oggi ce n'è un buon numero, tra cui Laguna Carni.

Chi vuole affrontare le ricette tradizionali veneziane a base di carne qui può comprare il fegato di vitello. Soprattutto, però, trovate molte proposte di carne del territorio, come il castrà per la castradina, da preparare, secondo tradizione, il 21 novembre (vedi box a pagina successiva), fino al frutto delle battute di caccia in laguna (da ottobre a maggio): masorini (germani), sarsegne (alzavole), ciossi (fischioni). Non di solo pesce è fatta la cucina veneziana!

**INFO**
Laguna Carni • San Polo 315, ruga dei Spezieri (Mercato) • 041 5223232 • 7-13.30, sabato aperto anche al pomeriggio; chiuso domenica • Costi al chilo: masorini 17 €, sarsegne 30 €, fegato di vitello 18 €, castradina 19 € • Fermata vaporetto Mercato

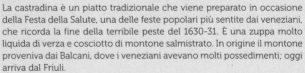

## La castradina

La castradina è un piatto tradizionale che viene preparato in occasione della Festa della Salute, una delle feste popolari più sentite dai veneziani, che ricorda la fine della terribile peste del 1630-31. È una zuppa molto liquida di verza e cosciotto di montone salmistrato. In origine il montone proveniva dai Balcani, dove i veneziani avevano molti possedimenti; oggi arriva dal Friuli.

Se volete assaggiarla, quindi, la trovate solo nei giorni intorno al 21 novembre e solo in alcuni locali (vedi pp. 222-223).

---

**4**

S. Silvestro

Spesa

**5**

Via Garibaldi

## ■ La risposta veneziana al super: il bottegon

Degli angusti supermercati veneziani abbiamo già detto. È molto forte la presenza della Coop con 10 punti vendita (un'istituzione cittadina), ma anche il Billa si difende, con 4 punti vendita. Qua e là anche qualche discount. Ma non tutto si trova nei supermercati: allora si va in qualche bottegon.

Non è facile individuare il venezianissimo bottegon, perchè dall'esterno sembra che questi negozi vendano solo qualche scopetta o vaso da fiori. Poi entri e ti trovi in un labirinto zeppo di prodotti che vanno dai gommini per la caffettiera, agli stenditoi, a candele e lumini, contenitori di tutte le forme e dimensioni per il freezer, vasi e terra per le piante fino a una scelta eccezionale di detersivi e smacchiatori, ma soprattutto i fondamentali carrellini per la spesa (un vero veneziano ne ha almeno due) e gli stivali di gomma per l'acqua alta.

Interessanti anche per un tuffo nella venezianità più verace.

Noi ve ne segnaliamo due, che sono storiche attività veneziane; Marafante e il Bottegon, appunto.

**INFO**

Marafante • San Polo 2207/b (S. Silvestro) • 041 718517 • Fermata vaporetto S. Silvestro

Bottegon • Castello 1311 (Via Garibaldi) • 041 5239892 • Fermata vaporetto Giardini

Costi: stivali di gomma 12/20 €, carrello 20/32 €

# Mercati settimanali

Sono il modo più vantaggioso per acquistare prodotti di qualità a prezzi convenienti. Negli ultimi anni nel circuito dei mercati settimanali hanno iniziato a trovare spazio anche molte esperienze innovative nel campo dell'economia etica, più vicina ai bisogni reali della società e del cittadino: filiera corta (e quindi rapporto diretto con i produttori), sostenibilità ambientale, solidarietà, trasparenza del prezzo, tutela della salute.

## ■ Altraeconomia bio e solidale

6

Tre ponti
Mestre

Il mercato dell'Altraeconomia offre un'occasione speciale per scoprire un altro modo di mangiare e consumare. A seconda dei giorni lo trovate in tre luoghi diversi, tra Venezia e la terraferma.

Qui trovate prodotti certificati biologici locali (frutta, verdura, formaggi, miele, vino, piante), prodotti del Commercio Equo e Solidale, vestiti confezionati con materiali bio e colorati con tinte naturali, piante officinali, candele di cera d'api... e altro ancora.

Tra le offerte alimentari non mancano mai frutta e verdure, formaggi anche di pecora e capra, miele, pane cotto a legna con materie prime certificate bio. Da non perdere i panini con le uvette (1,20 euro) e i focaccini d'avena, ma arrivate presto perché sono richiestissimi.

Ma non è solo mercato , è anche un luogo dove trovare informazioni su degustazioni, corsi, cene a tema, laboratori, presentazione di progetti del mercato equo e inserimento lavorativo di persone svantaggiate e progetti per la difesa dei beni comuni.

A Venezia in particolare hanno dato il buon esempio adottando le aiuole di rio terà dei Pensieri che ora sono pulite e amate.

Mercati

INFO

Mercato di Altraeconomia • www.aeresvenezia.it • Costi al chilo: focaccia integrale o di grano duro biologica lievitazione naturale 5 €, focaccia di miglio 5,50 €, formaggio blu di capra 24 €, jogurt 1 €, pecorino sei mesi 20 €, ricotta mucca e capra 9 €.

Santa Croce, rio terà dei Pensieri (Tre ponti) • Giovedì 9-17 • Fermata vaporetto Piazzale Roma

Plip - Centrale dell'Altraeconomia • Via San Donà 195, Mestre • Martedì 8.30-13 • Autobus linea 2 e 24

Via Allegri (tra p.zza Ferretto e p.zza Garibaldi), Mestre • Sabato 8-13 • Autobus linea 12 e linea 4

## Zaeti

In italiano si chiamano gialletti: sono semplicissimi biscotti secchi che acquistano personalità e gusto dal fatto che sono fatti di farina di mais (gialla, appunto) con aggiunta di uvette. Come tutte le ricette tradizionali, anche questa ha diverse versioni; alcune prevedono addirittura le giuggiole al posto delle uvette. Sono offerti spesso nelle osterie a fine pasto, insieme ad altri biscotti tradizionali e, a volte, qualche croccante accompagnato da un vino dolce.

**7**

S. Marta
Lido
Mestre

## ■ Il mercato del contadino

Nel quartiere popolare di Santa Marta, al Lido e a Mestre potete trovare i Farmer's market, mercati tenuti direttamente dai produttori agricoli, che riforniscono le tavole delle famiglie veneziane con prodotti del territorio che hanno al massimo viaggiato 100 km. Grande freschezza a prezzi molto convenienti.

**Spesa**

Dagli asparagi ai carciofi, dalle fragole alle albicocche, dal vino al miele, formaggi, fino a salumi, uova e pollame: al mercato dei produttori si può fare la spesa completa rifornendosi direttamente da una ventina di aziende agricole locali. Due buone scuse per fare un giro in questi mercati: a Santa Marta scoprirete un quartiere popolare molto particolare, con calli larghe e qualche macchina là in fondo; al Lido potete approfittare per fare una passeggiata sulla spiaggia per poi comprare qualche buon prodotto per il pranzo.

**INFO**
Farmer's market • www.ciavenezia.it, www.campagnamica.it • Costi: circa il 30% in meno rispetto ai fruttivendoli cittadini

Calle Longhi (S. Marta) • Lunedì 10-15/17 • Fermata vaporetto S. Marta

Quattro Fontane, (vicino al campo da rugby) Lido di Venezia • Venerdì 8-13 • Fermata vaporetto S.M. Elisabetta

Piazzetta Coin, Mestre • Giovedì 8-13 • Autobus fermata piazza Barche

### Gratis

## Ma quanto costa?

Utilissimo servizio gratuito via sms per conoscere in tempo reale i prezzi dei principali prodotti agro-alimentari.
Basta mandare un messaggio al 45045 digitando il nome del prodotto di cui si vuole conoscere il prezzo. Poco dopo arriveranno tre messaggi con i prezzi all'origine, all'ingrosso e di vendita dei principali prodotti agro-alimentari.

www.smsconsumatori.it

# Cose buone dal carcere

Alla Giudecca, oltre a edifici archeoindustriali, giardini, studi di architetti e chiese prestigiose c'è anche il carcere femminile. E proprio da lì escono alcune meraviglie dell'orto.

Sulla fondamenta delle Convertite ogni mercoledì mattina potete trovare un banco ortaggi che vende i prodotti certificati biologici dell'Orto delle meraviglie: oltre seimila metri quadrati all'interno del carcere femminile, che è lì a due passi. Soprattutto insalatine, biete, spinacetti da crudo, cicoria, pomodori da sugo e da insalata e tantissime erbe aromatiche e officinali di qualità, ma anche, a seconda della stagione, ciliegie, fragole, nespole, mele, asparagi, peperoni, melanzane, pomodori. Tutto a prezzi convenienti.

INFO
Banco dell'Orto delle meraviglie • Giudecca 712, fondamenta delle Convertite (Palanca) • 041 2960658 • www.rioteradeipensieri.org • Giovedì 9-12 • Costi al chilo: insalatine e biete 7 €, ciliegie 6 €, asparagi 4,50 €, pomodori ciliegini 4 €, fragole 4 €, mazzetti di erbe aromatiche 1 € • Fermata vaporetto Palanca

Mercati

111

# Spesa alternativa a domicilio (o quasi)

Chi non può frequentare i mercati per problemi di ora- rio e distanza, ma non vuole rinunciare al lusso di avere tutti i giorni in tavola prodotti buoni, certificati e a prezzi sostenibili, può approfittare dell'offerta a domicilio.

## ■ Verdure dalle isole

Sant'Erasmo è una grande isola lagunare a circa mezz'ora di battello da Venezia. Da secoli gli agricoltori santerasmini vendono verdure agli abitanti della città. In questo caso, te li portano pure vicino a casa.

Ti iscrivi alla mailing list, ordini il lunedì e loro nei giorni successivi portano la spesa in 5 punti di raccolta in città (Fondamenta Nuove, San Giobbe, Lido, Giudecca, San Trovaso).
L'azienda produce esclusivamente verdura: cappucci a cuore, cavolfiori, cavolfiori con le foglie, radicchio di Chioggia, cavolfiori romani, scalogno, cappucci tondi, cappucci rossi, cavoli rapa, valeriana, radic- chio rosso in gambetta, porri, verze. Tutta la verdura viene consegnata il giorno stesso della raccolta.
Volete i pomodori in gennaio? Non li hanno.

**INFO**
I Sapori di Sant'Erasmo • Via Boaria Vecia 6, isola di Sant'Erasmo • 041 5282997 • www.isaporidisanterasmo.com • Costi: carciofi 0,40 € al pezzo, cipollotti 2 €/kg, zucchine 2 €/kg, cetrioli 1,80 €/kg, rucola 6 €/kg

## Solo carciofi dalle Vignole

Le costosissime castraure hanno estimatori ovunque. E Guia si è attrezzata per soddirfarli: dagli orti sull'isola gestisce tutto via computer.

Vi potete iscrivere mandandole un'email. Da fine aprile a fine maggio vi arriveranno regolarmente aggiornamenti sulle quotazioni (è il caso di dirlo) che oscillano parecchio, anche settimanalmente, e sul calendario di ritiro delle cassette (di solito in zona Santi Giovanni e Paolo). Con un piccolo sovrapprezzo spediscono anche in terraferma. E se avete esagerato nelle compere, tenete presente che i botoli sono buoni da mettere sott'olio, le mazzette sono ottime crude, oppure nella pasta, nel risotto o, ancora, si possono scottare e conservare surgelate.

INFO
Orto delle Vignole • 348 6938991 • info@ortodellevignole.it • www.ortodellevignole.it • Costi a cassetta da 50 pezzi: castraure 40/50 €, mazzette 30/50 €, botoli 20/45 € (a seconda del periodo i prezzi possono variare)

## Dalla terraferma via web

Un gruppo di amici amanti del territorio e dell'enogastronomia hanno fondato una società agricola perennemente alla ricerca di buone pratiche, che produce ottimi prodotti e valorizza produttori meritevoli.

Nel loro grande campo a Noale cercano di recuperare colture ortofrutticole, utilizzando vecchie sementi e piante da frutto ormai abbandonate dalla produzione industriale; il loro orto è organizzato secondo la sinergia tra le piante, in grado di autoconcimarsi e di difendersi da insetti e malattie utilizzando le proprie risorse. Naturalmente tutto senza concimi chimici, diserbanti e trattamenti se non contemplati dalla coltivazione biologica.

Oltre ai prodotti locali qui propongono anche vini, olio, pasta, pane e taralli, cereali, formaggi, confetture, miele soprattutto pugliese e arance e mandarini dalla Calabria.
Sul sito trovate molti suggerimenti, informazioni, ricette e aggiornamenti sulla stagione.
Consegnano, a Venezia e zone limitrofe, prodotti appena raccolti dal campo. Si ordina via web (prima bisogna iscriversi) entro il lunedì e il mercoledì consegnano anche

a domicilio in barca. A remi, naturalmente.

INFO
Donna Gnora • 393 9719606 • www.donnagnora.it • Costi: una cassetta da 6 kg di verdura e frutta 15 €

## ■ I Gas

I Gruppi di Acquisto Solidale cercano di costruire un'alternativa al consumo acritico. Esistono in Italia da circa quindici anni e sostengono i produttori che attuano principi di solidarietà, sotenibilità e giustizia sociale.

Entrare in contatto con un Gas non è solo un modo per comprare ottimi prodotti a un prezzo vantaggioso, ma si imparano anche un sacco di cose. Il Veneziano Gas è fatto di quasi 200 famiglie divise in 6 sottogruppi di vicinato. I prodotti acquistati dal gruppo sono biologici, a chilometro quasi zero e spesso di sementi o varietà in via di estinzione. Con le loro parole, il gruppo si propone di: «sostenere il consumo e la diffusione di prodotti biologici, naturali, ecocompatibili; sviluppare rapporti diretti con i produttori biologici, privilegiando i piccoli produttori e garantendo un'equa remunerazione del lavoro; favorire la solidarietà tra i componenti del comitato».

Il contatto diretto con i produttori è forse la cosa più importante, perché consente di instaurare un rapporto di fiducia e di conoscenza, oltre che di praticare prezzi equi. Per entrare in un Gas basta contattarli direttamente, andare a conoscerli e partecipare alle riunioni. È anche un modo per fare nuove amicizie.

INFO
Veneziano Gas • www.venezianogas.net • Altre notizie su www.retegas.org

# Tutto sfuso

Ormai si sa: comprare sfuso conviene sia alle tasche che all'ambiente. Il risparmio generalmente è intorno al 30%. Ovviamente è sempre buona norma assicurarsi che i prodotti siano di qualità e, nel caso di prodotti alimentari, fare attenzione alla scadenza e alla prove- nienza. Qui segnaliamo i venditori migliori, secon- do noi.

## ▓ Caffè

Rio terà
S. Leonardo

Grazie alla sua vocazione mercantile Venezia, già nel Cinquecento, fu la prima città in Europa a scoprire il caffè, importandolo direttamente dall'Arabia, prima per un utilizzo medicinale e poi come bevanda tonifi- cante e di compagnia.

Fino a pochi decenni fa in città c'erano molte torrefazioni, anche minuscole, che importavano diret- tamente il caffè e lo preparavano per il consumo, anche sul posto. La Torrefazione Marchi è la penultima rimasta in città (oltre a Girani, in campo Bandiera, e Moro, che però non ha la vendita al dettaglio). Diffi- cile non individuarla: ogni mattina il profumo della tostatura si diffonde per tutta la zona. Pittoresco l'andiri- vieni di indigeni e turisti curiosi, tra sacchi di caffè e borse della spesa: c'è chi si sorseggia un caffè della sposa (ottenuto con 8 qualità del- le migliori arabiche), chi cede alla tentazione di un caffè con panna e chi ordina due etti di Blue Mountain Jamaica da portarsi a casa.

**INFO**
Torrefazione Marchi • Cannaregio 1337 (Rio terà S. Leonardo) • 041 716371 • 7-19.30 dal lunedì al sabato; 9.30-13 e 14-18.30 la domenica • Costi; abbonamento 10 caffè per 8 €; caffè macinato da 15 € /kg; caffè della sposa 20 €/kg • Fermata vaporetto S. Marcuola

## Tè e infusi

Ca' d'Oro

A due passi dal disordinato andirivieni di campo Santi Apostoli (zona di passaggio dalla Strada Nuova verso Rialto) troverete una ordinatissima rivendita di tè e infusi.

Le pareti di The Peter's House sono tutte rivestite da scaffalature con contenitori di tè nero, tè verde, camomille, infusi e tisane, rooibos, il tè rosso (ideale per bambini); ma troverete anche teiere, bollitori, tazze, colini, cucchiaini, mug, filtri, scatoline, vassoi... tutto quello che possono desiderare gli amanti della pausa delle cinque del pomeriggio. Anche se è un franchising, questo negozietto trasmette personalità e gentilezza grazie a Letizia e Sandro, che sanno consigliare e far apprezzare anche ai non esperti queste fragranze particolari. Tra le specialità: tè verde allo zenzero, o con fiori di girasole e fiordaliso, l'infuso mela e arancia, o la tisana marocchina di menta nana.

**INFO**
The Peter's Tea House • Cannaregio 4553/a, campo Santi Apostoli (Ca' d'Oro) • 041 5289776 • 10-12.30 16-19.30; chiuso lunedì mattina • Costi: tisane rilassanti a partire da 4 €, digestiva 6 €, tè da 4 a 30 € • Fermata vaporetto Ca' d'Oro

## Vino alla spina

Guglie

Il vinaio è un tipo di bottega che si vede di frequente a Venezia: come tutti gli altri veneti, anche i veneziani hanno una certa passione per il vino. Quello sfuso ha il vantaggio di essere economico e di riutilizzare i contenitori. La qualità è oscillante, ma negli ultimi anni molti produttori stanno spingendo sul vino sfuso di pregio.

Tra le numerose vinerie in città segnaliamo quella di Danilo, vicino al ponte delle Guglie, simpatica e caratteristica, dove si possono trovare anche i classici vini della zona (cabernet, pinot, refosco e marzemino, tutti del trevigiano) ma anche «vini di laguna» (chiedete a lui cosa intende...). L'ideale è portarsi la bottiglia da casa, ma in caso ci si dimentichi Danilo ne ha sempre qualcuna da utilizzare.

INFO
Casa Mattiazzi • Cannaregio 1116 (Guglie) • 041 5245365 • 8.30-19.30; chiuso la domenica • Costi al litro: cabernet franc o pinot nero 2,10 € refosco e marzemino 2,30 € • Fermata vaporetto Guglie

## ▓ Detersivi alla spina

12
S. Stae

I detersivi sono forse la categoria merceologica migliore da comprare sfusa, sia perché si risparmiano soldi e plastica, sia perché spesso la qualità è migliore dei prodotti confezionati.

I detersivi sfusi si trovano ormai anche in molti supermercati, nei negozi biologici ed equosolidali (vedi pp. 155-156) ma anche in qualche negozietto di recente apertura. La Casa del detersivo è uno di questi e offre una scelta davvero notevole: circa sessanta prodotti per lavatrice, lavastoviglie, piatti a mano, pavimenti, acciaio.

L'unica regola da rispettare è la solita: portare un contenitore. Altrimenti, perché comprare sfuso?

INFO
Casa del detersivo • Santa Croce 2137, calle Longa (S. Stae) • 9-19; chiuso la domenica • 333 198 7908 • Pagina Facebook La Casa del Detersivo • Costi al chilo: candeggina 0,55 €, detersivo per lavatrice 1,25/1,65 €, ammorbidente 1,25 €, sapone ph neutro 1,30 €, detersivo per pavimenti ph neutro 0,80 € • Fermata vaporetto S. Stae

Sfuso

## ▓ Spezie e frutta secca

13
Mercato

Ben 15 erano le botteghe di spezieri in città, e a Rialto si trovava il mercato all'ingrosso; i «messeri del pepe» erano coloro che fissavano i prezzi delle spezie appena arrivate e poi li leggevano di fronte alla chiesa di San Giacometo.

Una volta le spezie erano un bene di lusso, oggi se ne possono trovare molti tipi anche al supermercato. Bisogna dire però che se avete richieste un po' particolari, oppure semplicemente le volete di qualità migliore, Màscari può fare per voi. Dentro la bottega, in un assortimento fitto fitto di vasetti, sacchettini, bottigliette, avrete tutto il necessario per una ricetta speciale: curcuma, zenzero, vaniglia, zafferano, rafano, noce moscata, paprika, ginepro, cannella, cardamomo, sesamo, papavero, coriandolo, menta, carcadè, tabasco, salsa di soia, curry. Anche frutta secca o disidratata: mandorle, noci, grano, semi di papavero, frutta candita, fichi, pomodori, mele.

Non dimenticate pinoli e uvetta per le sarde in saor!

**INFO**
Màscari • San Polo 381, ruga del Spezier (Mercato) • 041 5229762 • www. imascari.com • 8-13 e 16-19.30; chiuso domenica e mercoledì pomeriggio • Costi all'etto: spezie 3 €, tè da 2 €, erbe e infusi da 1,50 € • Fermata vaporetto Mercato

## ■ Erbe e tisane

Rio terà S. Leonardo

Siete andati dal naturopata. E ora? Nessun problema: Renzo vi aiuterà a districarvi tra tisane, sali, estratti, essenze, tinture madri e tutte le altre parole che non si sa bene che differenza ci sia.

La fitoterapia utilizza le piante per far stare bene il corpo, senza ricorrere agli eccessi della chimica e quindi riducendo gli effetti collaterali. Da Cibele troverete disponibilità e competenza in materia di alimentazione, cure naturali e macrobiotica. Quindi: alimenti biologici (anche per bambini), erbe officinali ed estratti, fiori di Bach, fitocosmesi. Buona scelta di tisane, pasta, cereali, biscotti. Di fresco: pane, tofu, formaggi, latte, germogli di soia. Ottima la tisana da regalare a un'amica che sta allattando a base di galega e finocchio. Ci sono anche i pannolini lavabili (vedi box).

**INFO**
Cibele • Cannaregio 1823, campiello dell'Anconeta (Rio terà S. Leonardo) • 041 5242113 • 8.30-13,30 e 15-20 (d'estate apre alle 16); chiuso la domenica • Costi: semi di finocchio 3.50 €/hg, fiori secchi calentula 8 €/hg, tofu 10 €/kg, pane 5/8 €/kg • Fermata vaporetto S. Marcuola

*Spesa*

### Zoom

## Il mondo dei pannolini

Oggi i pannolini lavabili non sono più i ciripà delle nostre nonne: anche una famiglia moderna e indaffarata può permettersi di fare questa scelta economica e sostenibile per l'ambiente: in tre anni si possono risparmiare mediamente 600 euro, oltre a evitare una tonnellata circa di rifiuto non riciclabile.
I moderni ciripà sono fatti in tessuti naturali e quindi diminuiscono i rischi di arrossamenti e allergie. Inoltre per le famiglie che utilizzano i pannolini lavabili è anche prevista una riduzione della tariffa rifiuti.
Trovate interessanti approfondimenti sui pro e contro e un'attenta analisi sul sito dell'associazione Non Solo Ciripà.

www.nonsolociripa.it

## ▪ Pasta fresca

**15**
S. Bartolomeo

**16**
Ponte
dei Greci

I veneziani sono sempre stati grandi consumatori di riso, ma certo non disprezzano la pasta, sia fresca che secca. Purtroppo oggi in città non ci sono molte botteghe che la producono.

La pasta secca colorata e nelle forme più impensate che vedete nella maggior parte dei negozi turistici è quasi tutta prodotta industrialmente chissà dove. Se invece volete della pasta fresca, genuina e autoctona andate da Rizzo o alla Serenissima: tagliatelline, lasagnette, lasagne, gnocchi di patate o di semolino, tortellini, agnolotti, ravioli freschi che si cuociono in pochi minuti. (Vedi anche pp. 86-87, Le spighe.) Hanno anche ingredienti per ricette etniche.

Per stupire gli ospiti si può optare eventualmente per le paste colorate (niente a che fare con quelle commerciali di cui sopra): al nero di seppia o semplicemente rosate al pomodoro, saranno ottime condite anche solo con qualche verdura spadellata. Con poca spesa, farete un figurone.

**INFO**
Rizzo • Cannaregio 5778, salizada San Giovanni Grisostomo (S. Bartolomeo) • 041 5222824 • 8.30-13 e 15-19.30; chiuso la domenica • Costi: pasta fresca da 1 €/hg • Fermata vaporetto Rialto

Serenissima • Castello 3455, salizada dei Greci (Ponte dei Greci) • 041 5227434 • 8-13 e 17-19.30; chiuso la domenica • Costi: pasta fresca da 1 €/hg • Fermata vaporetto S. Zaccaria

> **Zoom**
>
> ### *Bigoli in salsa*
>
> Ecco una tipico piatto veneziano veloce, saporito e conveniente. Ottimo caldo appena fatto, ma anche dopo qualche ora a temperatura ambiente: non a caso è uno dei piatti tradizionali della notte del Redentore, quando secondo tradizione si mangia in barca.
>
> I bigoli sono grossi spaghetti ruvidi di farina di grano tenero e generalmente integrale; la salsa invece è il condimento a base di soffritto di cipolla e acciughe disciolte a fuoco basso.
>
> Affettate due cipolle finissime e fatele appassire in un largo tegame con olio extravergine di oliva. Lavate 10 acciughe sotto sale (vanno bene anche sott'olio) e sfilettate togliendo la lisca centrale e le laterali. Aggiungetele nel tegame, quando le cipolle saranno diventate trasparenti, e lasciatele sciogliere. A parte avrete intanto lessato i bigoli al dente. L'ultimo minuto di cottura può avvenire direttamente nella padella della salsa con l'aggiunta di qualche cucchiaio di acqua di cottura per diluire. Vietato aggiungere formaggio.

**Sfuso**

Guglie

## ■ Pane fresco

Venezia non è particolarmente famosa per il pane, e in più la pressione turistica ha trasformato quasi tutti i panifici in rivendite di pizze e pasticceria tipica. Il pane con farine bio e lievitazione naturale si trova nei negozi di prodotti bio e al mercatino del giovedì di Altraeconomia (vedi p. 109). Una classica panetteria con vasta scelta invece la trovate vicino al ponte delle Guglie.

Spesa

Il pane a Venezia è costosissimo. Quello comune non costa meno di 4,50 euro al chilo e di solito finisce ben prima di mezzogiorno. Poi dovrete optare per quello ricco (di burro, noci, olive ecc.), che arriva a costare più del doppio. Dalla signora Romina invece ci sono ancora prezzi abbordabili e un'ampia scelta: ciabatte, rosette, montasù, morbidi ambrogini per la merenda dei bambini e pizzette.
Provate il pane al semolino morbido e dolce, ma non troppo. Anche crostate, torte di frutta e la tradizionalissima pinza (vedi box).

**INFO**
Baldin • Cannaregio 1291 (Guglie) • 041 715773 • 6.30-19.30; chiuso la domenica• Costi: pane da 3,50 €/kg, pane di semolino 5.50 €/kg, pizzette da 0,60 € l'una • Fermata vaporetto Guglie

> *Zoom*
>
> ## La pinza
>
> La Pinza è il più tipico dei dolci poveri del Veneto. Si fa nel periodo dell'Epifania e i suoi ingredienti base sono gli avanzi di pane o di polenta, con l'aggiunta di latte, semi di finocchio, uvetta, fichi secchi, canditi, noci. A volte è profumata con la grappa.
> Video divertenti di ricette tipiche ed economiche hanno come protagonista Cesare Colonnese, poliedrico personaggio veneziano (obbligatorio capire un po' di lingua locale).
>
> www.youtube.it/cesarecolonnese

Mestre

## ■ Latte crudo

Il latte crudo è il latte allo stato naturale, appena munto, commercializzato così com'è prodotto dalla mucca, non pastorizzato e non impacchettato. Questo significa che è intero e genuino, saporito, cremoso, con tante vitamine e fermenti lattici vivi. Una delizia!

Altro grande vantaggio del latte crudo alla spina è che è più economico rispetto al latte confezionato. Però si conserva in frigorifero solo due giorni (di più se lo bollite appena acquistato).

A Venezia purtroppo non si trova, ma a Mestre ci sono ben due distributori self service a km zero che garantiscono giornalmente latte crudo appena munto. Ricordate di portarvi una bottiglia di vetro (che poi può essere sciacquata con un po' d'acqua e qualche goccia di aceto) e una borsa termica. Che decidiate di bollirlo o meno, è una scelta di consumo critica e consapevole: direttamente dall'allevatore al consumatore. Muuu!

**INFO**
Distributori di latte crudo • www.milkmaps.com • Costi: 0,90 €/lt

Distributore esterno Tuttogas • Via Aleardi 122, Mestre

Distributore esterno PalaPlip • Via San Donà 195, Mestre

## Cioccolata ad alta qualità

S. Tomà

Sfuso

A Venezia le botteghe del caffè erano anche botteghe della cioccolata; qui si potevano degustare molte versioni di cioccolato, seppur più farinose e molto diverse da quelle di oggi. A continuare in città la tradizione del buon cioccolato c'è ancora qualcuno...

Come non approfittare di una squisita cioccolata fondente calda (per gli intenditori anche senza latte) in una tipica giornata veneziana fredda, umida e nebbiosa? Nella bella stagione, invece, possiamo apprezzarla sotto forma di ottimo gelato o semifreddo. Oppure possiamo optare per praline, dragees (frutta secca e candita ricoperta di cioccolato), creme da spalmare, fondute, tavolette di grand cru, mousse, dolci e semifreddi. Nel negozio/laboratorio a vista potrete seguire le diverse fasi di lavorazione: le più classiche o invece le più sperimentali come le praline ganaches fondente all'aceto balsamico, al barbera o al passito, o ancora allo zafferano e all'anice stellato.

**INFO**
Vizio virtù • S. Polo 2898/a (S. Tomà) • 041 2750149 • www.viziovirtu.com • 10-19.30; solo luglio e agosto: 10-13 e 13.30-19.30, chiuso la domenica • Costi: cioccolata calda fondente acqua o latte 2 €, 3,50 € grande (solo d'inverno); praline 8,90 € l'etto e 0,70 € l'una; frutta candita 8,50 € l'etto; gelato 25 €/kg • Fermata vaporetto S. Tomà

# Faccio io o faccio fare?

rubinetto che non gocciola, una caffettiera con la gomma nuova, duplicare la chiave di casa per la vicina, o anche solo il piacere di realizzare un regalo con le proprie mani. È in casi simili che abbiamo bisogno di quei negozietti preziosissimi dove trovare i materiali giusti e qualche consiglio.

Sarà la crisi, sarà che ci siamo stufati delle cose industriali, che ci piace far da soli, che la qualità della vita a volte è un

S. Francesco
della Vigna

## ■ Tutti i colori che vuoi
♥

A Venezia era molto diffuso questo tipo di negozio dove si trovava un po' di tutto, visto che andando in giro a piedi c'era l'esigenza di averne almeno uno per quartiere. Adesso che invece sembrano più utili le maschere e i gelati a base di polverine trovarne uno ci sembra un sogno.

Nel cuore del popolare quartiere di Castello, la Beppa è la gioia dei pittori veneziani che qui trovano centinaia di pigmenti anche in polvere per le loro pitture, carte, colori per stoffa, vetro, legno, metallo, ma dove trovare anche uno stendibiancheria, un vaso per le piante, quel detersivo speciale che toglie le macchie di ruggine, uno scopino per i davanzali. Negli scaffali zeppi troverete tutte le possibili marche e tipologie di solventi, detersivi, spugne, stendibiancheria, pennelli, corde, chiodi, guarnizioni. Ammirevoli anche gli orari di apertura.

INFO
La Beppa • Castello 3166 (S. Francesco della Vigna) • 041 5226968 • 7.30-19.30; chiuso la domenica • Costi l'etto: pigmenti 2/80 €, resine naturali 4/7 €, perle di conterie 4/8 € • Fermata vaporetto Celestia

---

## *Zoom*

## *L'arte di buttare*

Venezia è tutta speciale anche nella gestione della spazzatura. La raccolta differenziata prevede giorni diversi di raccolta per le differenti tipologie di rifiuti, raccolti porta a porta. L'umido va lasciato a fianco della porta esterna dell'appartamento, sempre tra le 6 e le 8 del mattino: la spazzatura abbandonata in giro in altri orari (o la domenica e nei giorni festivi) è facile preda di topi e gabbiani: un vero disastro.

Sul sito di Veritas (Veneziana Energia Risorse Idriche Territorio Ambiente Servizi) trovate approfondimenti e informazioni, per esempio come smaltire gratuitamente rifiuti urbani pericolosi (farmaci scaduti, batterie esauste, bombolette di vernici), oli e grassi commestibili e lubrificanti o ingombranti apparecchiature elettriche ed elettroniche (elettrodomestici, televisori e monitor).

www.gruppoveritas.it

Faccio io o faccio fare?

---

## ▨ **Il regno del bricoleur**

**21**

S. Pantalon

All'apparenza può sembrare solo un negozietto con una piccola scelta di giocattoli intelligenti per bambini. Poi scopriamo che C'era una volta è il covo di una piccola comunità di bricoleur.

Aggirandovi per questo piccolo e prezioso negozio troverete cassettiere di perle e perline, anche quelle giapponesi, ideali per la tessitura perché molto regolari, gancetti, fili colorati.

Scoprirete un mondo di piccolo bricolage, tra coloratissimi pannolenci e paste polimeriche a base di cera d'api per realizzare piccoli oggetti.

Organizzano regolarmente minicorsi di bigiotteria personalizzati.

INFO
C'era una volta • Dorsoduro 3739 (S. Pantalon) • 041 718899 • 10-13-30 e 15.30-19.30; chiuso la domenica • Costi: minicorsi di 3 ore 15 € (materiale a parte) • Fermata vaporetto S. Tomà

**22**

Miracoli

## ■ Nostalgia merceria

L'ambiente è da vera merceria di una volta, piena zeppa di scatole e sacchetti di maglie, canottiere, calze, bottoni.

Lo capite subito che è il posto giusto, perché è facile incontrare qui i veneziani più accorti.
Alla faccia del proliferare di catene di biancheria intima a prezzi stracciati, Soppelsa rimane un punto di riferimento quando si cercano mutande e calzini a buon prezzo ma che non si smollino al primo lavaggio.
Si sono avvistati anche australiani in cerca della tipica canottiera bianca, quella dei film con Alberto Sordi. Forse come souvenir?

**INFO**
Soppelsa • Cannaregio 5937, salizada San Canciano (Miracoli) • 041 5203714 • 9-12.30 e 15.30-19.30; chiuso domenica e lunedì mattina • Costi: canottiere di puro cotone 7 €, pigiama a righe 15 € • Fermata vaporetto Rialto

### Zoom

## Il merletto di Burano anche a Venezia

Oggi che rischia di essere dimenticata, l'arte del «punto in aria» viene insegnata con grande passione e simpatia da quattro maestre merlettaie: Annabella, Rosetta, Diana e Leda. In autunno e primavera, a Venezia, organizzano dei corsi molto partecipati e davvero economici dove si chiacchiera, si ride e si salva un'arte dall'oblio. Un ciclo si articola in media su 10 lezioni da 2 ore ciascuna.

Annabella Doni • 348 5111044 • www.annabelladoni.it • Costi: rimborso spese per il coffee break

Spesa

**23**

Misericordia

## ■ Torte come nelle fiabe

Volete creare degli orecchini in coloratissima pasta sintetica? Avventurarvi nel mondo dell'oggettistica in feltro? O vi siete dati al cake design?

Macripe è una merceria molto fornita, ma oltre a bottoni, lana, filati, elastici e cordini vende anche l'occorrente per decorazioni, bigiotteria, piccolo design autoprodotto e molto altro. Inoltre si organizzano minicorsi per imparare da zero a realizzare oggetti in feltro o decorare elegantissime torte (dai 20 ai 40 € a lezione). In ogni caso, se avete perso le lezioni, sappiate che qui tutti i giorni trovate Marianna, sempre disposta a dare ottimi consigli. Sbizzarritevi tra pasta fimo,

124

pirottini per muffin, pizzi di carta per le torte, pinzette per modellare i bordi della pasta di zucchero. E se cercate un'idea regalo per un'amica neomamma, perché non optare per l'enorme «torta», utile e simpatica, realizzata con pannolini arrotolati, con in cima un giocattolino per il nuovo arrivato (24 €)?

Se volete qualche anticipazione dei nuovi prodotti in vendita, guardate la loro pagina Facebook, sempre aggiornata.

**INFO**
Macripe • Cannaregio 2629 (Misericordia) • 041 822 8247 • 9-12.30 e 15.30-19.30; chiuso domenica • Pagina Facebook: Macripe merceria • Costi: pasta fimo 2,50 €, pasta di zucchero da copertura 13,50 €/kg, rafia naturale 3 € a matassina, torta pannolini 24 € • Fermata vaporetto Orto

Zoom

## Alla scoperta dei giardini storici di Venezia e dintorni

Il Wigwam Club Giardini Storici è un'associazione – animata da storici, paesaggisti, botanici, guardie forestali, ma anche giornalisti, operatori culturali – che organizza inusuali itinerari nel verde. Con loro riuscirete a entrare in luoghi segretissimi: vi stupirete di quante meraviglie si celano oltre gli alti muri delle calli veneziane.

Sul sito dell'associazione trovate gli itinerari in programma, che spesso portano anche alla scoperta della terraferma (potete richiedere visite ad hoc) e propongono suggerimenti di lettura per visite autogestite.

L'iscrizione costa 15 € e le visite guidate partono da 10 €, a seconda dell'itinerario.

www.giardini-venezia.it

Faccio io o faccio fare?

## ▧ **Per pollici verdi**

**24**
Misericordia

Se volete risistemare il giardino (fortunati se ne avete uno a Venezia...) o prendere solo un po' di aromi in vaso, questo vivaio (l'unico nel centro storico), vale una passeggiata fuori dalle solite rotte turistiche.

Questi 500 metri quadrati di verde sono gestiti da una cooperativa sociale che offre a persone con ritardo mentale un'occasione di vero lavoro, protetto ma ricco, grazie al supporto di tecnici specia-lizzati e dottori in Scienze forestali e agraria. A Laguna Fiorita, oltre a una bell'oasi di verde nella pietrosa Venezia, si possono trovare piante da giardino (ortensie, rose, piante da siepi), da appartamento (molte varietà di gerani, surfinie o i coloratissimi ciclamini), da orto (melanzane, pomodori, zucchine, fragole...), una discreta scelta di piante aromatiche (rosmarino, timo, maggiorana, finocchietto...) e materiale utile come vasi in plastica, coccio, resina, terricci vari, sassi decorativi e prodotti per la cura e il nutrimento delle piante.

INFO
Laguna Fiorita • Cannaregio 3546, fondamenta dell'Abbazia (Misericordia) • 041 5244097 • www.lagunafiorita.it • 8.30-12.30 e 14.30-17; chiuso sabato pomeriggio e domenica • Costi: piante aromatiche 2.50 €, gerani 3 €, cassettine da 4 piantine da orto 2 € • Fermata vaporetto Orto

**25**

Giardini

## ■ Una serra incantata

Attraversate la popolosa via Garibaldi e prendete il grande viale alberato che porta ai giardini della Biennale. Circa a metà, sulla sinistra, troverete questa bellissima serra di fine Ottocento completamente restaurata dal Comune.

Spesa

La serra mantiene in parte la sua vocazione: qui è possibile acquistare piante in vaso e materiali per il giardinaggio, prodotti biologici per le coltivazioni casalinghe, e si trovano molte informazioni e consigli utili per l'acquisto di piante. Vasta scelta di piante grasse e da orto.

In un angolo del giardino trovate la barena in vasca: ricostruzione vivente di una sezione di laguna con tanto di caratteristiche piante che sopportano l'acqua salmastra, come il limonium (detto lavanda di laguna) e l'assenzio (con cui si faceva un forte liquore). Ogni inverno le piante muoiono o si addormentano per poi risvegliarsi in primavera. Un piccolo filtro e una pompa compensano le alternanze della marea e il ricambio d'acqua.

L'altra anima di questo luogo è il bar, che offre una buona piccola pausa a base di tiramisù e cappuccino, oppure un aperitivo con prosecco biologico e crostini di baccalà.

Al sabato concerti a entrata libera, e durante la settimana molte attività come tango, yoga e laboratori per bambini.

INFO
La serra dei Giardini • Castello 1254, viale Garibaldi (Giardini) • 041 2960360 • www.serradeigiardini.org • Fioreria: 11-19, d'estate 10-12.30 e 16-20; chiuso lunedì • Bar: 10-21.30, sabato fino a mezzanotte; chiuso il lunedì • Costi: piccoli cactus 1 €, quattro piantine di pomodoro 2 €, orchidee 20 €. Costi al tavolo: crostino 1,50 €, tè 3,30 €, prosecco 3,50 €, fetta di torta 4 € • Fermata vaporetto Giardini

## ▨ Il mondo in un tappeto

I tappeti possono essere una gran seccatura, soprattutto in una città dove non puoi caricarli in auto per portarli a pulire.

Alì è un maestro restauratore persiano, che da quindici anni vive a Venezia. Lui si occuperà del lavaggio e restauro dei vostri tappeti, compresi (evviva!) il ritiro e la riconsegna.

Lo trovate nella sua bottega in barbaria de le Tole, dove restaura ma anche vende a prezzi competitivi tappeti persiani e orientali, kilim, arazzi, nuovi e antichi.

**INFO**
Ali Kiani • Castello 6419, barbaria de le Tole (Ss. Giovanni e Paolo)• 349 3431168, 389 1463440 • 10-13.30 16-19; chiuso sabato e domenica • Costi: lavaggio 28 € al metro quadro • Fermata vaporetto Ospedale

## ▨ Il re dei calzolai

A Venezia si chiamano caleghèri, e in una città dove si va a piedi cosa è più importante di avere delle buone scarpe?

I calzolai veneziani sono spesso dei personaggi eccentrici. Luigi non fa eccezione, anzi è l'eccezione che conferma la regola, grazie alla sua affabilità e disponibilità a conversare mentre ascolta le necessità di ogni cliente cercando di offrire una pronta soluzione.

Qui potete trovare tutto l'occorrente per la cura delle calzature e del pellame in genere, oltre che cibo per viziatissimi animali domestici di marche super ricercate. I prezzi sono buoni, per la media cittadina.

**INFO**
Luigi Zocchia • Dorsoduro 3855/B, di fronte alla caserma dei pompieri (S. Margherita) • 041 5223910 • 8.30-12.40 e 15-19.30; chiuso la domenica • Costi: tacchi e suole uomo 25 €, solo tacchi 7 €, riparazione cucitura borse 7 € • fermata vaporetto Rezzonico

## ▨ La bottega dei coltelli

Donne, è arrivato l'arrotino! Nel caso di Franco l'arrotino non arriva, ma è sempre lì, nella sua bottega a Cannaregio.

Botteghetta piccolissima e bassissima: già con un'acqua alta di 90 centimetri Franco deve lavorare con gli stivali di gomma, ma ci vuol ben altro per fargli passare il buon umore. Lui è l'arrotino che vi sistema coltelli e forbici e che vi propone anche una buona scelta di coltelleria di tutti i generi: pinze per estrarre le lische dei pesci a crudo, pinze e forchettine per mangiare astici e granchi, coltelli giapponesi di ceramica, forbicine per mancini e quelle con le punte tonde per naso e orecchie, forbici professionali da barbieri, coltellini svizzeri e da barca

con pochi, ma utili, strumenti per i naviganti.
E per affilarveli a regola d'arte, chiede solo (a partire da) 5 euro.

**INFO**
Lena • Cannaregio 5919, salizada San Canzian (Miracoli) • 041 5237478 • 9-12.30 e 16-19.30; chiuso la domenica • Costi: affilatura coltelli da 5 €, quelli di ceramica da 15 € • Fermata vaporetto Rialto

**29**

Ca'
Rezzonico

Spesa

## ■ Cartucce e toner rigenerati e compatibili

Appena scesi a Ca' Rezzonico, a metà della stretta calle che va verso San Barnaba trovate questo negozietto non ben identificato, con magliette esposte, computer sul fondo e un'aria spettinata.

Qui in realtà si nasconde un covo di smanettoni digitali che può esservi molto utile: oltre alla vendita di cartucce e toner rigenerati e compatibili, fotocopie in bianco e nero e stampe a colori, vetrofanie e prespaziati, è anche internet point (per quelli che ancora hanno resistito all'acquisto di smartphone e tablet) su piattaforma linux e invio/ricezione fax. Ma soprattutto all'Officina ci possono stampare

anche una maglietta (o borsa o felpa) personalizzata. È un'idea carina per un regalino ad hoc.

**INFO**
Officina • Dorsoduro 2799, calle del Traghetto (Ca' Rezzonico) • 041 7241214 • www.officina-ve.com • 9.30-19.30, sabato 10.30-16; chiuso la domenica • Costi: shopper in cotone 10/12 €, t-shirt 15 €, maglietta con stampa personalizzata a due colori 18 € • Fermata vaporetto Rezzonico

# Shopping che passione

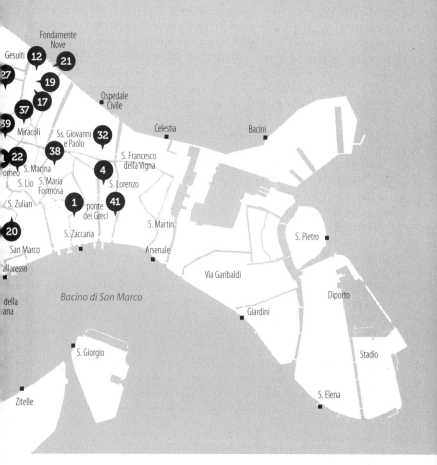

# Non il solito souvenir

Di oggetti-ricordo ne abbiamo piene le case, ma se ancora non vi bastano seguite i nostri consigli e almeno vi riporterete via da Venezia qualcosa che sia stato veramente creato in città.

Dimenticatevi la maggior parte delle bancarelle di venezianità varie: penne, cappellini, calamite a forma di ponte di Rialto... Le potete trovare ovunque. Seguiteci piuttosto lungo un percorso di scoperta delle botteghe dove vale veramente la pena fermarsi a spendere qualcosa.

Non sono molte, ma esistono.

## Sotto i 10 €

I negozi veneziani sono pieni di oggettini da pochi euro: segnalibri, minimascherine, cartoline... Noi vi sconsigliamo di comprarli, visto che di veneziano hanno probabilmente solo il recapito a cui sono stati spediti direttamente dalla Cina. Qui vi segnaliamo invece qualche indirizzo per un acquisto molto economico e molto tipico.

### ▦ Perle vecchie e recenti

S. Zaccaria

Le perle veneziane hanno una tradizione secolare. Stiamo parlando di perle in vetro di Murano, nelle fogge e nei colori più vari.

Ci sono almeno due tecniche per la creazione di perle in vetro. La lavorazione «a lume» consiste nel modellare la perla con una piccola fiamma; «a rosetta» significa creare una canna di strati colorati concentrici, che poi viene tagliata in tante sezioni. Poi, a seconda delle diverse lavorazioni, le perle possono prendere nomi diversi: sommerse, millefiori, fiorate...

Rita, in mezzo ad altre venezianità, saprà spiegarvi le differenze, mostrandovi la sua offerta di perle moderne oppure ottocentesche. Sono sia già montate in collane, sia sciolte, pronte per diventare un souvenir prezioso ma a prezzo abbordabile.

**INFO**
Anticlea • Castello 4719/a, calle San Provolo (S. Zaccaria) • 041 5286946 • 10-19; chiuso la domenica • Costi: perle antiche da 3 €, anni '60 da 0,50 € • Fermata vaporetto S. Zaccaria

## ■ Perle e conterie nuove

S. Stae

La città straripa di negozi di collane, perle o perline in vetro. In questa stretta calle dalle parti di San Stae, in una bottega-magazzino artigiani e hobbisti trovano la materia prima per le loro creazioni.

Ci sono orecchini realizzati di pochi pezzi ma di grande effetto, fiocchi d'arredamento realizzati con fili di piccole perline e fili per realizzare abat-jour, ma soprattutto troverete tutto quello che serve per realizzare i tradizionali fiori veneziani (fatti di filo metallico e minuscole perline) di cui Daniela è una vera esperta.

Shopping

Approfittate della sua generosità per chiederle consigli.

**INFO**
Riflessi veneziani • Santa Croce 1834, calle del Tentor (S. Stae) • 041 5240564 • 10-19.30 • Costi: orecchini da 3 €, fiocchi da arredamento 12 €, fili di perle da 2 € • Fermata vaporetto S. Stae

## ■ Trottoline di legno

S. Agostin

Una città è viva finché sono vivi i suoi artigiani. Questa bottega a San Polo continua la tradizione dei tornitori di legno, sperando che la tradizione continui!

Angelo tornisce, tornisce, tornisce... e tutto diventa levigato, tondeggiante e piacevolissimo da toccare, come le uova/soprammobile in

diverse essenze. Con il suo aiuto potete ricreare gambe e pomoli di mobili da restaurare oppure cercare tra le sue creazioni quelle che vi piacciono di più, ad esempio la serie di portatovaglioli in 6 essenze diverse di legno (acacia, acero, larice, faggio, noce, ciliegio). Da Angelo ci sono anche i «fuselli»: i bastoncini che servono per realizzare il tradizionale merletto al tombolo (vedi box). Nel suo laboratorio potete anche vederlo all'opera: tornisce, tornisce, tornisce...

**INFO**
Dalla Venezia Angelo • San Polo 2204, calle del Scaleter (S. Agostin) • 041 721659 • 8-12.30 e 15-19.30; a volte aperto anche la domenica • Costi: trottoline da 10 €, fuselli 7 €, uovo da 10 € • Fermata vaporetto S. Stae, S. Silvestro, S. Tomà

**Zoom**

## *Il merletto a tombolo di Pellestrina*

Dopo il merletto di Burano viene quello a tombolo di Pellestrina, che si realizza intrecciando sottili fili di cotone con l'aiuto di fuselli (dai quali viene svolto il filo) sopra un cuscinone cilindrico chiamato appunto tombolo. Sebbene un po' più semplice del merletto di Burano, anche questo richiede molta abilità, esperienza e pazienza.

Invece di comprarne uno per ricordo, perché non imparate a farlo da voi? Presso l'attivissimo centro Olivolo a Castello organizzano corsi per apprendere quest'arte in estinzione. Ma attenti: rischiate anche di imparare un sacco di altre cose! Si organizzano corsi un po' di tutto: ballo liscio, laboratori di teatro per bambini, visite guidate e incontri culturali. La tessera annuale costa 20 € e quasi tutte le attività sono gratuite, o comunque molto low cost.

Info
Olivolo • Castello 3048 (S. Francesco della Vigna) • 345 3791333 • www.olivolo.it • 17-19.30, chiuso giovedì e tutta l'estate • fermata vaporetto Celestia

**4**
S. Francesco della Vigna

Sotto i 10 €

##  Musica per tutti i gusti

**5**
S. Polo

Nella stretta e trafficatissima calle del Perdon, tra San Polo e Rialto, vi sorprenderete a guardare incuriositi la vetrina di questa piccola bottega di strumenti musicali.

Ombretta e Ciro sono una coppia di gentilissimi musicisti che gestiscono con una cortesia d'altri tempi la loro bottega, dove troverete arpe di liuteria, strumenti etnici, concertine (tipo di fisarmonica di Recanati), spartiti e moltissimo materiale didattico: un vero punto di riferimento in città. Apprezzatissimo soprattutto dai violinisti alle prime

armi che vengono aiutati (gratuitamente) nel difficile montaggio
e accordatura del loro strumento.
Tra gli strumenti didattici dedicati
ai più piccoli troverete molte soluzioni economiche, come gli ovetti
sonori, armoniche a bocca o i più
rumorosi kazoo. Per i più grandi
invece ci sono gli stranissimi flauti
nasali e strumenti etnici come fischi
da samba, congas, bongò, timbales,
clave, maracas, shekeré. I tappi per
le orecchie li trovate, invece, nella
vicina farmacia.

INFO
Mille e una nota • San Polo 1235, calle
di Mezzo (S. Polo) • 041 5231822 • 9.30-
13 e 15.30-19.30; chiuso la domenica •
Costi: ovetti sonori 1,50 €, kazoo 3,80 €,
armoniche da 4,50 €, tamburelli da 8 € •
Fermata vaporetto S. Silvestro

# Sotto i 25 €

Carte pregiate, i tipici oggetti rivestiti – dal portapenne al taccuino
prezioso –, ma anche francobolli molto particolari e, perché no,
una originale maglietta da gondoliere. Riportarsi a casa un pezzetto
di Venezia non ha prezzo: anzi, ne ha uno molto molto piccolo.

## ■ Monete, francobolli e medaglie

In una città piena di cose antiche non può mancare un buon indirizzo
per appassionati di numismatica e filatelia.

Nell'Ottocento, durante l'assedio
austriaco, venne introdotta la
moneta patriottica, garantita dalla
fusione di metallo prezioso e poi
dai prestiti della popolazione. Ne
furono emessi circa cinque milio-
ni di lire, e un po' di quelle lire le
potete trovare in questa bottega in
calle della Mandola. Con 10 euro vi
potete portare a casa una banco-
nota del 1848 da 3 lire: un souvenir
molto eroico e molto veneziano.
Curiosità: sono banconote a una
faccia sola.

Inoltre trovate molte serie di francobolli a tema veneziano e un sacco di altre curiosità numismatiche
della Serenissima, come i bezzi e i
bagattini (monete di piccola taglia:
con sei bagattini fai un bezzo).

INFO
Il mio hobby • San Marco 3718/b • Calle
della Mandola (Manin) • 041 5211107 •
10-19.15; la domenica 11-18.30 • Costi:
bagattini e bezzi 40 € circa • Fermata
vaporetto S. Angelo

## ▨ Le carte pregiate di Valese

**7**

S. Stefano

La maggior parte della carta marmorizzata che si vede in giro per la città e che è ormai quasi un prodotto tipico è, per la maggior parte dei casi, una pessima imitazione della tecnica di origine orientale importata a Venezia da Alberto Valese.

Ebrû (parola turca che deriva dal persiano ebri, nuvoloso) è un'antica tecnica per decorare la carta a motivi multicolori che imitano le venature della pietra o del marmo: la mano dell'artigiano scrive con rapido movimento sulla superficie liquida, formando texture sempre diverse e irripetibili fatte di macchie, venature, onde. Il foglio fissa l'immagine colorata che si crea assorbendo i colori in sospensione sul liquido.

Alberto Valese ha ripreso questa tecnica facendola diventare uno dei nostri prodotti tradizionali. Nel suo negozio, oltre a questi splendidi fogli – pezzi unici – marmorizzati, potete trovare anche altre pregiate carte a stampo o a colla, suminagashi (l'antica arte giapponese del decoro su carta, 13 €), carta da lettere ma anche accessori di abbigliamento in seta stampata di sua produzione. In giro per la città trovate molte pessime imitazioni, incredibilmente a prezzi più alti.

**INFO**
Alberto Valese-Ebrû • San Marco 3471 (S. Stefano) • 041 5238830 • www.albertovalese-ebru.it • 10-19; aperto tutti i giorni • Costi: fogli marmorizzati da 10 € • Fermata vaporetto S. Angelo

## ▨ Tutto rivestito di carta

Sotto i 25 €

**8**

Frari

Nella città che nel Cinquecento era la capitale del libro oggi per fortuna rimane ancora una legatoria che, di padre in figlio, mantiene in vita un'antica tradizione artigianale.

Entrando nella bottega-laboratorio di Paolo e del figlio Anselmo si capisce subito che qui si lavora per davvero: montagne di blocchi, blocchetti, rotoli, e poi oggetti e quaderni rivestiti con carte artistiche stampate a tampone, in serigrafia o marmorizzate, oltre che una vasta scelta di quaderni, libri, portapenne, scatole, scatoline e piccole cassettiere rivestite con carta marmorizzata o stampata a colla, ma anche importanti album in pelle per le fotografie più care. Potete inoltre chiedere oggetti su misura.

**INFO**
Polliero • S. Polo 2995, campo dei Frari (Frari) • 041 5285130 • 10.30-19.30 dal lunedì al sabato; domenica 10-16 • Costi: libricini da 8 a 15 €, album per acquerelli da 20 €, album per foto di matrimonio da 80 € in su • Fermata vaporetto S. Tomà

**9**

S. Giacometo

## ■ **Stile da gondoliere**

Ma i gondolieri i loro vestiti dove li comprano, sulle bancarelle? No, loro li comprano da Ceccato, proprio alla base del ponte di Rialto, all'inizio dei portici.

Da Ceccato trovate i veri capi per lavoratori di tutti i settori: alberghi, ristoranti, medici, dentisti, collaboratori domestici. E, visto cha siamo a Venezia, anche per gondolieri, dalle magliette a righe (ma non quelle con la scritta «Venezia» che trovate in giro!), agli abiti da cerimonia, fino ai copricapi veramente artigianali e filologici (vedi box).

E chissà che non diventi un souvenir veramente originale!

**INFO**

Emilio Ceccato • San Polo 16, sottoportici di Rialto (S. Giacometo) • 041 5222700 • 10-13.30 e 14.30-19; la domenica apre alle 11 • Costi: maglietta a righe 15/29 €, taglia bambino 12/25 €, cappelli in paglia 27 € • Fermata vaporetto Mercato

---

**Zoom**

### *Come si vestono i gondolieri?*

Shopping

I gondolieri non hanno una vera divisa ufficiale. Nelle immagini di fine Ottocento li vediamo vestiti di scuro con berretti di panno neri. Oggi nell'immaginario si è ormai affermata la versione stereotipata del gondoliere con maglia a righe (bianche e rosse o bianche e blu) e cappello di paglia, ma in realtà è un'usanza recente. Altre divise sono quelle (più eleganti) che possiamo vedere, ad esempio, in occasione di matrimoni, funerali, parate, sempre ispirate alla tradizione marinara.

---

# Sotto i 40 €

Avete voglia di immergervi nella venezianità più autentica, gustandovi tutto il bello di una esperienza di shopping unica e intensamente locale? Allora seguiteci in queste botteghe d'altri tempi, tra foto d'epoca, lamine d'oro, calzature antiche ed eterei animaletti in vetro.

# Fotografie d'altri tempi

S. Samuele

A due passi da Palazzo Grassi troviamo questa galleria che propone stampe fotografiche di buona qualità da negativi originali, provenienti del celeberrimo archivio Alinari.

Le fotografie che vedete in questa galleria sono stampate per diretto contatto o tramite ingrandimento dalle lastre di vetro originali, con la stessa tecnica utilizzata nell'Ottocento. Molti i soggetti veneziani, come ad esempio le classiche vedute di fine Ottocento con la laguna che sembra ghiacciata (effetto dovuto ai lunghi tempi di esposizione). Una Venezia popolare e deserta quasi irriconoscibile oggi, pur non essendo architettonicamente molto diversa. A rotazione organizzano anche mostre di fotografi contemporanei e di altri archivi.

**INFO**
La Salizada Galleria • San Marco 3448, calle delle Botteghe (S. Samuele) • 041 2410723 • www.lasalizada.it • 10-13 e 15.30-19.30; chiuso il lunedì mattina e la domenica • Costi: una stampa 19x27cm 35 € • Fermata vaporetto S. Samuele

# Vere maschere artigianali

Palanca

Sotto i 40 €

Le maschere veneziane: croce e delizia dell'offerta turistica della città. In questo laboratorio artigianale siete sicuri di trovarne di artigianali e veramente veneziane.

Blue Moon è un laboratorio artigianale per la produzione delle famose maschere in cartapesta. Il laboratorio esegue tutte le fasi della produzione: la creazione del modello in creta, il calco in gesso, la modellazione della cartapesta (carta bagnata e colla in strati successivi), la decorazione finale. Le linee di maschere presenti nel laboratorio sono quelle classiche del carnevale veneziano, le maschere storiche veneziane e della commedia dell'arte, maschere da ballo. Non mancano esempi zoomorfi (gatti, elefanti, giraffe, galli, cani, tigri) e una linea lusso con applicazioni in metallo e pietre Swarovski. Di qualità anche l'offerta di marionette: il gatto con gli stivali, Zanni, Pulcinella, Arlecchino, Joker. È possibile anche acquistarle bianche da decorare.

**INFO**
Blue Moon • Giudecca 607, fondamenta Sant'Eufemia (Palanca) • 041 715175 • www.bluemoonvenice.com • 9-19; sabato solo su appuntamento, chiuso la domenica • Costi: maschere da 15 € • Fermata vaporetto Palanca

**12**

Fondamente
Nove

## ■ L'ultimo battiloro d'Europa

L'oro è molto presente nel paesaggio veneziano: nei mosaici di San Marco, sugli stucchi dei palazzi, sugli ornamenti delle gondole, sulle cornici e sui mobili. Tutto applicato in foglie sottilissime, che vengono fatte aderire direttamente sull'oggetto.

A Venezia esiste chi queste sottilissime foglie d'oro le fabbrica ancora in modo artigianale, con il martello in mano e senza ausilio di macchinari, se non un piccolo maglio meccanico per la primissima lavorazione: è Marino Menegazzo, ultimo esempio vivente in città dell'antico mestiere di battiloro.

È qui che si riforniscono di foglia d'oro gli indoratori più attenti alla tradizione (per le decorazioni su gondole e mobili), i mosaicisti (che la applicano alla pasta vitrea) e i maestri vetrai (che la usano nel vetro ancora fuso). E non solo: anche i cuochi che utilizzano le foglie d'oro per ricette innovative. Ma attenti, per utilizzare questi impalpabili veli ci vuole un po' di maestria: con un soffio si sono già accartocciati!

**INFO**
Mario Berta Battiloro • Cannaregio 5182, campiello del Tiziano (Fondamente Nove) • 041 5222802 (su appuntamento) • www.berta-battiloro.com • Costi: un blocchetto di 20 fogli da 30 €, visita guidata ai laboratori 5 € • Fermata vaporetto Fondamente Nove

Shopping

## ■ I modellini perfetti di Gilberto

**13**

Frari

Già la vetrina di Gilberto Penzo è un mondo tutto da osservare: modelli di gondole, sàndoli, barche da carico e da pesca, trabaccoli e barche da mare, barche da parata, vaporetti, taxi e altre barche a motore.

Se trovate Gilberto in bottega (a volte è in giro per chissà quale nuovo progetto) vi si aprirà un mondo. Gilberto è un infaticabile e puntiglioso ricercatore delle verità storiche e delle fonti originali sulla marineria tradizionale, grande nemico della superficialità della fruizione turistico-plasticosa: perciò prima di avere a che fare con lui date almeno un'occhiata al suo sito internet che, anche se un po' disordinato, è una gran fonte di informazioni e approfondimenti.
Se i modellini che vi interessano sono fuori budget, potreste acquistare i piani di costruzione (circa 20 € a foglio) o qualche kit per costruirveli in prima persona.

**INFO**
Gilberto Penzo • San Polo 2681, cal-

le seconda dei Saoneri (Frari) • 041 5246139, 041 719372 • www.veniceboats.com • 8.30-13 e 15-18; chiuso

la domenica (meglio telefonare prima) • Costi: un kit gondola 43 € • Fermata vaporetto S. Tomà

## ▧ Con le papusse ai piedi

S. Giacometo

Le scarpez – a Venezia conosciute come papusse furlane (nel senso di friulane) – sono delle calzature unisex a metà strada tra la pantofola e la scarpetta. Non è difficile vederle indossare dai vip più snob.

Quelle originali erano un buon esempio di design del riutilizzo: suola rigorosamente di copertone di bicicletta, possibilmente bicolore, usato ma non troppo (mai di finto copertone stampato), cuciture concentriche a vista sulla suola (mai incollata), a catenella irregolare su tutto il bordo. Sotto la tomaia, uno strato di juta dava loro il corpo giusto.

Oggi che sono rimasti solo pochi anziani artigiani in Friuli a produrle – e visto che costa meno una suola nuova che una riciclata – dobbiamo accontentarci quasi sempre delle imitazioni.

Segnaliamo questo negozietto, se non per l'economicità quanto meno per la qualità e la varietà dell'offerta (in qualche bancarella ne potete trovare a 15/20 euro ma di solito realizzate malamente). Tantissimi colori in velluto e in lino, simpatiche quelle da bambina tipo ballerina.

**INFO**
Piedàterre • S. Polo 60, sotoportego dei Oresi (S. Giacometo) • 041 5285513 • www.piedaterre-venice.com • 9.30-12.30 e 14.30-19.30 (ma quasi sempre orario continuato); aperto tutti i giorni • Costi: da 33 € al paio • Fermata vaporetto Mercato

Sotto
i 40 €

## ▧ Il negozio delle autoproduzioni

Rio Marin

«E se il lavoro non c'è, ce lo inventiamo», sembrano dire gli estrosi produttori, artisti, artigiani e designer che prendono parte a questo esperimento collettivo di autoproduzione, editoria e musica indipendente.

Nero di seppia è una galleria/negozio che funziona con una formula di partecipazione aperta e agile: ogni tre mesi si selezionano nuovi articoli e si accolgono adesioni da parte di nuovi produttori. La selezione può variare dagli accessori

d'abbigliamento ai complementi d'arredo a tanti altri oggetti originali e unici, fatti a mano, spesso impiegando materiali di recupero e inventando nuovi usi per cose che non servono più.
Vale una visita. Anche perché così

scoprirete che ci sono ancora case discografiche che incidono LP!

**INFO**
Nero di seppia • Santa Croce 968, calle larga dei Bari (Rio Marin) • 041 8651889 • www.nerodiseppiavenezia.com • Costi: LP indipendenti 15 €, ciotole da 20 €, borse da 20/45 € • Fermata vaporetto Riva di Biasio

**16** S. Polo

**17** Fondamente Nove

## ■ Zoo di vetro

Il «lume» è una fiammella alimentata a gas con la quale si ammorbidiscono e si modellano bacchette di vetro colorato, per ottenere oggetti di vario tipo. Ecco un ricordo veneziano autentico e poco ingombrante!

Nel Quattrocento si utilizzava una fiamma di lucerna, ma con l'introduzione del gas le potenzialità sono aumentate: dalle perle ai pendagli, da piccoli bicchieri fino a vere e proprie sculture, la lavorazione a lume permette ormai una notevole libertà creativa. In città vedrete tantissimi di questi artigiani che lavorano il vetro chini davanti alla fiamma. C'è poco da dire: vi fermerete anche una mezz'ora a guardarli, affascinati.

Solo due, però, sono i maestri riconosciuti di quest'arte: Bruno Amadi, che predilige uccelli della laguna ma anche acciughe, ramarri, rane, fagioli, piselli, chiocciole, radicchio. E Vittorio Costantini che crea minu-ziosissime farfalle, ragni, coleotteri, mantidi, api, scarabei e altri insetti. Attenzione però a lasciarli in giro: sembrano veri!

**INFO**
I vetri a lume di Amadi • San Polo 2747, calle Saoneri (S. Polo) • 041 5238089 • 9.30-13 e 14.30-18.30; chiuso la domenica; d'estate chiuso anche il sabato pomeriggio • Costi: da 15 € • Fermata vaporetto S. Silvestro o S. Tomà

Costantini • Cannaregio 5311, calle del Fumo (Fondamente Nove) • 041 5222265 • www.vittoriocostantini.com • 9.15-13 e 14.15-18; chiuso la domenica • Costi: 15/40 € • Fermata vaporetto Fondamente Nove

Shopping

**18** S. Pantalon

## ■ Urban street

Anche in laguna esistono l'underground e lo stile urbano. E questo negozietto ne è il tempio.

Colorato e giovanissimo negozio che, grazie ai prezzi accessibili e alle proposte alternative molto urban street, è prediletto dalla gioventù underground veneziana: canottiere dark, anelli per piercing, cinture borchiate, spille e anelli divertenti, borse e zaini con molta personalità, ma anche capi più hipster e anni Settanta. E poi tutti in barchino a sfoggiare l'ultimo acquisto.

Sul sito potete acquistare anche online.

INFO
Penny Lane shop • Santa Croce 39 (S. Pantalon • 041 5244134 • www.penny-laneshop.com • 10.30-12.30 e 16.30-19; chiuso la domenica • Costi: anelli da 10 €, magliette da 20 €, vestiti da 30 €, borsette da 15 € • Fermata P. Roma o S. Tomà

---

# Oltre i 40 €

Ecco una manciata di botteghe veneziane dove vi suggeriamo di entrare, se non per acquistare, almeno per respirarne l'atmosfera, davvero irripetibile altrove. In quale altra città potreste rovistare tra le antiche fogge di battenti ottonati per portoni, o gabbie in ferro battuto per bolle di cristallo destinate a trasformare il vostro giardino in un romantico sogno di mezza estate?
Divertitevi, e poi, se avete qualche soldo in più da spendere, perché no?

### ▨ Un biglietto da visita non digitale

Molte botteghe veneziane soffrono di mancanza di ricambio generazionale. Invece Stefano sta già scalpitando per prendere il posto del babbo, ma dovrà aspettare ancora un bel po'. Gianni infatti è ben lungi dal mollare.

Fondamente Nove

Quadrati, tondi, sagomati, a tre dimensioni... tutti alla ricerca di qualche idea originale per il proprio biglietto da visita. Ma cosa c'è di più originale di un biglietto stampato come una volta? La piccolissima tipografia tradizionale di Gianni è fatta per chi ama quei cartoncini che al tatto fanno sentire la battitura del piombo. Gli affezionati clienti di mezzo mondo, però, non si fermano ai biglietti da visita, ma si fanno fare anche ex libris, carte da corrispondenza, pronti in 3 o 4 giorni. Ma forse è solo una scusa per restare un po' in questo spazio d'altri tempi.

INFO
Gianni Basso • Cannaregio 5306, calle del Fumo (Fondamenta Nove) • 041 5234681 • 8.30-13 e 14.30-18; chiuso il sabato pomeriggio e la domenica • Costi: 100 ex libris a partire da 70 € • Fermata vaporetto Fondamente Nove

## ■ Musi da portón

S. Marco

Se passeggiando per le calli vi sentite osservati, niente paura, sono i musi da portón (facce da porta): batacchi raffiguranti soprattutto teste di leoni quasi sempre minacciosi e con anellone battiporta tra le fauci.

Moltissimi di questi musi sono stati prodotti nella fonderia di Carlo Semenzato alla Madonna dell'Orto. Nel centralissimo negozio gestito dalla moglie Nicoletta, sempre prodiga di informazioni, troviamo la sua produzione: pomoli e maniglie, campanelli, modelli di cavallini per gondole e battenti per portoni. La maggior parte sono in ottone, metallo che nasce dalla fusione magica tra zinco e rame (a volte anche oro, argento o rame) e viene poi colato negli stampi, alcuni dei quali addirittura settecenteschi. È come portarsi a casa un pezzo della città.

INFO
Valese • San Marco 793, calle Fiubera (S. Marco) • 041 5227282 • 10.30-19.00 • Costi: maniglliette da 25 €, cavalli piccoli 35 €, battiporta da 85 € • Fermata vaporetto Vallaresso

## ■ Bolle di vetro ingabbiate

Fondamente
Nove

Shopping

Le tipiche lanterne veneziane sono bolle di vetro soffiate dentro a una gabbia di ferro: ne basta una per creare un'atmosfera veneziana, in una terrazza o sotto un pergolato.

Siamo alle Fondamente Nove. In questa bottega in calle del Fumo potete vedere appese al soffitto lanterne di tutte le misure e i colori, per scegliere quella che fa per voi. Qui preparano le gabbie dentro le quali (a Murano) verranno poi soffiate le bolle di vetro. I prezzi non sono inaccessibili e con 60 euro potete portarvi a casa un esempio di design originale veneziano. Con un po' di tempo in più possono anche realizzarne su ordinazione.

INFO
Fucina De Rossi • Cannaregio 5068, calle del Fumo (Fondamente Nove) • 041 5200077; 348 3789318 • www. derossiferrobattuto.com • 9-20; chiuso sabato pomeriggio e domenica • Costi: lampade da 90 € • Fermata vaporetto Fondamente Nove

## ■ Scarpe artigianali

S. Bartolomeo

Se pensate che le scarpe artigianali siano un bene di lusso, provate a fare un salto da Kalimala.

Da Kalimala realizzano borse, cinture, scarpe e altro, tutto in pelle. In particolare, se siete dei nostalgici delle Clark (nonostante abbiate rischiato più volte di finire a sedere all'aria nelle giornate di pioggia, indossandole) ne troverete una versione artigianale di gran successo, soprattutto perché sono di vacchetta conciata al vegetale, e quindi più morbide e comode delle originali. Ne fanno anche su ordinazione, in caso abbiate un numero di piede particolare. Ci trovate inoltre sandali dallo stile semplice e pratico, guanti in agnello o cervo e particolarissime fibbie per cinture.

**INFO**
Kalimala • Castello 5387, salizada San Lio (S. Bartolomeo) • 041 5283596 • 9.30-19.30; chiuso la domenica • Costi: scarpe da 85 €, sandali da 85 €, guanti 60/110 € • Fermata vaporetto Rialto

## Occhiali per tutti i gusti

 **23** Manin

Fu a Venezia nel XIII secolo (contemporaneamente alla Cina) che si fabbricarono i primi occhiali. I veneziani ne erano talmente gelosi che nei primi tempi era prevista la pena di morte per chi cercava di svelare il segreto della loro fabbricazione.

Comprare gli occhiali è una delle scelte più delicate che si possano fare. Nulla può cambiare di più lo stile di una persona! Se vi piacciono gli occhiali robusti, vistosi ma confortevoli quest'ottico fa per voi. Occhiali da sole o da vista con montature coloratissime in acetato satinato, lucido o gommato, perfette per entrare senza esitazione ai cocktail della Biennale.

**INFO**
Ottica Carraro • San Marco 3706, calle della Mandola (Manin) • 041 5204258 • www.otticacarraro.it • 9.30-13 e 15-19.30; chiuso la domenica • Costi: montature 75/125 € • Fermata vaporetto S. Angelo o Rialto

Oltre i 40 €

## Quasi vetro

**24** S. Margherita

Venezia, grazie a Murano, è la città del vetro. Sono quindi numerosi i negozi di bigiotteria fatti con questo materiale. Gualti ha fatto una scelta controcorrente.

I piccoli briosi accessori di Gualtiero sono sempre più apprezzati dalle signore eleganti della città, che li sfoggiano anche in occasioni un po' speciali: orecchini, spille, collier, bracciali e strani pezzi per personalizzare i cappelli. Sembrano di vetro ma in realtà sono in resine

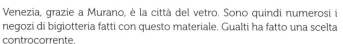

sintetiche, morbide al tatto, dall'apparenza fragile e organica con, imprigionate, delle sfere di vetro. Ma qui non troverete solo bigiotteria. Gualti si è inventato anche un modello di scarpa in 150 tonalità di raso, con tacco da 8,5 – o il meno temerario da 5 cm – e pochette abbinata.

**INFO**
Gualti • Dorsoduro 3111, rio terà Canal (S. Margherita) • 041 5201731 • www.gualti. it • 10-13 e 15-19.30; chiuso la domenica • Costi: spille da 30 €, scarpe 250 €, pochette 170 € • Fermata vaporetto Ca' Rezzonico

S. Tomà

## ■ Giovani designer

A volte si ha la sensazione che tutto sia già stato disegnato, inventato, costruito. Poi entri in una piccola e giovane galleria come questa e ti si apre un mondo.

Elena Rizzi ha aperto la sua galleria per proporre le invenzioni di coetanei (25/30 anni) che si cimentano con oro, acciaio, corda, paglia, ottone e altri materiali. Non aspettatevi titubanti esperimenti, questi sono davvero professionisti: fedi futuribili (40 €) coprivasi giapponesi (35 €), cappellini in paglia fiorentina (210/270 €). Certo, oggetti talmente perfetti da indossare uno alla volta e magari con un abitino semplicissimo.

Tra i nomi di spicco dei designer: Elena Camilla Bertellotti, Catalina Brenes, Livia Lazzari, Yoko Takirai, Aldo Bakker, Hella Jongerius, Pieter Stockmans.

**INFO**
Ohmyblue • San Polo 2865, campo San Tomà (S. Tomà) • 041 243 5741 • www. ohmyblue.it • 10-19.30 • Costi: da 40 € • Fermata vaporetto S. Tomà

Shopping

# Recuperare, riadattare, trasformare

Sì, tutti siamo presi da momenti di shopping compulsivo. Se però riusciamo a fare un paio di respiri prima di buttarci nell'acquisto, ci renderemo conto che riparare, riutilizzare, comprare usato sono scelte buone, giuste e spesso ci regalano degli oggetti vissuti e pieni di ricordi che saremo molto contenti di avere ancora con noi.

## Il mondo dell'usato

Agli storici negozi dell'usato sopravvissuti addirittura dagli anni Ottanta, si sono aggiunti recentemente alcuni nuovi coraggiosi, in questa era della crisi economica e della decrescita, più o meno felice.

### ▦ Per le grandi occasioni

S. Samuele

In una calle vicino a palazzo Grassi piena di antiquari e gallerie ecco un classico delle botteghe dell'usato veneziane.

In questa stipatissima bottega troviamo ottime occasioni di camicie di prestigiose marche e morbidi maglioncini in cachemire. Non sono poche le signore bene a cui Laura risolve una serata mondana, infatti sono soprattutto gli eccentrici vestiti da sera il pezzo forte delle sue proposte. Chi ha buon occhio riesce a scovare anche nelle ceste ottime occasioni, magari solo un po' spiegazzate. Non mancano bigiotteria e accessori anni Cinquanta per occasioni speciali.

INFO
Crovato • San Marco 2995, calle delle Botteghe (S. Samuele) • 041 5204170 • 11-13 e 16-19.30; chiuso il lunedì mattina e la domenica • Costi: vestiti da 40 € • Fermata vaporetto S. Samuele

## Per cercatrici esperte

Ss. Apostoli

Vicino al frequentatissimo supermercato Coop e sotto al cinema Giorgione (due punti di riferimento per i veneziani della zona) troviamo un magazzino/bottega stipato di vestiti.

Il sorridente e gentile Azzedine offre molta scelta e convenienza. Recupera i capi in Toscana dove, più che da noi, c'è la consuetudine di scambiare e recuperare l'abbigliamento. Vasto assortimento soprattutto da donna. Anche pellicce, montoni e giacche in pelle. Vi occorreranno fiuto e occhio esperto, ma qui potre-

te fare uno di quegli affari golosi da raccontare alle amiche.

INFO
Adil • Cannaregio 4660 (Ss. Apostoli) • 340 9040952, 327 1227800 • 9-13 e 16-19.30, chiuso la domenica • Costi: camicie in lino 15 €, camicie in jeans 9 € • Fermata vaporetto Ca' d'Oro

Shopping

## Non solo vestiti

Ca' d'Oro

Nuova venezianissima apertura. Alessandro e Alessandra erano talmente stufi di accumulare cose che alla fine hanno deciso di aprire questa attività, e risolversi il problema dello spazio.

Qui trovate abbigliamento (anche per i più piccoli), libri, dischi, soprammobili, bicchieri, specchi, cinture, borse e borsette, collane, lampade, piccoli oggetti d'arredamento e un sacco di altre cose che arrivano direttamente dalle case degli amici veneziani dei due titolari. Con un po' di fortuna potete trovare eleganti scarpe da sera del vostro

numero (di quelle che si usano due volte in una vita) a pochissimi euro.

INFO
Second hand shop • Cannaregio 3714, calle S. Felice (Ca' d'Oro) • 347 2853730 • 9.30-13 e 15-19.30; chiuso la domenica • Costi: pantaloni 5/10 €, magliette per bambini 3/8 €, giacche 15/30 €, vestiti 7/12 €, scarpe 7/15 € • Fermata vaporetto Ca' d'Oro

## ■ Il charity shop

A Santa Croce c'è un charity shop per chi ama l'usato e si diverte a cercare, cercare e cercare.

Piccolo negozio zeppo di vestiti appesi tra cui frugare alla ricerca di quello giusto. Anche oggetti d'uso quotidiano, accessori particolari, magari dimenticati. È un vero charity shop frequentato da persone che cercano un capo a pochi euro ma anche da signore ricercate che hanno occhio per le occasioni. Ritirano vestiti usati (possibilmente in buono stato), oggetti, accessori, complementi di arredo non più utilizzati. Tutto il ricavato viene devoluto nel campo del sociale.

**INFO**
Tiberiade Charity Shop • Santa Croce 2035, campiello del Spezier (S. Stae) • 10.30-12.30 e 16.30 -19 • Costi: vestiti 5/25 €, camicie 5/20 €, giacche in pelle e pellicce da 50 € • Fermata vaporetto S. Stae

## ■ Passeggini in affitto

👩👶

Usato

Ketty, facendo tesoro dell'esperienza vissuta con la maternità (e dei suoi annessi problemi), ha aperto questa bottega nel cuore di San Polo, perfetta per trovare qualche bel vestitino o per salvarvi quando siete in vacanza con i figli piccoli.

Mantenendo uno standard alto di qualità, Rivivendo si impegna a sprecare il meno possibile e offrire le occasioni giuste per acquistare oggetti e capi di ottima fattura e firmati, nuovi o usati davvero pochissimo, al 35/50% del prezzo originale. Nel suo negozietto trovate abbigliamento, attrezzature (ad esempio lettini da campeggio comodi per mandare i bambini dalla nonna), accessori, giochi e libri per bambini, spesso quasi nuovi. Potete anche portare i vostri capi, lavati e stirati, i giochi, le attrezzature, gli accessori puliti e completi nelle loro parti: dopo una valutazione saranno messi in vendita.
Per le emergenze qui noleggiano anche i passeggini e hanno un servizio babysitter affidabile.

**INFO**
Rivivendo • San Polo 1736, calle dei Botteri (Botteri) • 340 2796844 • www.rivivendo.org • 10-13 e 15.30-19.30; chiuso la domenica e il lunedì pomeriggio • Costi: 3 giorni di noleggio passeggino 35 €, scarpe 15/50 € • Fermata vaporetto Mercato

## Laboratorio di rigenerazione

Nei primi anni di vita i bambini crescono molto più velocemente di quanto i vestiti si consumino. Risultato: armadi pieni di tutine e pigiamini quasi nuovi. Che farne?

La cooperativa sociale Macramé offre una soluzione al problema dell'usato. Si possono portare (il martedì e il venerdì) capi d'abbigliamento, giocattoli, libri per bambini e ragazzi. Il materiale viene poi valutato, lavato, disinfettato (con prodotti naturali) e sistemato per poi essere messo in vendita. In cambio viene rilasciato un buono spesa pari alla valutazione della merce e spendibile presso il loro mercatino entro sei mesi dalla data di emissione. Il buono spesa può coprire al massimo il 50% del valore dell'acquisto, fino ad esaurimento del valore del buono. In questo modo si riescono a fidelizzare le persone creando un giro virtuoso di riutilizzo. Qui trovate anche ottimi detersivi ecologici ed è inoltre possibile noleggiare attrezzature quali culle, passeggini o carrozzine (una settimana 30 euro).

A tutto questo l'associazione affianca anche attività di autoproduzione, riutilizzando tessuti: simpatici prendisole da bimba trasformabili in quattro modi diversi, geniali grembiuli per dipingere fatti di stoffe degli ombrelli, ricercati travestimenti da mettere sopra i vestiti (cosi per Carnevale siamo a posto), sacchetti per portare a scuola le scarpe da ginnastica e moltissimi astucci, borse e borsini.

**INFO**
Associazione Gian Burrasca • Cannaregio 2607, campiello della Raffineria (Misericordia) • 041 716513 • www. coopmacramevenezia.it • 9-12.30; chiuso il sabato e la domenica • Costi: travestimenti 20/30 €, prendisole 35 €, grembiuli 15 €, sacchetti 4/5 € • Fermata vaporetto S. Marcuola

**Shopping**

# Trovarobe e antiquari

Gli anni Sessanta sono stati gli anni d'oro dell'antiquariato. Interi palazzi si rinnovavano e, di conseguenza, gli antiquari erano contenti e i loro clienti anche. Oggi sono lontani i tempi delle grandi occasioni, però si può ancora trovare qualcosa di interessante.

## ■ Antiquariato, mobiletti e lampadari d'epoca

♥

Qui, grazie all'esperienza e serietà dell'affabile Valter, si possono fare buoni affari anche senza essere dei grandi esperti.

Ballarin è una grande bottega con doppia entrata (dal campo e dalla calle), con tantissimi oggetti, dall'antico fino al modernariato: moltissimi fermacarte, lampadari e bicchieri di Murano, mobili e mobiletti, sedie e poltroncine e cose curiose come modellini di barca, ventilatori, grattugie di legno da ristorante. I bricoleur acquistano qui gocce di vetro e altri pezzi sciolti di vecchi lampadari per impreziosire le loro creazioni. È un luogo piacevolmente rilassante, molto frequentato da antiquari, bibliofili o esperti vari che curiosano, rovistano e scambiano oggetti e suggerimenti.

INFO
Ballarin • Cannaregio 6491, campo S. Giustina (Ss. Giovanni e Paolo) • 347 7792492 • 10-13 e 16-19.30; chiuso la domenica • Costi: bicchieri esagonali di Murano 30 € l'uno, fermacarte dai 50 € in su, gocce vecchie 3/15 € • Fermata vaporetto Ospedale

## ■ Mercatino di campo San Maurizio

Antiquari

Per chi ama i mercatini e l'antiquariato, il mercatino in campo San Maurizio è una ghiotta occasione.

Da decenni tappa obbligata per gli appassionati, sia per la varietà che per la qualità dell'offerta, questo mercatino è uno dei più caratteristici della città oltre a vantare un primato di resistenza: si tiene a cadenza regolare dal lontano 1970 e vanta ancora oggi un riconosciuto primato in termini di qualità. Lo organizzano oltre 50 antiquari, che propongono oggettistica d'epoca, stampe, quadri, libri, cartoline, pizzi e merletti, vetri di Murano, gioielli d'epoca e qualche pezzo di modernariato.

Il mercato si tiene quattro volte l'anno, sempre nel fine settimana. L'edizione di settembre è probabilmente la più frequentata, dato l'afflusso turistico per via della Mostra del Cinema. Tenetelo a mente, se non vi piacciono i luoghi affollati.

INFO
Mercatino di Campo San Maurizio (S. Stefano) • organizzato 4 volte l'anno • www.mercatinocamposanmaurizio. it • Fermata vaporetto Giglio

### I mercatini svuota cantina

Per chi sa riconoscere a colpo d'occhio un pezzo di valore, i mercatini dei non professionisti possono essere invitanti occasioni d'acquisto. Occorre però sapere le date, per cui consultate il sito del Comune di Venezia. Di solito sono organizzati nel bel campo di S. Maria Nova (vicino alla chiesa dei Miracoli) o in via Garibaldi. Troverete di tutto: calici di Murano, vecchie perle, fotografie d'epoca, murrine, argenteria, giocattoli, dischi, stampe e oggetti da collezione di ogni tipo.

**34**

S. Tomà

## ■ Cose d'altri tempi

In campo San Tomà, appena dentro una calletta, vi troverete di fronte al Baule blu, un negozietto che non sfigurerebbe nel film Il favoloso mondo di Amelie.

Questo è il negozio/salotto dove Silvia e Claudia comprano, scambiano, vendono oggetti, vestiti, mobiletti usati e vintage, anche di marca. Vale la pena visitarlo già solo per i mobiletti, i soldatini da collezione, i trenini di latta e qualche Barbie anni Sessanta!
Inoltre: cappotti, sveglie déco, tavolini anni Sessanta, bambole anni Trenta in celluloide (dai 50 euro in su), bigiotteria divertente stile anni Settanta, bicchieri di vetro di tutti i tipi, perle veneziane a lume. Prezzi convenienti.

**INFO**
Il Baule Blu • San Polo 2916/a, campo San Tomà (S. Tomà) • 041 719448 • 10.30-12.30 e 16-19.30; chiuso la domenica • Costi: bicchieri da 3 €, bambole antiche da 50 € • Fermata vaporetto S. Tomà

Shopping

# Libri usati a Venezia

Sicuramente siamo di parte quando diciamo che le librerie a Venezia sono tutte da segnalare. Ognuna di loro, soprattutto le più piccole, è un mondo da scoprire e un presidio di territorio da salvare, un luogo dove rifugiarsi o anche solo chiedere un consiglio. Come in altre città, la crisi dell'editoria, i successi della vendita online e il calo demografico dei centri storici hanno causato la chiusura di molte librerie. Perciò approfittiamo di quelle che resistono, e che meritano tutto il nostro sostegno. Anche se a volte sono un po' rustici, questi appassionati librai possono aprirci un mondo di conoscenze e suggerimenti.

Vi segnaliamo anche il gruppo facebook Venezia città di lettori, nato proprio per sensibilizzare l'opinione pubblica sul tema della strenua resistenza delle librerie indipendenti.

## ▦ **Libri usati e remainders**

Fenice

Ecco alcune librerie che sono luoghi per buone occasioni d'acquisto, sempre che abbiate po' di pazienza e fiuto da ricercatori. Spesso anguste e polverose, disordinate come depositi ma piene di libri usati e d'occasione, qui potete scartabellare tra raffinati cataloghi di mostre, cartoline d'epoca, fumetti da collezione, LP, poster e vecchie foto. Sicuramente troverete proprio quello che volevate, anche se prima non sapevate di desiderarlo così tanto.

Carmini

Miracoli

S.M. Formosa

### BERTONI

Il luogo è angusto, polveroso, disordinato come un deposito, ma con un po' di pazienza e fiuto da ricercatori si possono trovare raffinati cataloghi di importanti mostre a metà prezzo.

**INFO**
Bertoni • San Marco 3637b, rio terà degli Assassini (Fenice) • 041 5229583 • 9-13 e 15-19.30; chiuso la domenica • Fermata vaporetto S. Angelo

### VECCHI LIBRI

Qui trovate sempre Sergio tra montagne di memorabilia cartacei: segnalibri e cartoline d'epoca, pubblicità anni '30, bellissimi manifesti di cinema, teatro, concerti dagli anni '50 in poi, qualche fumetto, una buona scelta di libri sulla storia di Venezia e molti vecchi LP per i feticisti.

**INFO**
Vecchi Libri • Dorsoduro 3474 (Car-

mini) • 328 6215414 • 10-13 e 15-19; chiuso la domenica • Fermata vaporetto Zattere

### LIBRERIA MIRACOLI

È in uno dei campielli più pittoreschi della città, con il canale, il ponticello e qualche panchina all'ombra. Ci trovate vecchie e antiche guide alla città, fumetti anche da collezione, miniposter souvenir.

**INFO**
Libreria Miracoli • Cannaregio 6062, campo Santa Maria Nova (Miracoli) • 041 5234060 • 9.30-19.30; aperto tutti i giorni • Fermata vaporetto Ca' d'Oro

### ACQUA ALTA

Si chiama così perché qui a volte l'acqua alta arriva davvero. Difatti tutti i libri sono almeno a cinquanta centimetri da terra oppure accatastati direttamente sopra la

Libri usati

153

gondola che fa bella mostra di sé. Varrebbe la pena passarci anche solo per curiosare e conoscere Luigi, il titolare.

**INFO**
Acqua Alta • Castello 5176, calle longa Santa Maria Formosa (S.M. Formosa) • 041 2960841 • 9-20; sempre aperto, anche a Natale • Fermata vaporetto S. Angelo

Miracoli

## ■ Gli introvabili

Se siete riusciti a non farvi travolgere dal flusso dell'affollatissima salizada San Giovanni Grisostomo, sgattaiolate dietro la chiesa e troverete questa piccola libreria gestita con grande passione.

Claudio seleziona con attenzione libri usati e di modernariato in italiano e inglese e propone il meglio dell'editoria indipendente: Minimum Fax, SUR, Nottetempo, Duepunti, Eleuthera, Shake, Mimesis, Indiana, 66th and 2nd, Voland. Sul sito internet trovate molti suggerimenti di lettura e il calendario degli appuntamenti, che spaziano dall'incontro con l'autore a minicorsi di fotografia e scrittura.

Se capitate di mercoledì mattina troverete il titolare indaffarato nello smistamento delle consegne di frutta e verdura (la libreria è un punto di raccolta per le verdure di Donna Gnora, vedi pp. 113-114): queste contaminazioni tra campi diversi sono occasioni per creare sinergie, collaborazioni, amicizie!

**INFO**
Libreria Marco Polo • Cannaregio 5886/a, calle del Teatro Malibran (Miracoli) • 041 5226343 • www.libreriamarcopolo. com • 9.30-13 e 15.30-19.30; chiuso la domenica • Fermata vaporetto Ca' d'Oro

Shopping

---

# Venezia solidale

Se dovete comprare una borsa, un libro, un vestito o un regalo, perché non acquistarli e, contemporaneamente, fare anche un gesto di solidarietà?

S. Stefano

## ■ Un chiosco molto glam

Se siete in campo Santo Stefano non potete non notare questo piccolo chiosco di inizio secolo, carico di maglie e borse dalla grafica modaiola.

È il punto vendita della cooperativa sociale rio terà dei Pensieri (la stessa che gestisce l'Orto della meraviglie, vedi p. 111), attiva nell'organizzazione di corsi professionali e attività di formazione all'interno degli istituti di pena veneziani. Qui potete acquistare divertenti magliette stampate in serigrafia e le esclusivissime Malefatte: borse, zaini, astucci realizzati con i pvc della cartellonistica pubblicitaria. Certo, l'idea di riutilizzare materiali grafici resistenti e impermeabili come teloni dei camion per realizzare borse e affini non è nuova (è dal '93 che i fratelli svizzeri Freitag sperimentano con questi materiali) ma la versione nostrana ha una sua originalità: utilizza i banner delle tantissime mostre cittadine. Un imprevedibile, sofisticato souvenir!

INFO
Malefatte • Campo Santo Stefano (S. Stefano) • www.rioteradeipensieri.org • 10.30-17.30; chiuso la domenica e il lunedì • Costi: tascapane 25 €, tracolla 39 €, borsone 48 € • Fermata vaporetto S. Samuele

## Pezzi unici

**41**
Ponte dei Greci

Bel negozio di creazioni sartoriali realizzate nel carcere femminile della Giudecca, per avere un capo esclusivo e artigianale a prezzi accessibili.

Le sarte che riforniscono Banco Lotto n. 10 utilizzano lini, cotoni, sete di ottima qualità e rigorosamente locali (non si esce dal Veneto). Con questi materiali realizzano bizzarre giacche (90/280 euro), spiritosi vestiti a ruota anni Cinquanta e originali redingote (160 euro) dal collo importante, a metà tra il vestitino e il cappottino di gusto retrò.

Belle anche le borse, realizzate con i vecchi sacchi di caffè (30 euro).

INFO
Banco lotto n. 10 • Castello 3478/a, salizada Sant'Antonin (Ponte dei Greci) • 041 5221439 • 10-13 e 15.30-19.30; chiuso la domenica, d'estate orario continuato • Costi: borse da 30 €, vestiti da 160 €, giacche 90/280 € • Fermata vaporetto Arsenale

Solidale

## Botteghe della solidarietà

**42**
S. Stae
S. Bartolomeo

Equo e solidale: due parole per dire sostegno a cooperative impegnate nel sociale, nella difesa dell'ambiente, nelle produzioni locali di paesi in via di sviluppo. A Venezia trovate le Botteghe della solidarietà in due punti vendita diversi: a Rialto e a San Stae.

Nelle Botteghe si vende una selezione di prodotti dell'economia solidale locale e internazionale (commercio equo, cooperazione sociale, prodotti artistici, culturali ed ecosostenibili o proveniente dai territori confiscati alla mafia): tè, tisane, cioccolata, spezie, sughi, caffè, confetture, accessori d'abbigliamento e per la casa, prodotti ecologici, libri e riviste specializzate, etnici e allegri giocattoli costruiti utilizzando la latta di contenitori usati.

Nell'entroterra veneziano la catena ha anche un laboratorio artigianale specializzato nella produzione di borse in pelle, per l'inserimento lavorativo dei giovani.

**INFO**
Botteghe della solidarietà • www.coopfilo.it • Costi: oggetti in latta 4/15 €, passata di pomodoro bio 3 €/500gr, borse artigianali in pelle 30/80 €, cioccolata bianca al pepe rosa 3,30/hg, T-shirt 20 €, detersivi alla spina ecologici 5 €/lt

Al-bunduqiyya • Santa Croce 2038, campiello del Spezier (S. Stae) • 041 5226684 • Fermata vaporetto S. Stae

il Filò • San Marco 5164 (S. Bartolomeo) • 041 5227545 • 10-19.30 • Fermata vaporetto Rialto

**43** Carmini

## ◾ Bomboniere solidali

Negozio gestito da una cooperativa di volontari che cercano di dare lavoro continuativo e retribuito a persone diversamente abili.

Da Acqua altra siete nel posto giusto se ciò che cercate sono delle belle e originali bomboniere equosolidali: anche un matrimonio o un battesimo possono essere l'occasione per un gesto di solidarietà. La sfida è proprio quella di sensibilizzare i veneziani su temi del commercio equo, finanza etica, sviluppo sostenibile, consumo critico, rispetto dell'ambiente, cooperazione internazionale, turismo responsabile... Non facile con la monocultura turistica che impera in città.

Oltre alle bomboniere (che qui realizzano su ordinazione) trovate i classici del commercio equosolidale: caffè, biscotti, cioccolate o bellissime tovaglie indiane in cotone dipinte a mano. Tutto supercertificato.

**INFO**
Aqua altra • Dorsoduro 2898 (Carmini) • 041 5211259 • www.aquaaltra.it • 9.30-12.30 e 16-19.30; chiuso la domenica • Costi: bomboniere da 2 €, barretta di cioccolato alla menta 2,10 €, tovaglia da 35 € • Fermata vaporetto Rezzonico

**44** S. Alvise

## ◾ Ricamiamoci sopra

I soci di questa piccola cooperativa sociale cercano di promuovere e sperimentare diversi stili di vita, dando l'esempio con progetti e percorsi lavorativi per le persone che hanno vissuto, o vivono, situazioni di difficoltà e disagio. Tutte le loro attività hanno come tema il recupero di materiali, beni e saperi.

Nella bottega veneziana della Gagiandra (la sede principale è a Mestre) trovate la produzione della Manifattura tessile, che è possibile acquistare anche dal sito internet: curiosi zainetti-pesce, presine-topini, elaborate fasce paraorecchie... tutto molto allegro e colorato.
Spesso qui organizzano frequentati corsi di rigenerazione e riutilizzo creativo, come i laboratori di ricamo afghano e bengalese per recuperare gli indumenti e gli accessori cui siamo più affezionati e che per qualche motivo non usiamo più.

**INFO**
Cooperativa sociale La Gagiandra • Cannaregio 3144, ex ospedale Umberto I (S. Alvise) • 377 1672157 • www.lagagiandra.org; webshop: www.etsy.com/shop/LaGagiandra • 9.30-12.30 il lunedì, il mercoledì e il venerdì • Costi: borsette da bimbi 20 €, presine 13 €, corso di ricamo (due lezioni) da 25 € • Fermata vaporetto S. Alvise

## ▦ Telai tradizionali

**45**
S. Margherita

Già dalle vetrine in campo degli Squelini si riesce a scorgere l'interno del laboratorio, dove trovano spazio dei bellissimi telai manuali.

Solidale

Questi telai sono costruiti su modello di quelli antichi ma non sono lì per bellezza: i soci della cooperativa Laguna fiorita – impegnata nel recupero di ragazzi con svantaggi psichici – li tengono in piena attività.
Da questo processo produttivo altamente artigianale escono tessuti dall'aspetto piacevolmente naturale e un po' grunge. Sete, cotoni, lini coloratissimi con cui vengono realizzati giacche, scialli, sciarpe e originali abitini.

I tessuti per realizzare coperte, copriletti, arazzi, testiere di letti o altri complementi d'arredo si possono acquistare anche al metro.

**INFO**
Arras • Dorsoduro 3235, campiello dei Squelini (S. Margherita) • 041 5226460 • arrastessuti.wordpress.com • 9-13.30 e 14-18.30; il sabato apre alle 10; chiuso la domenica • Costi: scialli da 30/70 €, tubino 56 €, tessuto 75 €/mq, giacche 100/300 € • Fermata vaporetto Rezzonico

# Cosa fare in città

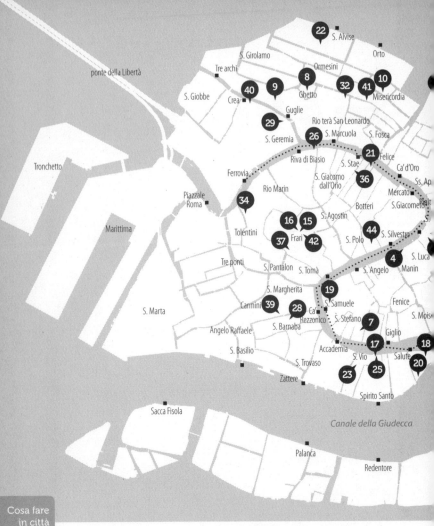

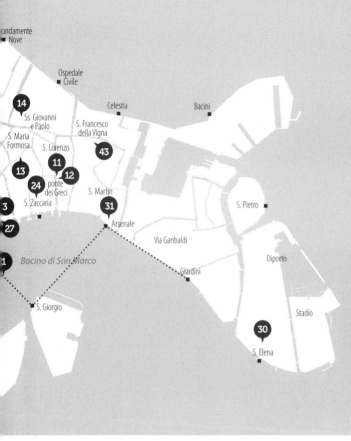

# Arte
# e bellezza
# sestiere
# per sestiere

Venezia è un museo a cielo aperto. Non basterebbe un mese per visitare tutto il visitabile, anche solo dall'esterno. Per cui fornitevi di una buona guida e fate una selezione. Qui cercheremo di darvi qualche indicazione e di aiutarvi a scoprire qualcosa che magari altrimenti vi sarebbe sfuggito.

---

## Turista low cost:
## tessere e biglietti cumulativi

Se avete in programma di visitare un po' di musei vi conviene organizzarvi con biglietti cumulativi e offerte per i diversi circuiti. Si può risparmiare parecchio e inoltre c'è il vantaggio di saltare le eventuali code che, soprattutto in certi periodi dell'anno, vi farebbero passare la voglia di entrare in quel particolare museo.

### ▨ I musei civici

Il circuito dei musei gestiti dal Comune di Venezia comprende alcune delle più importanti attrazioni della città (come Palazzo Ducale, il Correr, Ca' Rezzonico) e altri musei minori.

I biglietti singoli per ciascun museo costano dai 4 agli 8 euro. Il biglietto cumulativo per i musei di piazza San Marco (Palazzo Ducale, Museo

Correr, Museo Archeologico Nazionale e Sale Monumentali della Biblioteca Nazionale Marciana) costa 16 euro, quindi è già conveniente se ne visitate più di due.

Se proprio volete strafare, con 24 euro potete acquistare il Museum Pass, che vi permette di accedere a tutti e undici i musei civici (Palazzo Ducale, Museo Correr, Torre dell'Orologio, Ca' Rezzonico, Palazzo Mocenigo, Casa di Carlo Goldoni, Ca' Pesaro, Palazzo Fortuny, Museo del Vetro a Murano, Museo del Merletto a Burano, Museo di Storia Naturale).

Sul sito del Muve (Fondazione Musei civici veneziani) potete trovare molte soluzioni pensate ad hoc per le famiglie o per gli studenti, oltre a proposte di approfondimento su singoli temi e workshop. Per invogliare i ragazzi è anche possibile scaricare gratuitamente degli activity book.

Attenzione, però: le mostre temporanee non rientrano nel biglietto cumulativo.

**INFO**
Muve, Fondazione Musei civici veneziani) • www.visitmuve.it • Costi: biglietti singoli 4/8 €; biglietto cumulativo piazza S. Marco 16 €; Museum Pass 24 €

---

## Zoom

### I musei statali

A Venezia ce ne sono cinque: Gallerie dell'Accademia e Museo di Palazzo Grimani (entrata con biglietto integrato 9 €), Ca' d'Oro (6 €), Museo D'Arte Orientale (8 €; essendo situato all'ultimo piano di Ca' Pesaro è previsto un unico biglietto che comprende la visita alla Galleria Internazionale d'Arte Moderna dei musei Civici) e il Museo Archeologico Nazionale (biglietto unico di San Marco, vedi sopra).
Durante l'anno c'è più di un'occasione per approfittare dell'entrata gratuita con itinerari speciali (vedi calendario p. 209 la Settimana della cultura e le Giornate europee del Patrimonio)

www.polomuseale.venezia.beniculturali.it

---

## ■ Le chiese di Venezia

Le chiese in città sono più di cento e rappresentano una parte cospicua del patrimonio artistico e architettonico di Venezia.

Molte sono ancora luogo di culto ed è dunque doveroso mantenere il silenzio (spegnete anche i cellulari), avere abbigliamento e atteggiamenti adeguati, tenere per mano i bambini, accompagnandoli con spiegazioni a bassa voce, e rispettare il percorso accessibile: alcune aree potrebbero essere escluse dalla visita. Verificate sempre in loco se è consentito scattare fotografie e video senza autorizzazione.

Visitare l'interno delle chiese non è però sempre semplice, perché hanno orari differenti e spesso ridotti e durante le funzioni le visite spesso vengono sospese. Per accedere a diverse di queste chiese occorre pagare una piccola cifra (di solito 3 euro): d'altronde sono veri e propri musei! Quando l'accesso è gratuito, una piccola offerta per la manutenzione della chiesa è benvenuta.

Il circuito Chorus vi consente di accedere a 16 chiese a un costo molto basso (10 euro in tutto), ma soprattutto di ottenere facilmente orari e informazioni. Queste chiese conservano opere inestimabili, da Tiepolo a Tiziano, da Bellini a Veronese, oltre a un ricco patrimonio di sculture, rilievi, intarsi ecc.

Spingetevi a visitare soprattutto le chiese meno centrali, come la Madonna dell'Orto o San Pietro di Castello e scoprirete anche angoli di città inusuali.

**INFO**
Associazione per le chiese del patriarcato di Venezia • www.chorusvenezia.org • Costi: una chiesa 3 €, Chorus-pass 16 chiese 10 €, sconti per studenti e famiglie

---

### *Zoom*

## *Una settimana in full immersion*

Questo è il piano perfetto per una vera scorpacciata culturale.

• Venice card San Marco: Palazzo Ducale e 3 musei civici in zona S. Marco + 3 chiese a scelta del circuito Chorus + Fondazione Querini Stampalia. Torale 24,90 €.
• Venice card Adult: Palazzo Ducale, 10 musei civici, 15 chiese del circuito Chorus. Fondazione Querini Stampalia e al Museo ebraico. Totale 39,90 € (under 30 a 29,90 €).

www.hellovenezia.com

Arte

---

### ▨ **Canal Grande Vaporetto dell'Arte**

**1**
Canal Grande

Il Canal Grande è la maggiore via d'acqua di Venezia ed è lunga quasi 4 chilometri: una grande S che taglia in due la città.

Se vi è capitato di visitare un palazzo sul Canal Grande vi sarete resi conto di non essere entrati dalla porta principale. Infatti tutte le facciate dei più importanti palazzi sono rivolte verso l'acqua, e da lì i nobili di solito accedevano direttamente dalla barca ai loro palazzi.

Ma sono poche le rive per costeggiare a piedi il Canal Grande, perciò per apprezzare questo straordinario susseguirsi di splendidi palazzi, chiese e campielli dobbiamo percorrerlo via acqua. In periodi o orari a bassa intensità turistica si possono utilizzare i normali vaporetti, altrimenti è preferibile non incocciare negli stressatissimi pendolari che vi faranno passare ogni aspirazione contemplativa.

Una soluzione è il Vaporetto dell'Arte che percorre placidamente il Canal Grande. I posti a sedere sono comodi e dotati di monitor (auricolari per l'audio in molte lingue). Viene anche offerta una guida cartacea che illustra i palazzi e suggerisce cosa vedere in prossimità delle fermate. Con un unico biglietto si può salire e scendere a piacimento fermandosi a visitare musei, monumenti, teatri ed esposizioni.

**INFO**

Vaporetto dell'arte • Canal Grande • www.vaporettoarte.it • 10-18.30, parte ogni mezz'ora da quasi tutte le fermate sul Canal Grande • Costi: 24 € validità 24 ore, si può abbinare a un biglietto turistico Actv a tempo con supplemento 10 €

## Zoom

### Solo su prenotazione

Alcuni straordinari monumenti non sono normalmente aperti al pubblico ma sono visitabili previa prenotazione, ad esempio l'Ospedaletto del Longhena, l'oratorio dei Crociferi con lo splendido ciclo pittorico di Palma il Giovane, la chiesa delle Zitelle del Palladio e la singolare scala Contarini del Bovolo. Vale la pena organizzarsi in un gruppetto: fino a 25 persone il costo è di 60 €.

www.scalabovolo.org

# San Marco

Tutte le strade portano a San Marco. È il sestiere sicuramente più turistico della città e negli ultimi trent'anni si è gradualmente svuotato di residenti, diventando il meno abitato. Le marche più prestigiose si contendono le vetrine nelle calli vicine ai grandi alberghi, e i negozi di maschere e di vetro fanno il resto. È comunque il cuore storico di Venezia, quindi, volenti o nolenti, un po' di tempo lo trascorrerete qui.

## La prima biblioteca pubblica di Venezia

S. Marco

Cercate una scusa qualsiasi, consultate qualche annata del «Gazzettino Illustrato», reperite un'antica ricetta farmaceutica o sfogliate qualche volume sulla storia della città... e andate a visitare questo angolo silenzioso nella bolgia di piazza San Marco.

Anche se non si è dei topi di biblioteca è difficile non farsi catturare dalla speciale aria che si respira in questo grande e luminoso cortile coperto. Anticamente era la Zecca, dove la Serenissima coniava monete d'oro, i famosi zecchini, e d'argento. Oggi è la sala lettura della Biblioteca Nazionale Marciana, una delle biblioteche più importanti d'Italia, che conserva un enorme patrimonio di manoscritti, diari, mariegole, edizioni del grande Aldo Manuzio, antiche cronache, volumi a stampe dal XVI secolo fino ad arrivare ai nostri giorni.
Nel fondo della sala è presente la statua di Francesco Petrarca, realizzata in occasione del sesto centenario della nascita del poeta che per primo concepì l'idea di una biblioteca pubblica a Venezia.
Come tutte le biblioteche pubbliche, la tessera è gratuita ed è possibile partecipare agli interessanti incontri specialistici che vengono organizzati regolarmente nel magnifico salone della Libreria Sansoviniana.

**INFO**
Biblioteca Marciana • Piazzetta San Marco 7 (S. Marco) • 041 2407211 • marciana.venezia.sbn.it • dal lunedì al venerdì 8-19, sabato 8-13.30; chiuso domenica • Costi: accesso alla Libreria progettata dal Sansovino dall'ingresso del Museo Correr con il biglietto unico dei Musei di Piazza San Marco • Fermata vaporetto Vallaresso

## Basilica di San Marco

Arte

S. Marco

Che si può dire della basilica di San Marco? È l'immagine più famosa di Venezia, insieme al ponte di Rialto, e quando ci arrivate davanti rischiate di non entrare nemmeno, tanto vi sembra di conoscerla... E poi guardate che coda che c'è per entrare.

Ma non entrare sarebbe un vero peccato! L'interno della basilica è strepitoso, rivestito in mosaico d'oro e con una pavimentazione sorprendente. È forse più bello dell'esterno, perché sembra più «materico» rispetto alle decorazioni della facciata. Per cui il consiglio è: abbiate un po' di pazienza e mettetevi in coda (è meno peggio di quel che sembra) oppure, meglio, prenotate la visita online presso www.veneziaupt.org (costa 1,50 €). Ah, l'ingresso alla chiesa è gratuito!

**INFO**
Basilica di San Marco • Piazza San Marco

(S. Marco) • www.basilicasanmarco.it • Dal lunedì al sabato 9.45-16, domenica e giorni festivi apre alle 14; nella bella stagione è aperto un'ora in più • Costi: basilica gratuita, museo di S. Marco: 5 €, pala d'oro 2 €, tesoro 3 €, campanile 8 € • Fermata vaporetto S. Zaccaria

---

## Zoom

### Pranzo al sacco

Ora di pranzo: che c'è di meglio (e più low cost) di un bel pranzo al sacco? È il caso allora di trovare un'area che vi consenta di farlo. Per una pausa veloce si può optare per una panchina (per esempio Zattere, giardini di Sant'Elena e campo San Giacomo dall'Orio, Santa Marta). Se avete intenzione di tirar fuori uova sode e insalata di riso, è meglio optare per giardini pubblici attrezzati che però sono un po' decentrati: Sant'Elena, Murano, Lido.

La città storica scarseggia di occasioni di riposo, e i tavolini dei bar hanno prezzi spesso proibitivi, ma a causa della forte pressione turistica alcuni comportamenti, che in altre città possono essere tollerati, qui rischiano di creare gravi disagi e degrado. Assolutamente vietato bivaccare in piazza San Marco, sui ponti e sui gradini di entrata alle chiese, ed è da evitare anche lo street food consumato sul primo scalino utile.

Suggerimento: mangiate in fretta il vostro panino passeggiando e poi sedetevi per un luuuungo caffè in un bar panoramico nella città più bella del mondo (ma verificate il costo prima di sedervi: può andare dai 2 € fino agli 8 € di piazza San Marco!).

---

■ **Il rito civile a Palazzo Cavalli**

Cosa fare in città

Certo non è difficile innamorarsi a Venezia. Se poi la vostra passeggiata romantica ha degli sviluppi esagerati, potreste anche decidere di sposarvi.

**4**
Manin

In questo caso il matrimonio non può che essere celebrato in un bel palazzo che dà sul Canal Grande! La sede del Comune di Venezia, e molti uffici, sono ospitati in storici palazzi affacciati su questa straordinaria via d'acqua. A palazzo Cavalli, da cui si ha una visione privilegiata sul ponte di Rialto, è possibile celebrare un matrimonio da sogno. Ovviamente per i non residenti ha un costo, che aumenta ulteriormente per i non europei. Le tariffe variano anche in base all'orario, al giorno e alla sala che si sceglie. Nel sito dedicato trovate tutte le informazioni e prenotando online avrete uno sconto di circa il 15%.

INFO
Palazzo Cavalli • San Marco 4089 (Manin) • 041 2748331• www.weddinginvenice. org • Costi: residenti gratis durante l'orario di servizio, non residenti dai 600 € in su • Fermata vaporetto Rialto

##  Una chiesa accogliente

S. Bartolomeo

Anche se a Venezia spesso le chiese sembrano più che altro dei musei, ne esistono alcune con parroci attivi e impegnati.

Ecco una chiesa veramente chiesa, o meglio una comunità parrocchiale, piccola e ben partecipata: San Salvador. La chiesa custodisce un notevole patrimonio culturale e artistico che tutti possono visitare gratuitamente. Nella sua amministrazione comprende anche la chiesa vicariale di San Bartolomeo, ora in restauro.

L'accoglienza cristiana è rivolta al fedele ma anche al turista, che qui sicuramente trova un momento di preghiera oppure di informazione sui percorsi di arte e di storia e sulle attività e iniziative della parrocchia. L'importante è non bivaccare sulle gradinate del sagrato, che appartengono a questo luogo di culto.

INFO
Chiesa di San Salvador • San Marco 4835 (S. Bartolomeo) • Visite guidate gratuite 041 2413817 • www.chiesasansalvador.it • Da lunedì a sabato: 9-12 e 15-19.15; da giugno ad agosto 16-19 • Costi: ingresso libero • Fermata vaporetto Rialto

##  Non solo telefonia

S. Bartolomeo

Questo complesso rinascimentale, che Telecom Italia ha restaurato negli anni Ottanta, si articola attorno a due chiostri di impronta sansoviniana. È un luogo centralissimo ma poco conosciuto, che offre una pausa riposante in una zona affollata e rumorosa, dove non trovi un posto per sederti neppure nei bar.

Arte

Nel Future Centre si può visitare il refettorio cinquecentesco, con le volte affrescate e decorate, oggi trasformato in una sala convegni e seminari, nel rispetto della configurazione originale a scranni contrapposti con al centro il tavolo ove sedeva l'abate dell'ordine. Grazie alla tecnologia (ogni postazione è munita di monitor e altri aggeggi da conferenza) ciascuno può interagire con il tavolo centrale dei relatori, anche con sondaggi e votazioni in tempo reale. Nella sala antistante il refettorio, trovate una piccola esposizione che ripercorre l'evoluzione del telefono negli ultimi 100 anni.

169

**INFO**

Future centre • San Marco 4826, campo San Salvador (S. Bartolomeo) • 041 5213200 • www.telecomfuturecentre.it • 10-18 • Fermata vaporetto Rialto

### Zoom

## Per saperne di più

www.silvenezia.it: la gioia dei patiti delle mappe. L'atlante di Venezia e della sua laguna con cartografie minuziosissime e mille informazioni su biologia, geologia, storia, inquinamento.

www.venicebackstage.org: racconta il dietro le quinte di Venezia, per far apprezzare ancora di più la bellezza fragile di questa fantastica città. Come si comportano le maree della laguna? Come sono fatti i rii? Cosa c'è sotto i palazzi?

## 7 ■ Quasi un museo

S. Stefano

Ecco una bellissima chiesa sconsacrata a due passi da campo Santo Stefano.

Oltre a ospitare un efficiente box office dove potete acquistare i biglietti per concerti e affini, l'ex chiesa di San Maurizio è oggi un bookshop con volumi selezionati e cd musicali a tema veneziano-musicale, con un'attenzione particolare a Vivaldi.
Nelle grandi bacheche sono esposti più di 150 strumenti musicali rari e d'epoca (dal Settecento in poi), alcuni molto curiosi, tutti corredati da testi esplicativi.
Se poi trovate Robert, provate a vedere se ha voglia di farvi scoprire qualche segreto dietro le quinte...

**INFO**
Chiesa di San Maurizio • San Marco 2761, campo San Maurizio (S. Stefano) • 041 2411840 • 9.30-19.30 • Pagina Facebook: Museo della Musica di Venezia • Fermata vaporetto S.M. Giglio

**Cosa fare in città**

## ■ Passeggiata grandi firme

Venezia, come tutte le città italiane, non è solo architettura e arte, ma anche shopping e grandi firme.

Per avere una vetrina in zona San Marco le più prestigiose firme internazionali fanno a gara: Gucci, Armani, Prada e Louis vitton; in alcuni casi colonizzano palazzi interi.
Da calle XXII Marzo a campo San Moisè, proseguendo fino a piazza

San Marco per poi infilarci nella calle dell'Orologio è una sequenza infinita di negozi, con commesse e addetti alla sicurezza elegantissimi: borse, orologi, vestiti, gioielli tra i più costosi al mondo.

Tutta questa zona è una stimolante occasione per un'oretta di window-shopping: in fondo, in queste vetrine troviamo un concentrato di creatività non solo negli oggetti, ma in tutto l'allestimento. L'ideale è passarci dopo l'orario di chiusura, quando le calli non sono affollate, le vetrine illuminate al meglio e non rischiamo di cadere in incontrollabili e salati acquisti compulsivi.

# Cannaregio

È il secondo sestiere più grande di Venezia, ma il più popolato, e copre quasi tutta l'area che affaccia verso la laguna nord. A parte la direttrice Lista di Spagna-Strada Nuova, molto bazzicate dai turisti, è uno dei quartieri più «veneziani» della città, e qui troverete ancora la biancheria stesa ad asciugare. Le sue lunghe e luminose fondamente lo percorrono quasi interamente e sono frequentate per le vasche serali, tra un'osteria e un ristorantino.

### ▨ Il Ghetto

**8**

Ghetto

È il più antico ghetto in Europa e mantiene ancora oggi una forte identificazione con la sua tradizione: è facile incontrare tra calli e campielli persone in abiti tradizionali, spesso anche turisti provenienti da ogni dove.

Arte

L'antica comunità ebraica veneziana è ancora molto presente e mantiene le proprie tradizioni da quasi cinquecento anni. Il ghetto era un'area chiusa e gli ebrei non potevano abitare in altri luoghi della città; per questo girovagando intorno al campo del Gheto Novo noterete la presenza di edifici molto alti, con piani molto bassi. Era l'unico modo per aumentare il numero di abitazioni senza allargare il quartiere!

Il Museo ebraico, che si affaccia sul campo del Gheto Novo, conserva antichi e preziosi oggetti di manifattura orafa e tessile e un'ampia selezione di libri e manoscritti, oltre a oggetti in uso nelle diverse epoche della storia del ghetto. È possibile anche visitare le due sinagoghe di rito ashkenazita e una di rito spagnolo (levantina d'inverno e spagnola d'estate, entrambe opera di Baldassare Longhena). Interessantissima anche la ricca libreria, dedicata interamente al mondo ebraico.

**INFO**
Museo Ebraico • Cannaregio 2902/b,
Ghetto Nuovo (Ghetto) • 041 715359 • www.museoebraico.it • 10-19 (d'inverno chiude alle 17.30); chiuso sabato e festività ebraiche • Costi: solo museo 4 €, museo e visita guidata alle sinagoghe 10 € • Fermata vaporetto Guglie

### Zoom

## Il sito della comunità ebraica a Venezia

Prima di una visita al Ghetto vale la pena consultare il sito della comunità. Troverete il calendario delle festività, l'itinerario al museo diffuso del Ghetto e molti testi sulla storia degli ebrei a Venezia: una storia nella storia.

www.jvenice.org

**9**

Guglie

## Mosaici indimenticabili

A due passi dal Ghetto trovate Orsoni mosaici, una vera istituzione dell'artigianato veneziano. Oggi l'azienda è gestita da una società di fuori, ma lo staff tecnico e gli artigiani sono gli stessi di prima e continuano a produrre artigianalmente smalti e ori in più di tremila gradazioni differenti.

Vale la pena visitare la suggestiva biblioteca del colore di Orsoni, la sala dove vengono sistemate le grandi piastre prima del taglio delle tessere. Se siete fortunati, capiterete quando vengono soffiati i supioni, le leggerissime bolle di vetro trasparente che vengono applicate a protezione della foglia d'oro nel mosaico dorato.
Organizzano corsi intensivi di teoria e applicazione dell'arte musiva: una settimana ospiti in questa casa-bottega, seguiti dai maestri per apprendere segreti e le possibilità espressive di questo straordinario materiale, è impagabile. O meglio: è pagabilissima...

**INFO**
Orsoni Mosaici • Cannaregio 1045/a, sotoportego dei Vedei (Guglie) • 041 2440002 • www.orsoni.com • 9-12.30 e 14.30-16.30; chiuso sabato e domenica • Costi: visite alla produzione 10 € a persona (solo su appuntamento), tessere di mosaico da 20 €/kg, corsi 500/800 € euro comprensivi di materiale • Fermata vaporetto Guglie

**Cosa fare in città**

**10**

Misericordia

## A bottega dal Tintoretto

Se invece di percorrere la vivissima fondamenta degli Ormesini passate per la sua parallela a nord, silenziosa e solitaria, noterete sicuramente questa bottega. Un rampicante e qualche seggiola per chiacchierare con gli amici ne segnalano l'entrata.

La Bottega del Tintoretto è un laboratorio di grafica e stampa, situato in quello che fu nel XVI secolo il luogo di lavoro e dimora di Jacopo Robusti (1518–1594) detto Tintoretto. Ora è Roberto Mazzetto l'anima di questa bottega d'altri tempi: luci basse, macchinari tradizionali, odori di colore a olio... un posto magico.

Potete sempre passare a curiosare e portarvi via un libretto per schizzi rilegato a mano, qualche acquaforte o, se siete fortunati, potete trovare qualche rinfresco in occasione di inaugurazioni o incontri. Insomma un ambiente piacevole e raro. Se invece siete dei professionisti o aspiranti tali, qui c'è pane per i vostri denti. Potete sperimentare tutte le tecniche dell'arte della stampa, incisione, legatoria e litografia, più tradizionali, fino a quelle sperimentali messe a punto dagli artisti del XX secolo.

Molti sono i personaggi che collaborano, soprattutto artisti affermati che hanno la necessità di sviluppare la loro ricerca attraverso la grafica d'arte e che qui trovano strumenti e tecnica manuale per realizzare il proprio lavoro.

INFO
Bottega del Tintoretto • Cannaregio 3400, fondamenta dei Mori (Misericordia) • 041 722081 • http://tintorettovenezia.it • 10-19; chiuso domenica • Costi: offerta libera • Fermata vaporetto Orto

# Castello

Orientarsi a Venezia non è facile ma, quando invece si vorrebbe davvero perdersi nelle sue calli per scoprire nuove cose si rischia di finire sempre a San Marco.

A Castello invece riuscirete a perdervi davvero (succede anche agli indigeni), anche perché è il sestiere più grande di Venezia, sebbene buona parte della sua estensione sia occupata dall'Arsenale. In più mantiene un'altissima percentuale di residenti veneziani, forse perché bisogna essere veneziani doc per abitare così «in fondo». Passeggiando tra le sue calli vedrete vecchine sedute fuori dalla propria casa a chiacchierare con i vicini, gatti che, al contrario del resto della città, sono ancora i dominatori dei tetti e qualche turista eccentrico che si è perso mentre cercava di raggiungere la Biennale d'Arte.

Arte

**11**

Ponte
dei Greci

## ■ I greci

Dalla riva degli Schiavoni è facile individuare questa chiesa: il suo campanile è quello pendente!

**12**

Ponte
dei Greci

Come altre comunità straniere che si stabilirono Venezia, nel 1498 i greci si accorparono, con il permesso delle autorità veneziane, in una confraternita secolare. Lo scopo era l'esercizio della beneficenza e l'assistenza reciproca. Al contrario delle chiese cattoliche, dove al massimo troviamo una bassa balaustra, a San Giorgio dei Greci e nelle altre chiese di rito orientale è presente una separazione netta tra la parte dei fedeli e quella degli officianti: quasi una parete, denominata iconostasi. Quella della chiesa di San Giorgio dei Greci è un tripudio d'oro, colori e raffigurazioni che risentono dell'influenza bizantina. Il museo trova posto nella vicina Scuola di San Nicola dei Greci, opera della seconda metà del XVII secolo di Baldassare Longhena.

All'interno troviamo una delle più importanti collezioni di icone bizantine e postbizantine, comprese in un arco temporale che va dal XIV al XVIII secolo.

riggio. Non è possibile visitare la chiesa durante le funzioni sacre: culti cristiani ore 9.30, liturgia ortodossa ore 10.30 • Costi: offerta libera • Fermata vaporetto S. Zaccaria

Museo delle icone bizantine • Castello 3412, ponte dei Greci (Ponte dei Greci) • 041 5226581 • www.istitutoellenico.org • 9-17 • Costi: 4 € • Fermata vaporetto S. Zaccaria

**Cosa fare in città**

**INFO**
Chiesa San Giorgio dei Greci • Castello 3412 (Ponte dei Greci) • 9-12.30 e 14.30-16.30; chiuso domenica pome-

**13**

S.M.
Formosa

## ■ Museo Querini Stampalia

Questo palazzo nel bel campo Santa Maria Formosa è l'unico esempio di conservazione integrale del patrimonio di un'unica famiglia nobile: dimora, biblioteca, archivio, collezioni d'arte, arredi e suppellettili. Attraversare queste raffinate stanze è un viaggio nel tempo tra specchi e boiserie, lampadari di Murano, stoffe e arazzi, oltre alle preziosissime collezioni di porcellane.

Nel museo, situato al secondo piano e impreziosito da stucchi e affreschi, trovano posto a rotazione le opere di Gabriel Bella e Pietro Longhi, che ci raccontano con grandi dipinti la frivola Venezia del Settecento: le gare dei tori in campo San Polo, le scene di caccia in laguna, le chiacchiere tra nobildonne... Piace molto anche ai ragazzi.

Il pianterreno e il giardino invece sono stati restaurati con interventi contemporanei da Carlo Scarpa (negli anni Sessanta) da Valeriano e Michelina Pastor (negli anni Ottanta) e recentemente da Mario Botta. Si può accedere liberamente al piano terra dove troviamo un accogliente bar con tanti tavolini anche in corte e un bookshop con una selezione non trascurabile di volumi di design e architettura, qualche oggetto quotidiano firmato da archistar e un po' di giochini intelligenti per figli che vogliono diventare intelligenti.

La biblioteca è amata dagli studenti perché è aperta fino a mezzanotte!

INFO

Fondazione Querini Stampalia • Castello 5252 (S.M. Formosa) • 041 2711411 • www.querinistampalia.org • 10-18; chiuso il lunedì • Costi: entrata 10 €, iscrizione alla biblioteca gratis, con la tessera wi-fi gratis ed entrata gratis al museo il mercoledì • Fermata vaporetto S. Zaccaria

##  La basilica dei dogi

Questa imponente chiesa è dedicata ai due santi fratelli Giovanni e Paolo (che in veneziano diventano un'unica entità bicefala: Zanipolo).

È uno degli edifici religiosi più importanti della città e qui venivano sepolti i dogi della Repubblica, cioè coloro che arrivavano alla più alta magistratura della Repubblica di Venezia. Ospita talmente tanti dogi e monumenti legati ad avvenimenti importanti della storia veneziana che si potrebbe ripercorrere tutta la storia della città solo girovagando qui dentro: dalle battaglie contro i nemici storici (Genova e i Turchi su tutti) fino alla Lega di Cambrai e ai rapporti con l'Austria.

Oltre a tutto ciò ospita anche interessanti opere pittoriche.

INFO

Basilica dei Santi Giovanni e Paolo • Castello 6363, campo Ss. Giovanni e Paolo (Ss. Giovanni e Paolo) • 041 5235913 • www.basilicasantigiovanniepaolo.it • 7.30-12.30 e 15.30-19.30; visite turistiche 9-18, festivi 12-18 • Fermata vaporetto Ospedale

Arte

**14**

Ss. Giovanni e Paolo

# San Polo

Quando arrivate da San Marco e fate il ponte di Rialto, eccovi nel sestiere di San Polo. Qui avete il mercato (pesce e verdura) e alcune Scuole e chiese molto interessanti da visitare.

Frari

## ■ Una Scuola

«Scuola» è il termine con cui la Serenissima indicava le confraternite di cittadini, di solito uniti da tratti corporativi (le Scuole di mestieri) oppure di provenienza (albanesi, greci ecc). Assicuravano assistenza materiale e spirituale ai loro adepti, in una specie di mutuo soccorso. Se ne contavano a decine in tutta la città; quando vedete a Venezia un edificio che sembra una chiesa, sappiate che spesso è invece una Scuola.

Le Scuole Grandi erano invece di carattere religioso e si dedicavano soprattutto alla beneficenza. Queste Scuole Grandi resero monumentali le proprie sedi, raccogliendo il meglio dell'arte veneziana del tempo. La più antica è la Scuola di San Giovanni Evangelista (1261), oggi utilizzata per incontri e convegni, ma aperta al pubblico in alcuni periodi (sul sito internet trovate le date). La riconoscete per l'affascinante transenna marmorea, attraverso la quale passerete per entrare. Un tesoro fuori dai soliti itinerari.

**INFO**
Scuola Grande San Giovanni Evangelista • San Polo 2454 (Frari) • 041 718234 • www.scuolasangiovanni.it • 9.30-16.30; per il giorno consultare il sito internet • Costi: entrata 5 € (contributo per la manutenzione del complesso monumentale) • Fermata vaporetto S. Tomà

## ■ Un palazzetto della musica

Frari

Non lontano dalla basilica dei Frari il casino Zane, costruito tra il 1695 e il 1697, è stato per un secolo la dépendance dedicata allo svago del vicino palazzo Zane.

L'importante recente restauro di questo palazzetto (visitabile gratuitamente) e le attività della fondazione Centre de Musique Romantique Française sembrano davvero aver fatto ritrovare all'edificio la sua vocazione originale di luogo di svago musicale e intellettuale: ricerca ed editoria, convegni e giornate di studio, digitalizzazione e catalogazione di preziose collezioni e, soprattutto, concerti per la riscoperta del patrimonio musicale francese dell'Ottocento (1780-1920).

Per chi fosse completamente digiuno sull'argomento viene in soccorso il sito internet, con testi e video professionali di alcuni concerti e prove d'orchestra che invogliano non poco alla partecipazione.

INFO
Palazzetto Bru Zane • San Polo 2368, Campiello del Forner o del Marangon (Frari) • 041 5211005 • www.bru-zane.com • Biglietteria 14.30-17.30; chiuso sabato e domenica • Costi: 15 €, sconti a partire da 3 concerti, visite guidate gratis alle ore 14.30 (per gruppi sopra le 10 persone meglio prenotare) • Fermata vaporetto S. Tomà

# Dorsoduro

Dorsoduro negli ultimi anni è diventato uno dei quartieri a più alta concentrazione di arte contemporanea del (esageriamo?) mondo. Oltre alla casa/collezione di Peggy Guggenheim che qui esiste dagli anni Cinquanta, vi ha sede anche la Fondazione Vedova e, soprattutto, la nuova Punta della Dogana, scelta da François Pinault come sede della sua collezione di arte contemporanea. Nel sestiere di San Marco, ma molto vicino a Dorsoduro (appena al di là del ponte dell'Accademia), c'è anche Palazzo Grassi, dove regna incontrastato sempre Pinault.

Sono tutti spazi straordinari, che vale la pena visitare anche al di là delle opere che contengono. Tre di questi sono affacciati sul Canal Grande: non scordatevi di sbirciare il panorama!

## ▨ Guggenheim

**17**
S. Vio

Arte

Un palazzo non finito con una grande terrazza sul Canal Grande: è qui che Peggy si trasferisce a vivere nel 1948 con la sua collezione, che già dal '51 apre al pubblico. Dalla sua morte (1979) la casa è diventata un museo, collegato con gli altri Guggenheim di New York, Bilbao e Abu Dhabi. In città ancora oggi molti si ricordano di questa vivace ed eccentrica signora americana, e qui nel museo è come se continuasse ad aleggiare la sua presenza (chissà, forse perché la sua tomba e quella dei suoi amatissimi cagnolini si trovano nel giardino).

Al Guggenheim non si va solo per vedere le opere d'arte. Le inaugurazioni delle mostre temporanee sono un momento sociale molto ambito in città. Forse è il piacevole giardino, forse la devota attività dello staff, ma le inaugurazioni sono davvero molto vip. Come si fa per essere invitati? Con la tessera Individual (80 euro l'anno) o ancora meglio la Family card: sono convenienti a patto che ci si possa permettere una vita sociale intensa e internazionale (danno accesso ai maggiori musei d'arte contemporanea in Italia e agli altri Guggenheim). Benvenuti nel jet set! In alternativa, nella bella stagione, ci sono gli Happy Spritz: aperture serali con entrata e aperitivo incluso a 12 euro (per gli under 26 con Young card solo 5 euro); controllate le date sul sito. E non dimentichiamoci i Kids Day della domenica (vedi pp. 183-184).

**INFO**
Collezione Peggy Guggenheim • Dorsoduro 701, Palazzo Venier dei Leoni (S. Vio) • 041 2405411 • www.guggenheim-venice.it • 10-18; chiuso il martedì • Costi: biglietto 14 € • Fermata vaporetto Accademia

Punta della Dogana

S. Samuele

## ■ Arte molto contemporanea

I ricconi che hanno la passione per l'arte contemporanea a un certo punto arrivano alla fatidica domanda: e adesso dove la metto tutta questa roba?

La risposta migliore a tale domanda è: apro un museo nella città più bella del mondo. È così che, una decina d'anni fa, François Pinault è sbarcato in città, prima prendendo le redini di Palazzo Grassi, poi restaurando la Punta della Dogana. Questo complesso si trova sulla punta di Dorsoduro; se andate in fondo in fondo avete un bellissimo panorama che comprende tutto il bacino di San Marco.
All'interno dei due musei, oltre che due spazi straordinari (i restauri sono firmati da Tadao Ando), potete vedere collezioni di arte contemporanea, talmente contemporanea che a volte rimaniamo un po' perplessi. Per fortuna ogni mercoledì alle 17 ci vengono in aiuto gli esperti, che ci fanno capire cosa ci fa quel cavallo lì in alto con la testa infilata nel muro.

**INFO**
Punta della Dogana • Dorsoduro 2 (Punta della Dogana) • 041 2401304 • 10-19; chiuso martedì • Fermata vaporetto Salute

Palazzo Grassi • S. Marco 3231, campo San Samuele (S. Samuele) • 041 523 1680 • www.palazzograssi.it • 10-19; chiuso martedì • Costi: entrata ai due musei 20 € (tessera 12 mesi: 35 €) • Fermata vaporetto S. Samuele

Cosa fare in città

### Essere residente ha molti vantaggi

I residenti del comune di Venezia possono entrare gratis in tutti i musei civici (compresi quelli statali dell'area marciana: Museo Archeologico Nazionale e Sale Monumentali della Biblioteca Nazionale Marciana) e alla Querini Stampalia (tutti i giorni fino alle ore 15). Ogni mercoledì accedono gratis anche alla Punta della Dogana e ogni lunedì negli spazi della Fondazione Emilio e Annabianca Vedova. La Collezione Guggenheim invece dedica loro una settimana intera in occasione della festa della Salute (21 novembre).

## ■ L'arte dialogante

**20**
Spirito
Santo

Emilio Vedova è stato un grande protagonista dell'avanguardia artistica nazionale e ha lasciato il segno nelle tendenze dell'arte contemporanea.

I Magazzini del sale sono una affascinante struttura, imponente, ma sviluppata su un unico livello, che trovate prima di arrivare alla Punta della Dogana. Era il luogo dove venivano stivate le riserve di sale della città, da qui il nome. In questa struttura, tra le altre cose, è ospitata la Fondazione Vedova, un grande spazio permanente all'avanguardia dedicato all'artista veneziano: le sue opere (che fanno parte della Permanente) sono spesso accostate a quelle degli artisti delle mostre temporanee, in una sorta di dialogo di poetiche.

A volte questi dialoghi sono resi difficili dalla burocrazia, ma quando è possibile l'esperimento è interessante.

**INFO**

Spazio Vedova • Dorsoduro 50, fondamenta Zattere ai Saloni (Spirito Santo) • 041 5226626 • www.fondazionevedova. org • 10.30-18; chiuso il martedì • Costi: 12 € (biglietto famiglia 18 €) • Fermata vaporetto Santo Spirito

Arte

# Santa Croce

Santa Croce è il più piccolo sestiere veneziano, costellato di sedi universitarie, uffici, sedi istituzionali. È il primo sestiere che si incontra arrivando a Venezia da piazzale Roma, ma anche se arrivate in treno, proprio al di là del ponte degli Scalzi, siete già a Santa Croce. Qui trovate i grandi spazi espositivi all'interno dei palazzi sul Canal Grande, come Ca' Pesaro, Ca' Corner della

Regina oggi fondazione Prada, e il Fonteg dei Turchi, oggi Museo di storia naturale (vedi pp. 184-185). Dopo la visita passate a San Giacomo dall'Orio, uno dei campi meno noti ma più amati dai veneziani: con i bambini che giocano, i cani che scorrazzano e le panchine per prendere il fresco.

**21**

S. Stae

## ◼ **Fondazione Prada**

Lo storico palazzo barocco Ca' Corner della Regina, dopo un restauro rispettosissimo, è oggi la sede veneziana della Fondazione Prada.

In questo bel palazzo del Settecento (ancora barocco ma che già segnala il superamento di questo stile) vengono organizzate annualmente (durante lo stesso periodo della Biennale) mostre di arte contemporanea molto seguite dagli specialisti.

Il restauro a cui è stato sottoposto denota grande sensibilità nel rispetto della struttura, lasciando mattoni a vista e squarci su dettagli strutturali, invece che attuare forzate ricostruzioni dell'originale. All'ultimo piano ospita spesso concerti (vedi box).

**INFO**
Ca' Corner della Regina • Santa Croce 2215, calle de Ca' Corner (S. Stae) • 041 8109161 • www.fondazioneprada.it • 10-18; chiuso il martedì, aperto da giugno a novembre • Costi: 10 €; under 18 e over 65 entrano gratis • Fermata vaporetto S. Stae

Cosa fare
in città

### *Zoom*

### *Musica barocca*

Bravissimi. Negli ultimi anni le attività del Venetian Centre for Baroque Music hanno dato a tanti l'occasione di entrare nei più begli spazi della città (Teatrino Grassi, Ca' Corner della Regina, Ca' Zenobio, Palazzo Contarini Polignac), passando qualche ora ad ascoltare gioielli musicali misconosciuti, che riprendono vita grazie all'approfondito lavoro di ricerca e interpretazione del Centro. Ogni anno viene programmato un festival internazionale affiancato da un'accademia di giovani musicisti.
I biglietti costano tra i 20 e i 30 € e potete prenotarli via web.

vcbm.it

# Dove andare con i bambini?

Venezia è un luogo ideale per i bambini e ancor più per i ragazzini, che già alle elementari possono permettersi di girare soli in città senza preoccupazioni. Oltre al traffico automobilistico inesistente, i bimbi sentono di far parte di una comunità: la città (escluse le aree più turistiche e poco abitate dai residenti, come quella di San Marco) ha ancora un forte controllo sociale. I bambini se ne accorgono ancora di più quando crescono... e a quel punto ne farebbero volentieri a meno.

L'offerta per i piccoli è molto ricca anche nei musei, con laboratori e attività di vario genere. I bimbi veneziani di solito ne hanno fin sopra i capelli, ma i visitatori invece possono far passare ai propri figli qualche ora di utile divertimento.

Se invece quel che cercate

sono i giochi all'aperto, i piccoli turisti non avranno difficoltà a unirsi alle masnade di ragazzini che nelle belle giornate riempiono i campi con gessetti, monopattini, palloni, biciclettine, mentre i genitori se ne stanno a chiacchierare seduti sulle panchine. Tra i più frequentati ci sono Santa Margherita, San Giacomo dell'Orio, San Polo, Santa Maria Formosa, Bragora, il Ghetto.

Ma anche i giardini pubblici – attrezzati e ben tenuti – sono un punto di incontro: Savorgnan, Sant'Elena, giardini della Biennale e Villa Groggia.

Bambini

**22**

S. Alvise

## ■ Un giardino con ludoteca

Villa Groggia è oggi un giardino comunale polifunzionale nel quartiere di Cannaregio, molto frequentato dalle famiglie del sestiere.

La ludoteca di Villa Groggia è dotata di uno spazio per i piccoli, con attività di laboratorio manuali, creative e musicali e tante occasioni di gioco e socializzazione; inoltre ha spazi per incontri e attività rivolte anche agli adulti. È possibile inoltre organizzare feste di compleanno, ed evitare così di distruggere casa. Il giardino è piacevole, con tante panchine e alberelli che assicurano la giusta dose di ombra.

Appena le condizioni climatiche lo consentono, organizzano giochi e feste all'aperto.

Il teatrino ha una fitta programmazione di concerti, incontri, spettacoli, quasi sempre gratuiti.

INFO
Ludoteca «La cicala e la formica» • Cannaregio 3161, all'interno del Parco di Villa Groggia (S. Alvise) • 041 719580 • Pagina Facebook: Ludoteca Cicala E Formica 14-18.30, orario estivo 9-12.30; chiusa sabato e domenica • Costi: iscrizione annuale 10 €, quota laboratorio 5 €, quota prestito di un gioco 1€ • Fermata vaporetto S. Alvise

**23**

S. Vio

## ■ Non solo quando piove

Le ragazze di BarchettaBlu potete incrociarle spesso in qualche museo o campo cittadino, intente con cartoncini, stoffe e nastri colorati a inventare chissà quale mostro Mangiafiabe.

Cosa fare
in città

BarchettaBlu è un'associazione molto apprezzata in città che propone tante attività per i bambini: letture, acquerello, cernit, pittura su stoffa, patchwork, danza, burattini, musica, teatro e mimo, origami, carta, creta, laboratori creativi con materiali di riciclo, laboratori di cucina, scrittura creativa, pittura su legno e vetro.

Nella loro sede a Dorsoduro (vicino al Guggenheim) trovate la ludoteca e la biblioteca per ragazzini,

entrambe molto apprezzate anche dai turisti: tanto spazio, tanti giochi, libri e amici per far trascorrere in modo divertente ai propri figli un lunghissimo pomeriggio uggioso.

INFO
Ludoteca BarchettaBlu • Dorsoduro 614, calle Capuzzi (S. Vio) • 041 2413551 • www.barchettablu.it • martedì, giovedì e venerdì ore 16-18.30 • Costi: prima giornata gratuita, tessera annuale 20 € • Fermata vaporetto Accademia

## ▨ Libri per i piccoli a due passi da San Marco

24

S. Zaccaria

Ⓔ

Da fuori sembra solo una bella libreria per bambini; invece è una vivace biblioteca comunale che spesso ospita presentazioni, caffè pedagogici e letture.

Il piano terra è dedicato ai piccolissimi e alle loro mamme (e papà), con grandi libri da toccare e cuscini dove riposarsi un po' mentre le mamme curiosano tra i volumi di puericultura. Al primo piano invece vengono accolti i ragazzini in età scolare e gli adulti.

La consultazione è libera e, nella maggior parte dei casi, è ammesso il prestito: più di ventimila titoli di pedagogia, didattica, psicologia dell'educazione, legislazione e amministrazione scolastica, riviste specialistiche, educazione speciale e interculturale e libri per ragazzi (favole e fiabe, fantasy, fantascienza, gialli, horror, miti e leggende, comici, fumetti, poesia, teatro).

**INFO**

Biblioteca Pedagogica Lorenzo Bettini • Castello 4704/a, campo San Provolo (S. Zaccaria) • 041 5220557 • www.comune.venezia.it, percorso Mi interessa / Cercare informazioni / Informascuola / Biblioteca pedagogica • Gli orari variano stagionalmente • Fermata vaporetto S. Zaccaria

---

### Zoom

### L'arte è un gioco

Alessandra e Franca non si stancano mai di inventare nuovi itinerari per stimolare l'attenzione dei ragazzini e aiutarli ad apprezzare il nostro immenso patrimonio artistico, che troppo spesso viene loro presentato in modo noioso. Per esempio a Palazzo Ducale propongono un itinerario nelle antiche prigioni, una caccia al tesoro e, al Correr, la scoperta dei grandi mappamondi e altri giochi misteriosi.

Gli itinerari e le attività durano circa due ore e sono rivolti a bambini dai 6 ai 13 anni (e ai loro accompagnatori). I costi si aggirano intorno ai 70 € per gruppi di massimo 25 partecipanti (prenotate almeno una settimana prima).

www.artemisiadidattica.it

Bambini

---

## ▨ Fare gli artisti a casa di Peggy

25

S. Vio

Ⓔ

Ritagliarsi un'ora e mezza di libertà mentre i vostri bambini si divertono con un'attività istruttiva e divertente. Perché no?

Tutte le domeniche pomeriggio alla Collezione Peggy Guggenheim ci sono i Kids Day: laboratori per i piccoli visitatori della collezione che hanno lo scopo di avvicinare all'arte moderna e contemporanea. I Kids Day consentono ai bimbi di imparare e sperimentare tecniche e tematiche artistiche partendo dalle opere della collezione permanente o delle mostre temporanee, per poi mettere in pratica quanto visto giocando a fare gli artisti ispirandosi a Picasso, Magritte, de Chirico, Mondrian, Kandinsky, Miró, Klee, Dalí, Pollock o Calder. Ogni domenica il programma cambia. Una volta al mese è in inglese.

I genitori possono affidare i bimbi all'entrata e andarsene a fare una passeggiata in libertà, oppure approfittare dei 90 minuti per una visita approfondita al museo.

**INFO**
Kids Day alla Collezione Peggy Guggenheim • Dorsoduro 701, Palazzo Venier dei Leoni (S. Vio) • 041 2405444 • www.guggenheim-venice.it • Domenica 15-16.30, prenotazione obbligatoria • Costi: ingresso adulti 14 €, per gli under 10 programma Kids Day gratuito • Fermata vaporetto Accademia

**26**
Riva di Biasio

## ■ Non solo dinosauri
♥

Avete figli affascinati da scheletri e mummie? Oppure grandi esperti di tirannosauri & C.? Oppure adorano pipistrelli e serpenti?

Cosa fare in città

Il nuovo coinvolgente allestimento del Museo di storia naturale soddisferà pienamente i vostri figli e magari gli instillerà qualche nuova passione. Al sabato pomeriggio trovate i papà che si prodigano in spiegazioni, la domenica invece è la giornata tipica delle famigliole della terraferma in gita.

L'entrata di questo storico palazzo sul Canal Grande è un accogliente giardino, comodo anche per una pausa sotto la veranda. Nel portico interno troviamo, sospesi sopra le nostre teste, lo scheletro di una balenottera di 20 metri, quello di un giovane capodoglio e un grande acquario che ricostruisce il prezioso ambiente delle Tenue, sorta di barriere coralline dell'Alto adriatico, ricche di pesci e invertebrati. Il percorso prosegue ai piani superiori, con sale dedicate ai fossili, ricostruzioni di ambienti e di specie estinte nei diversi periodi geologici.

Le sale degli esploratori veneziani, al contrario, sono allestite con i criteri dei collezionisti donatori, come se fossero ancora ambienti privati; pertanto non ci sono molti apparati didascalici. Suggeriamo ai genitori di approfondire, prima della visita, l'etnologia africana di metà Ottocento per poter affrontare adeguatamente la curiosità dei fanciulli.

Impressionante la mummia con due coccodrilli (anch'essi mummificati) e un po' terrificante la sala degli animali impagliati, tra cui un testone di elefante e uno di giraffa, completa di lunghissimo collo.

**INFO**
Museo di storia naturale • Santa Croce

1730, Fontego dei Turchi (Riva di Biasio) • msn.visitmuve.it • 10–18, da novembre a maggio dal lunedì al venerdì orario ridotto 9-17; chiuso il lunedì, 25 dicembre, 1 gennaio e 1 maggio • Costi: intero 8 €, ridotto, 5,50 € • Fermata vaporetto Riva di Biasio

## ▨ Itinerari segreti

S. Marco

Emblema della potenza e della ricchezza della Serenissima e capolavoro di arte gotica, il Palazzo Ducale riserva belle sorprese anche ai bambini...

I più grandi (l'età consigliata è dai 6 anni in su) e le loro famiglie potranno godere di affascinanti percorsi all'interno di Palazzo Ducale: attraverseranno le Prigioni, passeranno sul Ponte dei Sospiri (dove i condannati vedevano il mare per l'ultima volta prima di raggiungere le celle) e si inabisseranno negli itinerari segreti, ovvero quegli spazi «riservati» della Serenissima (cancellerie, archivi, prigioni) dove si svolgevano attività delicate e importanti legate all'amministrazione dello Stato.
La visita alle prigioni rientra nel normale biglietto di ingresso, mentre

quella agli itinerari segreti, con guida specializzata, prevede una prenotazione e un biglietto a parte. La domenica si tengono anche laboratori didattici all'interno del programma «Famiglie al museo» (tutte le info sul sito).

**INFO**
Palazzo Ducale • Piazza San Marco (S. Marco) • 041 42730892; per prenotazioni Itinerari Segreti 848082000 • www.palazzoducale.visitmuve.it • 8.30-19; d'inverno fino alle 17.30 • Costi: biglietto cumulativo per nucleo familiare 20 €, biglietto singolo per partecipare alle attività del programma «Famiglie al museo» 8 € • Fermata vaporetto S. Zaccaria

Bambini

## ▨ Invenzioni da toccare

Ai bambini, più che guardare, piace toccare. Quasi sempre però l'arte non si può toccare, anche se spesso le opere contemporanee sembrano dei giocattoloni.

S. Barnaba

Dentro alla chiesa di campo San Barnaba c'è un'esposizione (che ormai è diventata permanente) molto apprezzata dai ragazzini, tutta dedicata a Leonardo da Vinci.

Contiene una sessantina di ricostruzioni di macchine tratte dagli appunti del grande Leonardo, tutte in legno, funzionanti e toccabili: la sega idraulica, la bombarda, la draga... Prendetevi un paio d'ore perché i vostri figli vorranno provarle tutte.

È molto conveniente lo sconto riservato ai gruppi.

**INFO**

Le Macchine di Leonardo • Chiesa di San Barnaba, Dorsoduro 2771 (S. Barnaba) • 339 7985464 • www.leonardoavenezia. com • 9.30-19.30 • Costi: 8 €; per gruppi (minimo 15 partecipanti) 3 € • Fermata vaporetto Ca' Rezzonico

Guglie

## ◼ Una pausa nel verde

S. Elena

Oltre ai giardini di Villa Groggia (vedi p. 182) un altro piccolo parco che vi può risolvere qualche ora (magari prima di prendere un treno) o dove leggere il giornale mentre i bimbi si contendono qualche altalena sono i giardini Savorgnan, proprio ai piedi del ponte delle Guglie. Nati come orto botanico nel Seicento, in seguito vennero ampliati e si riempirono di statue, che ancora oggi vi sbirciano tra le foglie degli alberi di agrumi.

Più ampi e comodi sono quelli di Sant'Elena che, seppur decentrati, meritano decisamente una passeggiata: qui trovate un grande prato tra gli alti alberi che fanno da quinta scenica al panorama di tutto il bacino di San Marco. Ci sono fontanelle e aree attrezzate con altalene e scivoli per i più piccoli, una pista di pattinaggio e un campetto da calcio sempre presidiato dai ragaz-

zini tolleranti con i quarantenni in vena di sport. E qualche bar per uno spritz come di deve.

**INFO**

Giardini Savorgnan • Cannaregio, Fondamenta Venier (Guglie) • 8-18.30 • Fermata vaporetto Guglie

Giardini di Sant'Elena • Isola di Sant'Elena • Accesso libero • Fermata vaporetto S. Elena

Cosa fare
in città

# Alla scoperta della marineria tradizionale

Non dimentichiamoci mai che Venezia è stata costruita per essere percorsa via acqua. Non c'erano tutti i ponti che ci sono ora e i canali erano molto più numerosi: a ricordarcelo ci sono le tante strade chiamate rio terà (canale interrato). Questo legame con l'acqua oggi è mantenuto soprattutto da chi voga e da chi restaura e costruisce le imbarcazioni secondo metodi tradizionali. Perciò, se volete entrare veramente nell'anima della Venezia più autentica, questa può essere una bella porta d'ingresso.

## ▦ Il museo della Marina
👫

L'entrata è tra due enormi ancore di corazzate austro-ungariche della Prima guerra mondiale... Difficile non notarla.

Il Museo storico navale di Venezia è in un grande edificio di quattro piani che un tempo serviva come granaio dei vicini forni per la produzione del «pan biscotto», principale alimento dei galeotti.
Grande spazio è dedicato alla Marina di Venezia e alla Marina italiana, tra bussole, armi da fuoco, uniformi, piante di fortezze, cannoni, timoni, fucili. Un'intera sala è dedicata al Bucintoro, l'antica imbarcazione da cerimonia del Doge. Nelle altre sale trovate imbarcazioni da pesca e varie gondole (tra cui quella di Peggy Guggenheim), oltre a minu-

Marineria

**31**
Arsenale

ziosi modelli di imbarcazioni tipiche della laguna. Curiosa anche la collezione di conchiglie conservata in una piccola sala.

Peccato che abbia orari pensati solo per le scolaresche e nessuno shop, che qui sarebbe stato davvero prezioso...

**INFO**
Museo Storico Navale di Venezia • Castello 2148, riva San Biasio (Arsenale) • 041 2441399 • www.marina.difesa.it • 8.45-13.30, sabato e prefestivi chiude alle 13; chiuso domenica e festivi • Costi: biglietto 1,55 € (under 12 anni gratis) • Fermata vaporetto Arsenale

## ■ Gli artigiani della gondola

Nessuna imbarcazione è nota quanto la gondola. Scrittori, poeti, pittori e registi l'hanno rappresentata e cantata, facendola diventare l'emblema della città e la metafora della sua unicità.

Ma quanti veneziani hanno mai fatto un giro in gondola? Pochi. Che stranezza: il simbolo più noto della città è probabilmente poco conosciuto proprio dai suoi abitanti. O se non altro rischia di non essere vissuto.

Anche in loro soccorso l'associazione El Felze organizza mostre, cura libri e itinerari con lo scopo di difendere e far conoscere il sapere legato a questa straordinaria imbarcazione, la cui bellezza e unicità non si fermano allo scafo (nero e asimmetrico, frutto della perizia dello squerariòl), ma comprendono anche il remo, la fórcola,

i cavalli d'ottone di ornamento, il ferro da prua, i cuscini, il fregio intagliato e dorato, l'arredo per i passeggeri, il cappello e l'abito del gondoliere.

Particolarmente seguiti sono, in autunno, gli appuntamenti del ciclo «Storie sotto el Felze»: occasioni speciali che fanno interagire artigiani e storici, studiosi e collezionisti sulle radici della cultura materiale e immateriale della città.

**INFO**
El Felze (associazione degli artigiani che contribuiscono alla costruzione della gondola) • www.elfelze.org

Cosa fare
in città

## ▣ Uno squero della memoria

Ghetto

Squero è il termine veneziano per definire il cantiere navale per la costruzione e la manutenzione delle imbarcazioni. È proprio in un antico squero che ha sede l'associazione Arzanà: una sorta di casa comune per tutti gli esperti locali e internazionali di etnografia e storia navale dell'alto Adriatico ma, soprattutto locale. Hanno già salvato una cinquantina d'imbarcazioni autoctone della laguna di Venezia, tutte in legno, alcune a vela e a remi, molte delle quali divenute ormai pezzi unici. Raccolgono e conservano attrezzi, strumentazioni e altri reperti di interesse storico-etnografico provenienti da squèri o botteghe artigiane che hanno cessato l'attività, oltre che da privati cittadini. Controllate il sito web per sapere quando hanno in programma i loro incontri, che organizzano in barca, naturalmente. E così scoprirete anche cosa sono i «freschi notturni».

**INFO**

Arzanà • Cannaregio 1936/d, calle delle Pignatte (Ghetto) • arzana.org • Costi: offerta libera • Fermata vaporetto S. Marcuola

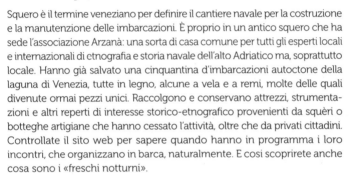

## ■ Un trabaccolo in Punta della Dogana

**33**

Punta
della
Dogana

Un gruppo di appassionati (e chi altro si infilerebbe in un'avventura del genere?) hanno salvato e fatto rinascere questa storica nave da lavoro dell'inizio del secolo scorso.

La potete vedere al suo attracco privilegiato, proprio a Punta della Dogana. È facile che troviate anche qualcuno a bordo, a ripulire, sistemare, «seccare». Non esitate: chiedete permesso e salite! Vi racconteranno la lunga storia di questa barca: da quando è stata varata a Cattolica nel 1926, al duro lavoro di trasporto di ghiaia e sabbia fra Trieste e Monfalcone, agli anni in cui un ingegnere austriaco la utilizzava per insegnare ad andare a vela, all'incontro con quelli che oggi si stanno occupando del suo restauro e mantenimento. Il programma delle loro iniziative lo trovate sul sito internet.

E non mancate in occasione del giorno della Salute (vedi pp. 222-223)

**INFO**
Il Nuovo Trionfo • Punta della Dogana (Punta della Dogana) • www.ilnuovo-trionfo.org • Fermata vaporetto Salute

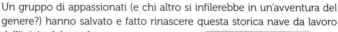

### Zoom

### *Imparare a vogare*

Il modo più diretto di entrare in contatto con il lato più verace della città è imparare a vogare. Ogni remiera ha le sue riconoscibili magliette, le sue barche e le sue piccole tradizioni, e in ogni cantiere ci sono volontari che possono aiutarvi ma di solito non molto strutturati.

Viva voga Venezia è un'associazione no-profit che organizza regolarmente uscite per neofiti e dà lezioni individuali pensate anche per chi sta solo pochi giorni in città. In estate poi organizzano bellissimi freschi notturni: sorta di lentissima passeggiata in barca lungo il Canal Grande con accompagnamento musicale e fiumi di prosecco. Una lezione dura un'ora e mezza e il costo è tra gli 80 e i 120 €.

www.vivavogaveneta.org

Cosa fare
in città

## ■ Libreria marinara

**34**

Tolentini

Quasi all'ingresso della città, non lontano da piazzale Roma e dalla stazione dei treni, trovate questa libreria per lupi di mare (e di laguna).

Guide, modellini di barche tradizionali, carte nautiche minuziose, romanzi e un'intera sezione per i più giovani: qui c'è di tutto, compresa un'utilissima mappa della laguna per non arenarsi alla prima barena. Se siete modellisti professionisti non saprete resistere ai preziosi piani di costruzione che arrivano da tutto il mondo.

Potete acquistare anche tramite il sito internet ma, come sempre, il contatto umano fa la differenza: Cristina è una velista e di cose della laguna e del mare ne ha tantissime da raccontare.

**INFO**

Mare di Carta • Santa Croce 222, fondamenta dei Tolentini (Tolentini) • 041 716304 • 9-13 e 15.30-19.30; chiuso domenica • Costi: carte lagunari 10/25 €, kit modellini 20/70 € • Fermata vaporetto P. Roma

Marineria

# Facciamo tardi?

I veneziani diranno che tirar (molto) tardi a Venezia è impossibile. È vero. Nella città storica c'è il coprifuoco forzato alle 23. Solo in occasione di qualche sagra e a capodanno si riesce a star fuori un po' di più. Le zone più vive la sera, con tanti bar e tavolini, sono campo Santa Margherita, L'Erbaria al Mercato di Rialto e la lunga fondamenta degli Ormesini a Cannaregio.

Quando, per una serata più vivace del solito, arriva la polizia (chiamata dai soliti vicini invidiosi) a far chiudere il locale preferito (di quelli non-per-turisti ma con-qualche-vino-buono-a-prezzo-buono) di solito i veneziani cercando di ribellarsi con raccolte firme. Ma non sempre si riesce nell'intento...

Ma forse – forse – è proprio grazie a queste ristrettezze che quel che c'è lo si gode ancora di più.

Cosa fare in città

## 35  ■ Un teatro da non perdere

Gesuiti

Piccolo teatro, ma molto vivace, tutto legno e mattoni che inoltre si trova in una bella location affacciata sulla laguna nord.

È un luogo di produzione e frequentazione; ospita seminari, workshop, conferenze. Dal jazz al rock d'avanguardia, alla musica elettronica e al teatro musicale, dalla performance alla danza, dal video alla sperimentazione teatrale: tutto quello che è ricerca e sperimentazione qui trova un tetto.

A volte l'entrata è libera fino a esaurimento posti o a prezzi contenuti. Insomma: seguiteli, ne vale la pena.

INFO

Teatro Fondamente Nove • Cannaregio 5013, Fondamente Nove (Gesuiti) • 041 5224498 • www.teatrofondamentanuove.it • Costi: biglietto 12/15 €, con tessera annuale (15 €) sconto del 40% • Fermata vaporetto Fondamente Nove

---

### Zoom

## *Giovani a teatro*

Se hai meno di 30 anni puoi richiedere gratuitamente la card di «Giovani a teatro», che consente di ottenere biglietti per spettacoli teatrali convenzionati a Venezia e provincia a un prezzo irrisorio: appena 2,50 €. Il programma propone inoltre laboratori e attività di teatro e drammaturgia, di danza e arte fisica, percorsi nella scrittura teatrale e musicale, nella visione e nella messa in scena, sempre a stretto contatto con professionalità qualificate e innovative.

www.giovaniateatro.it

---

## ■ La casa del cinema

S. Stae

Nella città del cinema, i cinema non sono poi molti. Venezia dispone di due sale al cinema Giorgione, una all'Astra (Lido) e tre al Rossini (anche 3D), e d'estate si aggiunge l'amatissimo cinema all'aperto in campo San Polo, grande momento di aggregazione cittadina. Qui a inizio settembre possono godersi, a qualche giorno di distanza, i film appena usciti per il festival del Cinema al Lido. D'estate ci sono anche promozioni con biglietti convenienti (sconti dal 10 al 30%) e abbonamenti.

Facciamo tardi?

Ma i veri cinefili hanno la tessera Cinemapiù che, oltre ad assicurare uno sconto del 10% su una serie di musei, ristoranti ed eventi convenzionati, consente di accedere agli archivi della Videoteca Pasinetti, al portale www.venicemoviebook.it e soprattutto alle proiezioni della Casa del Cinema. Proprio qui trovano spazio anche i classici in versione originale sottotitolata, rassegne del cinema d'autore, film e video della produzione veneziana, prime d'essai del circuito indipendente, presentazioni librarie e incontri con gli autori. Inoltre hanno dieci postazioni individuali per la consultazione del patrimonio filmico conservato (oltre settemila titoli) e per la navigazione guidata ai siti internet d'argomento cinematografico, nonché uno spazio espositivo per mostre fotografiche.

**INFO**
Casa del Cinema • Palazzo Mocenigo

1990 (S. Stae) • 041 5241320 • www.comune.venezia.it/cinema • 9.30-13 e 15.30-22, sabato 15.30-17.30; chiuso domenica e festivi e durante il periodo estivo • Costi: tessera Cinemapiù 30 € (studenti 20 €) • Fermata vaporetto S. Stae

##  Quattro salti ai Frari

Frari

I Frari non sono solo una meravigliosa basilica, ma anche una comunità molto attiva nell'organizzazione di eventi.

Teatro, musica, cinema e letteratura: ai Frari li trovate tutto l'anno. Al pomeriggio si organizzano attività per i più piccoli e la sera si pensa ai grandi con le originali «proiezioni supine» (i film sono proiettati sul soffitto del teatro, il pubblico è disteso su materassini, ed è possibile portarsi da casa copertine e cuscini). Tra fine gennaio e inizio febbraio la parrocchia ospita FrariFuori: una particolare e variegata serie di eventi e spettacoli per giovani e adulti, che vanno dal reading alla capoeira, dalla conferenza sugli stili di vita alla danza contemporanea, con molte serate gastronomiche. Vi stupirete di cosa è capace di fare un patronato.

**INFO**
Teatro dei Frari • San Polo 2464/q, calle dietro l'Archivio (Frari) • 041 710487 • www.patronatodeifrari.it • Costi: tessera valida per tutte le proiezioni 9 € (obbligatoria la prenotazione). Molti eventi sono a ingresso gratuito • Fermata vaporetto S. Tomà

## Un centro culturale attivissimo

Cultura

Il CZ95 è uno centro culturale multifunzionale gestito dalla municipalità, che organizza due serie di eventi davvero interessanti, dal classico cineforum a belle mostre fotografiche. Ha un internet point gratuito, una mediateca e una biblioteca specializzata per bambini, con uno spazio per incontri e didattica.

Zitelle

In questo spazio troverete diverse attività, organizzate da associazioni che usufruiscono gratuitamente delle strutture. Il martedì ci sono le micro-rassegne cinematografiche a tema organizzate dal Gruppo Vixen; il venerdì gli incontri tra professionisti e amatori, con presentazioni e dibattiti sui propri lavori, organizzati dal circolo fotografico La gondola. I ragazzi del Circolo Arci Giovani Luigi Nono invece propongono attività culturali, sportive e ricreative che spaziano dalla danza alla pittura, ai giochi in campo a esperimenti culinari, di solito la domenica. Insomma, uno spazio comune dove imparare, meditare e conoscere gente in gamba.

INFO
CZ95 • Giudecca 95 (Zitelle) • Internet point; 041 5227711; aperto 16-20.45 • Biblioteca: 041 5205784 • Le attività vengono sospese in estate • arciluiginono. blogspot.it, www.cflagondola.it, Pagina Facebook Cinema Vixen CZ • Fermata vaporetto Zitelle

## ▧ Venice Jazz Club

**39**
S. Margherita

Siamo dietro al vivace campo Santa Margherita sul rio di San Barnaba. Entrate e troverete qualche tavolino e luci basse, come si addice a un vero club.

Questo Club per intenditori vi offre serate musicali e una piccola selezione di vini da sorseggiare ascoltando il concerto. Si può anche consumare un primo piatto sostanzioso, come cannelloni o lasagne. Sul palco passano spesso interpreti di livello del jazz italiano e internazionale, latin jazz e altro. Alle pareti, mostre d'arte a rotazione; a volte il locale ospita performance, recital e letture.

Per godersi una serata in compagnia però è preferibile prenotare un tavolino.

INFO
Venice Jazz Club • Dorsoduro 3102, Ponte dei Pugni (S. Margherita) • 041 5232056 • 340 1504985 aperto dalle 19 alle 23 (inizio concerto ore 21) • www. venicejazzclub.com • Costi: entrata e prima consumazione 20 €, consumazioni successive 3/5 €, primo piatto 8 € • Fermata vaporetto Ca' Rezzonico

## ▧ Al Parlamento

Facciamo tardi?

Il largo canale di Cannaregio ospita parecchi locali, tra trattorie e pizzerie. Il più frequentato è sicuramente il Parlamento, quasi ai piedi del ponte dei Tre archi.

**40**
Crea

Buoni sandwich e insalatone ma, soprattutto, qui si beve e si sta in compagnia fino a tardi.
Tutti i giovedì e venerdì concerti dal vivo o dj set, e d'estate si passa la sera in fondamenta a chiacchierare. Il concerto (per non disturbare i vicini) si fa solo la domenica a

mezzogiorno.
Alla sera tra le 18 elle 20 tutti i cocktail sono a 4 €: approfittatene per un mojito e un black russian. In alternativa birre alla spina (tra cui una rossa venezianissima e artigianale).
Ma se avete voglia di uno spritz

non fermatevi ai soliti Aperol o Campari. Qui hanno addirittura una carta dedicata: provate con un Avanaspritz.

INFO
Al Parlamento • Cannaregio 511, fondamenta San Giobbe (Crea) • 041 2440214 • 7.30-02 • Costi 3,50 € birra al tavolo • Fermata vaporetto Crea

**41**

Misericordia

## ■ Cichettando al Paradiso perduto

Questo è un locale storico di Venezia, e di recente, dopo qualche anno di interregno, è tornata anche la gestione storica: quella di Maurizio.

Noi ne siamo felici perché Maurizio odia il pesce d'allevamento, adora le saltate di crostacei e molluschi, offre grandi fritti e bigoli fatti in casa, da gustare con le vongole oppure con un saporito cacio e pepe. Molto vino della casa, ma anche qualche bottiglia non male, come il prosecco col fondo o lo schioppettino. L'osteria è molto viva, capiente e chiassosa, con lunghi tavoli che favoriscono la socializzazione e una frequentazione che comprende turisti curiosi e bene informati, giovani no global, architetti della zona, fino agli ultimi capelloni della città.

Si può cichettare al banco o sedersi per un piatto abbondante e sostanzioso.
A volte qui si tengono concerti, spesso di jazz. Se beccate la serata giusta vi ritroverete anche voi a ballare tra i tavoli.

INFO
Paradiso perduto • Cannaregio 2540, fondamenta della Misericordia (Misericordia) • 041 720581 • 11-01, lunedì e giovedì apre alle 18; chiuso martedì e mercoledì • Costi: spiedino di patate al forno 1,5 €, antipasto misto di pesce 14 €, primi 9/15 € • Fermata vaporetto Madonna dell'Orto

Cultura

## ■ Roba da ragazzi

Quando si dice che ci vogliono più spazi per i giovani... probabilmente si intende qualcosa del genere.

**42**

Frari

Poliedrico spazio tra i Frari e San Giovanni Evangelista che, nei giorni feriali, è una mensa studentesca molto economica (10 € pasto completo per gli esterni), ma certe sere invece (di solito il mercoledì e il venerdì) si trasforma: musica dal vivo o dj set fino a tardi. Tutti i giorni trovate l'hap-

py hour con spritz e stuzzichini a 1 € fino alle 21. Si può anche prenotare per feste e rinfreschi. Se siete over 35 vi sentirete un po' fuori posto...

INFO
Food & Art Badoer • San Polo 2549, Palazzo Badoer (Frari) • 393 5597626

• Pagina facebook Foodart Badoer • Bar/caffetteria: 8.30-16.30; self service: 12-15; la sera (non sempre) 18-24 (vedi programma su Facebook) • Costi: tramezzini 1,20 €, birra 2 € • Fermata vaporetto S. Tomà

## Laboratorio Morion

**43**

Francesco della Vigna

Il Morion è uno storico spazio autogestito dal 1990. È un grande ambiente nel cuore del popolare quartiere di Castello.

Dire che sono organizzatissimi è poco: dal mercoledì alla domenica (dalle ore 20) ottime pizze e manicaretti a km zero o quasi (risotto di zucca, pasticcio di cavolfiori, vellutate varie), buone birre, vino bio, il tutto condito con musica spesso dal vivo e incontri, presentazioni, cene a tema, dibattiti sui problemi della città e serate open mic (o, diciamo, karaoke, per chi non sa cosa vuol dire). Hanno un calendario da far invidia a molte fondazioni cittadine.
Al Morion ogni anno che passa trovate qualche arredamento nuovo, grazie all'idea di recuperare gli allestimenti della Biennale: hanno creato anche un grande soppalco/ libreria con un bookcrossing dove organizzano incontri con gli autori. Non preoccupatevi se non avete più vent'anni e i capelli da rasta, qui sono ospitali: trovate anche l'anziana che ha voglia di ciacolare e il gruppo rockettaro, ragazzini che fanno laboratori e riunioni di giovanissimi nerd. Però non dite che siete a favore delle grandi navi crociera in laguna!

INFO
Laboratorio Morion • Castello 2951, salizada San Francesco della Vigna (S. Francesco della Vigna) • Pagina Facebook: Laboratoriooccupato Morion • Orari molto variabili, di solito al venerdì sera c'è musica jazz dalle 21 • Fermata vaporetto Celestia

Facciamo tardi?

## Un Arci vulcanico

**44**

S. Polo

Ci sono luoghi dove non puoi che rimpiangere di non avere più vent'anni (o trenta) e poterti dedicare a un'avventura culturale, associativa e umana come questa.

È bello venire qui per vedere un concentrato di ragazzi con tanta voglia e capacità di progettare, inventarsi queste «conferenze multidisciplinari e pluridimensionali» (come dicono loro) e, soprattutto, creare la possibilità per altri coetanei di stare insieme ed esprimersi.

La loro sede è presso un circolo Arci a San Polo, dove organizzano concerti, proiezioni, aperitivi, laboratori, presentazioni, dibattiti su temi anche di attualità; ma l'associazione si occupa anche di eventi in giro per la città, spesso di tenore creativo/sperimentale difficili da definire ma stimolanti e aggregativi come Fondamenta 2.0 (www.purospaziocomune.org).

**INFO**
Metricubi • San Polo 2003, campiello delle Erbe (S. Polo) • www.metricubi. org • Costi: tessera Arci (il costo varia da circolo a circolo) • Fermata vaporetto S. Tomà

# Gli eventi
# mese per mese

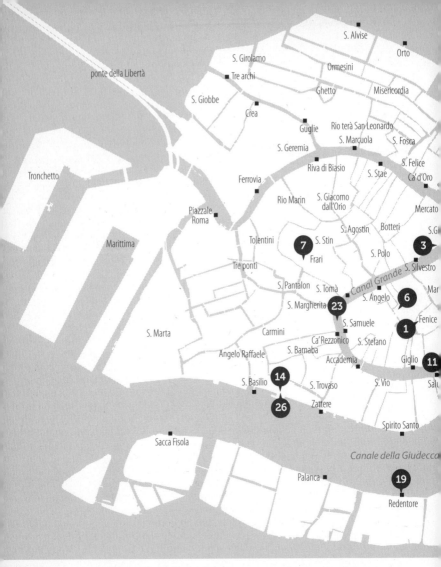

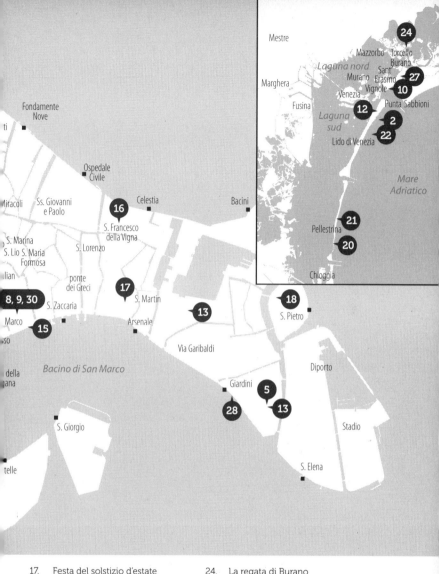

# Da gennaio a marzo

A parte qualche evento concentrato nei primi giorni dell'anno, a gennaio di solito a Venezia si sta tranquilli. Molti, tra negozianti e titolari di attività aperte al pubblico, ne approfittano per chiudere per ferie e scappare in qualche isola tropicale. E i cittadini comuni tirano il fiato almeno fino a Carnevale.

## ▨ Concerto di capodanno

Fenice

I notabili veneziani nonostante i bagordi della sera precedente non si perdono il tradizionale concerto la mattina di capodanno al Teatro La Fenice. Trasmesso anche in diretta tv, l'orchestra del teatro dà del suo meglio garantendo il tutto esaurito in sala.

**INFO**
Concerto di capodanno al teatro La Fenice • Primo gennaio • S. Marco 1965, campo S. Fantin (Fenice) • 041 786511 • www.teatrolafenice.it • Costi: biglietti 30/300€ a seconda della posizione

## ▨ Un tuffo sotto zero

Lido

Il primo dell'anno, a Venezia, significa anche questo: il tradizionale bagno invernale al Lido.

È dal 1979 che, tutti gli anni, centinaia di impavidi affrontano ridendo e scherzando, dalla spiaggia del Lido, le gelide acque invernali, per poi rifocillarsi in riva al mare con lenticchie, cotechino e fiumi di vino. Di solito vengono organizzati anche simpatici spettacolini per intrattenere i bambini (che forse avrebbero voglia di provare anche loro a tuffarsi), e un gruppo musicale per tutti gli altri.

Portatevi un costume da bagno e un grande accappatoio e sarete accettati a braccia aperte.

Se poi ci prendete gusto e volete diplomarvi «ibernisti» dovrete frequentarli per un inverno intero: appuntamento ogni sabato e domenica, e ogni altra festività, alle ore 12 davanti alla spiaggia delle 4 fontane.

INFO
Tuffo di capodanno • Primo gennaio • Di solito dalla spiaggia davanti al Blue Moon, piazzale Bucintoro 1, Lido di Venezia • www.ibernisti.com • Fermata vaporetto S.M. Elisabetta

Rialto

## La regata delle Befane

Ogni anno in laguna si svolgono più di 120 regate e molte coincidono con qualche festa o sagra tradizionale: un tempo infatti queste competizioni rappresentavano autentiche occasioni di gloria. Oggi la popolarità di alcune è un po' sbiadita, ma altre – come quella delle Befane – mantengono un alto tasso gogliardico-popolare.

È la prima regata dell'anno e sicuramente la più simpatica: aitanti signori over 65 vestiti da vecchiacce (sono bravissimi a sembrare delle vere befane!) si contendono il traguardo.

Il punto migliore per vederli passare – spesso in mezzo a strati spessi di nebbia – è il ponte di Rialto, o la vicina riva del Vin dove alla fine della breve regata (dura solo 15 minuti) si beve tutti assieme vino caldo speziato e dolcetti per i bambini.

Attesissima la super calza di cinque metri che vedrete penzolare dal ponte di Rialto.

INFO
Regata delle Befane • 6 gennaio ore 11 • Punto di arrivo: riva del Vin, di fronte al ponte di Rialto (Rialto) • www.bucintoro.org/regatabefane.html • Fermata vaporetto S. Silvestro

Eventi

## San Valentino ama l'arte

Avviso a tutti gli innamorati: segnatevi la data del 14 febbraio! Ma non per ricordare di comprare un regalino alla vostra amata o al vostro fidanzato. Piuttosto, regalatevi una gita a Venezia: in tutti i luoghi d'arte statali, infatti, nel giorno del santo più romantico del calendario si entra in due con un solo biglietto. Un risparmio mica da poco. (E se non siete fidanzati o in coppia, potete sempre portarci un amico o un'amica. Che poi da cosa nasce cosa...)

## Sua maestà il Carnevale

San Marco

Si sa: i veneziani oggi odiano il Carnevale e possono intrattenervi ore raccontando, facili prede della nostalgia, com'era bello ai bei vecchi tempi, quando la città partecipava veramente. Fatto sta che ormai, approfittando delle vacanze scolastiche, in molti scappano in montagna.

Ma se il tempo è clemente, passeggiare per le calli e i campielli colorati e inondati dalla musica del Carnevale può essere un'esperienza davvero indimenticabile. Non solo per i turisti.

Il programma ufficiale, dal volo della Colombina dal campanile di San Marco fino alle celebrazioni per il martedì grasso, lo trovate sul sito ufficiale.

**INFO**
Carnevale di Venezia • Di solito tra febbraio e marzo • Molti eventi si svolgono in piazza San Marco (San Marco) • www. carnevale.venezia.it • Costi: quasi tutto gratuito • Fermata vaporetto S. Zaccaria

## I bambini ai Giardini della Biennale

Giardini

Durante gli ultimi 10 giorni del Carnevale il grandissimo padiglione centrale dei Giardini della Biennale ospita una bellissima iniziativa per i ragazzi.

Si tratta di una serie di stimolanti laboratori e coloratissimi eventi pensati su misura per i ragazzini, ma decisamente curiosi e divertenti anche per chiunque altro. Per spiegarvi in due parole cosa vi aspetta: ecco finalmente una Biennale da toccare!

Il vaporetto, da piazzale Roma (pontile 1) ai Giardini della Biennale, è gratuito per il pubblico, ma solo dalle 10 alle 14 ad andare e

Gennaio-marzo

dalle 15 alle 18 per tornare. Attenti al bookshop, così ricco di bellissimi libri e del migliore design internazionale applicato ai prodotti per bambini: potrebbe farvi pareggiare il conto, dopo tutte queste cose gratis.

**INFO**
Carnevale internazionale dei ragazzi • Di solito tra febbraio e marzo • Giardini della Biennale, padiglione centrale (Giardini) • 041 5218828 • carnevale.labiennale.org • Fermata vaporetto Giardini

S. Angelo

## ■ Il Carnevale alternativo

Da qualche anno è rinato il Carnevalaltro, che si svolgeva regolarmente negli anni Novanta ed è un festival indipendente che si tiene in campo Sant'Angelo.

Nell'ultima settimana del Carnevale una serie di associazioni, laboratori e centri sociali organizzano dal basso (come in fondo dovrebbe essere un vero Carnevale), un festeggiamento in controtendenza all'organizzazione ufficiale, spesso turistico-plasticosa. Il programma di Carnevalaltro propone iniziative culturali e musicali che spaziano dalla pizzica al concerto rock, dal Balkan Beat, al Soul, dai saltimbanchi alle danze africane.

È anche l'occasione per discutere di sostenibilità (anche turistica) e consumo critico.

**INFO**
Carnevalaltro • Di solito tra gennaio e marzo • Campo Sant'Angelo (S. Angelo) • Info sul programma sul sito www.sherwood.it • Fermata vaporetto S. Angelo

Frari

### Zoom

## Costumi a noleggio

Se non resistiamo alla tentazione di andare in giro con una mantellina e una mascherina, per noleggiarne non c'è che l'imbarazzo della scelta. Ma per un costume storico completo di cappello, maschera e accessori realizzato a mano a Venezia, meglio giocare d'anticipo e prenotarlo. L'atelier Pietro Longhi ne ha più di 1200 e potete sceglierli direttamente sul web. Una giornata di noleggio costa tra i 200 e i 250 €.
Fuori Carnevale il laboratorio offre un servizio molto special: Raffaele e Francesco vi porteranno a spasso nella Venezia di secoli fa, aprendovi le porte di fastosi palazzi ancora abitati dai discendenti dei dogi di un tempo.

Info
Atelier Pietro Longhi • San Polo 2508 (Frari) • Solo su appuntamento: 041 714478 • www.pietrolonghi.com, www.storiedimoda.eu

Eventi

## Cucina marzolina

A metà marzo viene organizzata una gustosa tre giorni di alta cucina.

A metà strada tra la degustazione e la conferenza, Gusto in scena è l'occasione perfetta per conoscere i migliori chef in circolazione, i produttori di vino, gli esperti del settore. Ma anche, e soprattutto, per assaggiare insaccati, formaggi, birre e oli di primissima qualità per la modica cifra dei 20 euro del biglietto di ingresso. Non ha una sede fissa, ma viene sempre ospitata in grandi prestigiosi spazi come il Molino Stucky alla Giudecca o la Scuola di San Giovanni Evangelista.

**INFO**

Gusto in scena • Tre giorni a metà marzo • La location varia di anno in anno • 02 71091871, 02 29404086 • www.gustoinscena.it • Costi: 1 giorno 20 €, 2 giorni 35 €, 3 giorni 45 €

### Zoom

### Non solo 8 marzo

La festa della donna a Venezia si prolunga, e di solito tra il 7 e il 10 del mese si tengono svariate iniziative che forniscono l'occasione per leggere una vivace ed emancipata storia al femminile della città: incontri, dibattiti, presentazioni e regate (la prima notizia di una regata di donne risale addirittura al 1493).
Nei musei statali le donne inoltre entrano gratis l'8 marzo e hanno a disposizione una serie di itinerari guidati pensati per l'occasione.

www.donneavenezia.it

## La primavera del Fai

L'Italia ha un patrimonio di bellezza naturalistica, storica e culturale che ogni anno il Fai (Fondo Ambiente Italiano) valorizza organizzando giornate di eventi gratuiti. Venezia non fa eccezione.

Per festeggiare la primavera imminente, a fine marzo, il Fai propone tutti gli anni un weekend dedicato all'arte, alla storia e alla cultura. Grazie alle visite gratuite e agli eventi speciali organizzati in spazi molto particolari, potrete entrare in alcuni dei luoghi più belli di Venezia, spesso di grande pregio artistico e solitamente chiusi al pubblico.

Normalmente l'affluenza è molto alta e il rischio di fare un po' in coda è alto, ma l'esperienza di godersi una visita con l'accompagnamento di guide attente e professionali farà evaporare l'attesa e la noia come per magia.

**INFO**

Giornata di primavera Fai • Marzo • www.giornatafai.it

# Da aprile a giugno

La bella stagione è prodiga di eventi, a Venezia: marato- ne, regate, ma soprattutto la Biennale che apre i battenti a giugno e continuerà ad animare la città fino all'autunno. Con i primi caldi di giugno, infine, sagre a volontà!

S. Marco

## ■ Su e zo per i ponti

È una marcia non competitiva a cui partecipano più di diecimila tra grandi e piccoli, associazioni e scolaresche.

Per sottolineare lo spirito di questa maratona, quel piacere dello stare insieme che è il cuore dell'iniziativa, ad aggiudicarsi i premi non sono i più veloci, ma i gruppi più numerosi. Ci sono due percorsi tra cui scegliere: uno da 6 chilometri e uno da 12, che vengono coperti in circa due ore.

In ogni caso si arriva tutti a far festa a San Marco.

**INFO**
Su e zo • Seconda domenica di aprile • Partenza e arrivo: piazza San Marco (S. Marco) • www.suezo.it • Costi: quota di partecipazione 6 € • Fermata vaporetto Vallaresso

## Un giorno libero e santo

S. Marco

Il 25 aprile, a Venezia, non è solo il giorno della Liberazione ma anche la festa del patrono, san Marco.

Anticamente in questa giornata si svolgeva in piazza una famosa processione cui partecipavano autorità religiose, civili e rappresentanti delle arti. Ancora oggi san Marco si festeggia con una processione in Basilica.

In occasione del 25 aprile tra i veneziani è estremamente diffusa la delicata consuetudine di donare un bòcolo, un bocciolo di rosa, alle donne che più si amano.

INFO
Processione del santo patrono in Basilica San Marco • 25 aprile • Piazza San Marco (S. Marco) • Fermata vaporetto S. Zaccaria

## Settimana della cultura

A fine aprile il ministero dei Beni culturali organizza ogni anno una settimana dedicata alla cultura. Ottima per visitare gratuitamente musei, aree archeologiche, archivi e biblioteche statali.

A Venezia troverete mostre, convegni, aperture straordinarie, laboratori didattici, visite guidate e concerti nelle sedi delle Gallerie dell'Accademia, Ca' d'Oro, Palazzo Grimani, Museo Orientale e Archeologico.

Decine di studenti di istituti tecnici e professionali per il turismo, licei linguistici e istituti alberghieri mettono alla prova i loro saperi nelle attività educative e nell'accòmpagnare i visitatori.

INFO
Settimana della cultura • Fine aprile • Programmi sul sito www.beniculturali.it

## Una sagra a Sant'Erasmo

S. Erasmo

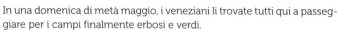

Aprile-giugno

In una domenica di metà maggio, i veneziani li trovate tutti qui a passeggiare per i campi finalmente erbosi e verdi.

Nel bel prato attorno alla Torre Massimiliana vengono allestiti tendoni gastronomici che per tutto il giorno producono castraure fritte, insalata di castraure, risotto con le castraure... Si passa una giornata in compagnia chiacchierando e mangiucchiando (spesso la fila per conquistare un piatto è davvero lunga, perciò consigliamo a chi ha bambini di portarsi dietro un panino o due per sicurezza). I ragazzini poi non resistono mai alla tentazione di fare un tuffo dalla vicina spiaggetta (vedi p. 251). Al pomeriggio sono previste le regate con arrivo proprio davanti

alla Torre e poi musica dal vivo fino a sera.

**INFO**
Festa di sant'Erasmo • Tra maggio e giugno • Torre Massimiliana, isola di Sant'Erasmo (S. Erasmo) • www.carciofosanterasmo.it • Fermata vaporetto S. Erasmo-Capannone

## Zoom

### Il carciofo violetto di Sant'Erasmo

Tenero, carnoso, spinoso, di forma allungata e con sfumature violette: il carciofo di Sant'Erasmo è tutelato da un consorzio e da un presidio Slow Food. Nei ristoranti in primavera vi verranno proposte le prelibate e costosissime castraure, ovvero i primi boccioli del fiore della pianta del carciofo, che viene tagliato per permettere la crescita più rigogliosa dei laterali detti bótoi. Le mazzette sono anch'esse dei germogli laterali, ma spuntano direttamente dalla base della pianta, riconoscibili perché hanno un gambo più lungo. Le tenerissime castraure sono ottime crude e tagliate sottili, con scaglie di parmigiano (o vezzena stagionato), un filo d'olio e pepe. Spesso però in commercio vengono spacciati per castraure anche i bótoi: solo un vero esperto può percepire la differenza, e tutto sommato non è un grande imbroglio... a meno che non ve li vendano a peso d'oro!

## 11 ■ Vogalonga

Salute

Una regata non competitiva che si tiene a fine maggio ed è tra le più famose della città.

Eventi

Arrivano ogni anno da tutto il mondo a centinaia, barche di ogni forma e grandezza che hanno una sola cosa in comune: si muovono a forza di braccia. Dalle tradizionali mascarete ai pupparini, dai gondolini alle iole, fino ad arrivare a stranissimi galleggianti realizzati in proprio, in occasione della Vogalonga ne vedrete delle belle.

Si parte al mattino dal bacino San Marco di fronte a Palazzo Ducale. Il percorso, lungo circa 30 chilometri, si snoda tra le isole della laguna nord e rientra in Canal Grande attraverso il rio di Cannaregio, con arrivo alla Punta della Dogana. Per fare il tifo il punto migliore è lungo le rive del rio di Cannaregio o del Canal Grande. Se poi il tempo vi assiste e splende il sole, allora godrete di uno spettacolo davvero unico al mondo.

**INFO**
Vogalonga • Terza domenica di maggio • Partenza dal bacino di San Marco, arrivo a Punta della Dogana (Salute) • www.vogalonga.com

##  Festa della Sensa

Lido

Ecco una tradizionale festa della Serenissima Repubblica di Venezia, ancora oggi colma di fascino e capace di richiamare moltissimi turisti da tutto il mondo. Sensa in veneziano sta per Ascensione.

Un tempo le cose si svolgevano così: il Doge sul Bucintoro, dopo una solenne benedizione del vescovo, raggiungeva la Bocca di Porto e lanciava nelle acque un anello d'oro, a simboleggiare l'eterno legame tra Venezia e il mare. Oggi è il sindaco che, accompagnato da un corteo acqueo, celebra questo sposalizio con il mare attraverso la suggestiva cerimonia del lancio in acqua di un simbolico anello.

Al Lido, vicino alla chiesa di San Nicolò di Lido, viene allestito un mercatino rionale e si organizzano svariate manifestazioni e gare. Se non avete la possibilità di seguire il corteo con una barca a remi è meglio che raggiungiate il Lido la mattina presto (prima che i vaporetti vengano sospesi dalla manifestazione), per godervi lo spettacolo dalla riva.

**INFO**
Festa della Sensa • Domenica a fine maggio • Punto di osservazione: piazzale davanti al Tempio votivo, Lido di Venezia • www.veneziamarketingeventi.it • Fermata vaporetto S.M. Elisabetta-Lido

##  Venezia in mostra alla Biennale

Giardini
Arsenale

Che sia d'Arte (negli anni dispari) o di Architettura (negli anni pari), la Biennale è sempre una grande scorpacciata di suggestioni, spunti, idee, nonché uno straordinario volano culturale (ed economico) per la città.

Oltre che all'Arsenale e ai Giardini della Biennale (dove si concentrano i padiglioni d'arte), nel periodo che va da giugno a metà novembre (ma soprattutto fino a settembre) in tutta la città vengono allestiti numerorissimi eventi, sia collaterali (cioè che appartengono al programma istituzionale) sia «non allineati», cioè fuori programma. Le informazioni su questi eventi le trovate in numerosi siti (vedi box p. 213.). Ecco perché la Biennale, oltre che una delle più grandi mani-

Aprile-giugno

211

festazioni di arte contemporanea al mondo, è anche una splendida occasione per entrare in posti altrimenti inaccessibili della città: chiostri, cantieri o addirittura studi professionali privati. Scoprirete decine di luoghi inaspettati, aperti per ospitare opere, installazioni e performance.

Il momento clou è quello delle vernici, nei tre giorni che precedono l'apertura ufficiale della Biennale, quando la città si riempie di critici, designer, artisti (e di aspiranti critici, aspiranti designer, aspiranti artisti). Assolutamente d'obbligo il dress code adeguato, a seconda del tipo di Biennale (Arte o Architettura) e del grado di eccentricità che richiede il vostro ruolo. Se non avete gusto nel vestiario optate per il total black, che fa molto architetto.

Per riuscire a ottenere gli ambitissimi biglietti della vernice e dell'inaugurazione, dovete appartenere davvero al jetset (i controlli sono severissimi) oppure rompere il salvadanaio e affrontare la spesa della Gold Card (200 €) che dà diritto, oltre a una serie di agevolazioni, anche all'agognata entrata alle vernici.

Il biglietto permette l'entrata nelle due grandi sedi espositive (mettete in conto almeno due giornate piene per la visita). Se riuscite a organizzarvi con un gruppo di almeno 10 persone il costo però scende a 15 euro. Conveniente anche la formula 2+2 per andare a vederla con i ragazzi.

INFO
Biennale • Da fine maggio a metà novembre • Giardini delle Biennale (Giardini) e Corderie dell'Arsenale (Arsenale) • www.labiennale.org • Costi: 25 € , Gold Card 200 € • Fermata vaporetto Giardini

## Zoom

# La Biennale

È tra le più antiche e prestigiose rassegne internazionali d'arte contemporanea al mondo, tanto che ormai il termine «biennale» è sinonimo di grande evento internazionale ricorrente. Dalla sua fondazione nel 1895 a oggi è divenuta pluridisciplinare, aprendosi a Musica, Cinema, Teatro, Architettura e Danza. Solo le mostre dedicate ad Arte e Architettura, che utilizzano i grandi spazi dei Giardini e buona parte dell'Arsenale, sono effettivamente biennali; le altre vengono organizzate ogni anno e durano circa una settimana.

Qualche coordinata: il Festival Internazionale di Musica Contemporanea si tiene la prima settimana di ottobre e ospita ensemble e interpreti del panorama internazionale e italiano, oltre a incontri e conferenze con alcune tra le personalità di rilievo. La Biennale Danza si tiene a fine giugno: tre giorni intensi con spettacoli ovunque, anche all'aperto. Il Festival Internazionale del Teatro inizia ad agosto: tre spettacoli al giorno per 10 giorni, seguiti da un pubblico specializzato.

www.labiennale.org

## Art night

Bellissima iniziativa che apre le porte di musei, gallerie, università e librerie fino alla sera tardi.

Art night si compone di decine di iniziative, ed è davvero difficilissimo riuscire a vedere tutto nel corso di una sola serata. Ma è divertente scorrazzare dopo cena per una Venezia insolitamente viva, allegra e frequentata!

I principali musei restano aperti gratuitamente fino a tardi: potrete fare la spola senza spendere un centesimo grazie al vaporetto dell'arte, che dalle 20 all'una del mattino collega San Stae a San Giorgio passando per Rialto, Ca' Rezzonico, Accademia e altre fermate strategiche (consultate il sito per il percorso). Sono molti i palazzi storici che aprono le loro porte e organizzano iniziative, mostre, esposizioni. E in tutta la città troverete eventi musicali, reading tenuti da scrittori famosi, performance, laboratori e proposte creative di ogni genere. Tutte rigorosamente gratis.

INFO
Art Night • Ultimo sabato di giugno • 041 2346223, 041 2346227 • www.artnightvenezia.it

### Zoom

### Altri spazi d'arte

In tutta la città sono disseminati luoghi dedicati all'arte contemporanea e molti, durante la Biennale, ospitano eventi o mostre collegate. Vi consigliamo di selezionarne qualcuno e farci un salto, perché scoprirete luoghi della Venezia segreta altrimenti inaccessibili. Orientarsi nella selva di eventi non è semplice, ma un valido aiuto può venire dal web. Ecco una serie di siti normalmente prodighi di informazioni e indirizzi.

www.aplusa.it • www.bevilacqualamasa.it • www.galleriamichelarizzo.net • www.galleriaupp.com • www.ikonavenezia.com • www.officinadellezattere. it • www.sangregorioartgallery.com • www.workshopvenice.com • www.zueccaprojectspace.com • veniceprojects.com

## Per podisti molto mattinieri

Aprile-giugno

Corsa non competitiva di 5 chilometri, con il via proprio alle 5.30 del mattino.

Grazie all'ora antelucana di partenza, la run 5.30 riesce a proporre un percorso che passa per zone normalmente trafficatissime: si parte

14

S. Basilio

dalle Zattere, si passa tra le calli silenziose, si attraversano il ponte dell'Accademia, piazza San Marco e Rialto e si torna alle Zattere per un buffet rinfrescante a base di frutta di stagione.

Scopo dell'iniziativa, neanche a dir-lo, è promuovere uno stile di vita più sano.

**INFO**
Run 5.30 • Fine giugno • Partenza e arrivo alla fondamenta delle Zattere (S. Basilio) • www.run530.it • Costi: 10 € • Fermata vaporetto S. Basilio

**15**

S. Marco

## ▪ La regata delle Repubbliche Marinare

Una manifestazione spettacolare e marinara che rievoca la rivalità tra le quattro città che, nel Medioevo, diedero i natali alle storiche Repubbliche. La prima edizione data ormai al lontano 1954.

Questa competizione annuale viene disputata tra le quattro antiche repubbliche di Amalfi, Genova, Pisa e Venezia, che a turno organizzano la regata a casa propria.

La gara fra le imbarcazioni è preceduta da un grande e spettacolare corteo in costume, che rievoca la storia delle Repubbliche.

Fino a oggi il primato delle vittorie spetta a Venezia, che batte le altre di diverse lunghezze con i suoi 31 trionfi (contro gli 8 di Pisa).

La regata si vede benissimo dalla riva degli Schiavoni, perché parte dai Giardini della Biennale e arriva davanti a Palazzo Ducale. Invece il costo per assistere comodamente dalla tribuna allestita per l'occasione all'arrivo di solito si aggira sui 30 euro.

**INFO**
Palio delle Antiche Repubbliche Marinare • Tra giugno e luglio una volta ogni 4 anni • Punto di osservazione riva degli Schiavoni (S. Marco) • Costo: dalla riva gratis; biglietto tribuna 30 € • www.veneziamarketingeventi.it • Fermata vaporetto S. Zaccaria

**16**

S. Francesco della Vigna

**17**

S. Martin

## ▪ Feste popolari a Castello

A giugno il sestiere di Castello dà il via alle feste estive all'aria aperta.

Nella seconda settimana del mese c'è la festa patronale di sant'Antonio, in campo San Francesco della Vigna: musica dal vivo, spettacoli di danza, carne alla griglia e pesce fritto.

Poi in campo della Bragora si festeggia il solstizio d'estate per tre pomeriggi e serate consecutivi, con degustazioni, spettacoli di burattini e balli pagani propiziatori.

Il mese si chiude in bellezza con una settimana di feste a San Pietro di Castello, a base di grigliate e fritture di pesce.

Insomma, se volete fare un tuffo

Eventi

**18**

S. Pietro

nella Venezia più verace, qui ne avete l'occasione.

**INFO**

Festa di sant'Antonio • Seconda settimana di giugno • Campo San Francesco della Vigna (S. Francesco della Vigna) • Fermata vaporetto Celestia

Festa del solstizio d'estate • 3 giorni intorno al 21 giugno • Campo della Bragora (S. Martin) • Pagina Facebook: Bragora • Fermata vaporetto Arsenale

Festa di san Pietro di Castello • Fine giugno • Campo San Pietro (S. Pietro) • Pagina Facebook: Festadesanpiero • Fermata vaporetto S. Pietro

# Da luglio a settembre

mano ai turisti e dei residenti resta solo chi non può fare diversamente. Risultato: la spiaggia sarà incredibilmente poco affollata e il cinema all'aperto in campo San Polo farà passare qualche serata in compagnia. In attesa, a fine mese, dell'esplosione di mondanità del Festival del cinema.

Luglio è il mese della spiaggia e del Redentore, la festa più amata dai veneziani. Ad agosto invece la città è in

**19**

Redentore

## ▦ Il Redentore

La chiesa del Redentore è un tempio votivo realizzato nel 1577 su progetto del Palladio, in ricordo della fine della terribile pestilenza che nella seconda metà del Cinquecento colpì gran parte dell'Europa, causando nella sola Venezia oltre cinquantamila vittime.

I veneziani festeggiano ancora oggi la fine della peste. Già dal pomeriggio precedente cominciano ad allestire tavoli sulle fondamente che danno sul bacino di San Marco, poi piano piano arrivano centinaia di barche e barconi abbelliti da festoni e lumini colorati, stracarichi di cibi della tradizione (bigoli in salsa, sarde in saor...), angurie e fiumi di prosecco. Si passano così un po' di ore dedicandosi con trasporto a gran mangiate, bevute e risate, attendendo i grandiosi fuochi d'artificio che rischiareranno a giorno il cielo e questo mare di barche.

Chi non ha la barca può assistere dalle rive della Giudecca o delle Zattere, e i più facoltosi dalle terrazze sopraelevate dei grandi alberghi.

Il giorno dopo si va tutti al Redentore attraversando il canale della Giudecca a piedi grazie al ponte di barche, lungo oltre 300 metri, allestito per l'occasione. Da provare!

INFO
Festa del Redentore • Terza domenica di luglio e la sera precedente • Chiesa del Redentore, Giudecca (Redentore) • www.redentorevenezia.it

## ▨ Venezia jazz festival

Seguitissimo appuntamento per appassionati e intenditori perché ospita i grandi protagonisti del jazz internazionale.

I concerti sono a pagamento nei teatri, nei musei (Punta della Dogana e Peggy Guggenheim Collection) e nei grandi alberghi, ma il cartellone prevede anche molti concerti a ingresso libero nei bar e all'aperto.

INFO
Venezia jazz festival • Terza settimana di luglio • 348 3297915, jazz@venetojazz. com • www.venetojazz.com • Costi: biglietti 20/35 €

## ▨ La Regata di Pellestrina

**20**
Pellestrina

Questa regata agostana e pomeridiana è a tutti gli effetti il banco di prova per la più nota e ben diversamente affollata Regata Storica che si tiene a settembre.

Il percorso lungo laguna permette agevolmente di seguirla tutta da terra: infatti di solito si crea una sorta di corteo di biciclette che segue le imbarcazioni e incita i contendenti dalla riva.

Se non avete una bicicletta a portata di mano, trovatevi un buon posto all'arrivo davanti alla chiesa della Madonna dell'Apparizione.

INFO
Regata di Pellestrina • Prima domenica di agosto • www.comune.venezia.it, percorso Turismo/Ufficio regate • Dal Lido autobus linea 11 fermata la Rosa Pellestrina

## ▨ Ferragosto a Portosecco

Luglio-settembre

**21**
Pellestrina

L'ultima festa patronale di Venezia si chiude con la sagra di Santo Stefano a Portosecco, sull'isola di Pellestrina.

È una bella festa popolare alla quale si uniscono felici i visitatori alternativi e bene informati: stand gastronomici, giochi, musica e regate. Un tuffo in un mondo con poche automobili, tante biciclette e incredibili tramonti mozzafiato.

Approfittatene anche per visitare la chiesetta con un bell'organo.

INFO
Sagra di Portosecco • Ferragosto • Sagrato della chiesa di Santo Stefano, Portosecco (Pellestrina) • Dal Lido autobus linea 11, fermata dei Murazzi Portosecco

Lido

## ■ La grande kermesse del cinema

È la settimana più vip dell'anno e inizia già a fine agosto. È tutto un viavai di motoscafi e tacchi alti, gran sfoggio di abbronzature, foulard e cappelli originali, esclamazioni e risatine.

Tutto si svolge al Palazzo del Cinema del Lido di Venezia, un ampio, bianco edificio modernista del 1937 che accoglie la Sala Grande (che ospita più di mille persone), la Sala Zorzi e la Sala Pasinetti.

Le proiezioni più ambite sono le prime visioni con attori e registi che entrano dopo il bagno di folla sul tappeto rosso. Un biglietto per queste occasioni costa circa 45 euro.

Se invece siete cinefili veri potete assistere alle proiezioni mattutine o a quelle del primo pomeriggio, che costano notevolmente meno (dai 14 euro). Un abbonamento a tutti i film proiettati costa circa 70 euro. Il Festival del Cinema è anche l'occasione per vedere un po' di film in lingua originale.

Gli under 26 e gli over 65 possono approfittare di interessanti abbonamenti a tutte le proiezioni degli accreditati (fino a esaurimento posti) per l'intera durata del Festival a 160 euro (la versione da 6 giorni costa 110 euro). Gli studenti universitari italiani e stranieri di tutte le facoltà possono richiedere un accredito Cinema: con 70 euro hanno l'accesso alle proiezioni di tutti i film in programma.

INFO
Mostra Internazionale del Cinema • Prima settimana di settembre • Lido di Venezia • www.labiennale.org • Costi: prime 45 €; matinée dai 14 €; abbonamenti 70/160 € • Fermata vaporetto Lido S.M. Elisabetta

Eventi

## ■ Regata Storica

È un grande evento spettacolare e pittoresco che dura tutto il pomeriggio.

Canal Grande

Un corteo acqueo di barche tradizionali a remi, preparate a festa con tessuti e fiori e condotte da vogatori in costume, sfila per il Canal Grande e apre così il pomeriggio delle appassionanti regate.

Si comincia dai più piccoli sulle maciarelle: la gara è aperta a bambini dai 10 anni in su, ma non credete, sono già agguerritissimi. Poi il pomeriggio si anima fino ad arrivare alle sfide dei grandi campioni del remo. Dalle rive, dalle barche attraccate ai lati del canale e da terrazze e finestre dei palazzi nobiliari una folla faziosa incita i propri beniamini.

L'arrivo è davanti a Ca' Foscari, dove viene allestito per l'occasione un grande palco per le autorità.

**INFO**
Regata Storica • Prima domenica di settembre • Punti di osservazione: dalle rive del Canal Grande, da San Marcuola a Ca' Rezzonico (Canal Grande) • www. regatastoricavenezia.it

## Regata di Burano

Burano

Gli appassionati la considerano la Rivincita della Regata Storica.

La regata femminile si svolge su mascarete a due remi; quella maschile su gondole a due remi.

Il punto migliore per assistere alle gare sono le fondamente. E dopo, tutti a gustare l'ottima frittura di pesce nei banchetti allestiti per l'occasione in piazza Galuppi.

**INFO**
La regata di Burano • Terza domenica di settembre • Punti di osservazione: dalla riva e dal ponte Longo che collega Burano e Mazzorbo • www. isoladiburano.it

### Zoom

### *Giornate europee del patrimonio*

Si celebrano in contemporanea in tutta Europa. In Italia di solito l'evento interessa un fine settimana alla fine di settembre, durante il quale i luoghi della cultura statali (musei, aree archeologiche, archivi e biblioteche), aprono gratuitamente e organizzano incontri, visite guidate, presentazioni, apertura straordinaria di edifici storici.

www.beniculturali.it

## Festival delle Arti

La Giudecca, di solito tanto appartata anche se incredibilmente attiva e viva (il numero di associazioni qui è quasi imbarazzante), in questo fine settimana di metà settembre viene invasa da una folla di curiosi.

Il Festival delle Arti della Giudecca è l'occasione per entrare in remiere,

cantieri, scuole, negozi, campielli nascosti, chiostri, giardini che

Luglio-settembre

Zitelle

accolgono piccoli e grandi eventi: spettacoli di danza e teatro, concerti, manifestazioni sportive, performance di arti visive, installazioni, reading di poesia.

Per i piccoli tanti giochi in campo, burattini e spettacoli di strada.

Un modo gioioso e travolgente di vivere il proprio territorio e stringere nuove amicizie.

**INFO**
Festival delle Arti • Verso la metà di settembre • Giudecca e Sacca Fisola (Zitelle) • www.festivaldelleartigiudecca.org • Fermata vaporetto: Zitelle

## ■ Fiera per la decrescita e la città sostenibile

S. Basilio

Alla metà di settembre e per un lungo fine settimana le Zattere si trasformano in un laboratorio sul futuro sostenibile, rispettoso delle persone e dell'ambiente.

Dibattiti, incontri e spettacoli e tante bancarelle di cose eque, etiche, responsabili e buone. Com'è naturale, qui incontrerete tutti concentrati anche molti protagonisti di questa guida: chi fa i vini in laguna, chi crea vestitini riutilizzando vecchie stoffe, gli artigiani della gondola e gli spacciatori di semi rari. Ce n'è per tutti i gusti.

**INFO**
Fiera per la decrescita e la città sostenibile • A metà settembre • Dalla fondamenta delle Zattere fino al ponte Longo (San Basilio) • www.altrofuturo.net • Fermata vaporetto San Basilio

# Da ottobre a dicembre

È l'autunno che declina verso il freddo invernale. Ottobre, tra castagne e mosto, sprizza gli ultimi fiocchi di allegria. Poi arriva novembre, con le sue nebbie e il pellegrinaggio alla Salute. E infine dicembre, mese dei mercatini di Natale sparsi un po' dovunque, dei negozi aperti anche tutti i fine settimana (più del solito). A Murano, molte fornaci aprono ai visitatori proponendo prezzi davvero convenienti mentre in campo San Polo viene allestita una pista di pattinaggio su ghiaccio e spuntano come funghi i chioschi di specialità gastronomiche.

## ▨ Festa del mosto

Sant'Erasmo

Una saporitissima sagra organizzata da un comitato di produttori agricoli e cittadini dell'isola.

Al mattino il parroco benedice i carri agricoli e sulla riva si allestisce la tradizionale mostra mercato con tutte le primizie locali. Gran mangiate di costicine, salsicce, primi piatti e verdure, vino, birra e... mosto, con dimostrazione della pigiatura.
Nel primo pomeriggio: immancabile regata di equipaggi misti, con partenza dalla Torre Massimiliana e arrivo davanti alla piazza.
Bande musicali per arrivare fino a sera.

INFO
Festa del mosto • Prima domenica di ottobre • Piazza della Chiesa (S. Erasmo) • www.santerasmovenezia.com • Fermata vaporetto S. Erasmo-Chiesa

## ■ La maratona di Venezia

Giardini

È una gara di corsa competitiva – finalmente – sulla distanza classica della maratona (42,195 chilometri) e che vede in media ottomila partecipanti. Il costo di iscrizione è alto, ma anche il montepremi è ragguardevole: diecimila euro al primo arrivato e a scalare altri ricchi premi.

Si parte la mattina dalla bellissima e settecentesca villa Pisani di Stra (vicino a Padova), si corre lungo la Riviera del Brenta e il parco San Giuliano, si arriva al lungo ponte della Libertà e si entra così a Venezia, dove i ponti lungo il percorso vengono predisposti con discese per i disabili motori. Arrivati alla basilica della Salute un ponte di barche permette di attraversare il Canal Grande per raggiungere San Marco, e poi via fino all'arrivo, ai Giardini della Biennale.

Gli agonisti ci impiegano poco più di 2 ore, ma molti gruppetti più rilassati arrivano con calma nel pomeriggio.

INFO
Venice Marathon • Una domenica a fine ottobre • Arrivo ai Giardini della Biennale, riva Sette Martiri (Giardini) • Costi: quota di iscrizione circa 58 € • www.venicemarathon.it

### Zoom

## Il calendario di Venezia sul web

A Venezia ogni anno vengono organizzati più di 2500 eventi tra concerti, mostre, convegni, gare sportive. Ce n'è per tutti i gusti. Moltissimi gratuiti. Se la città fosse un vero parco a tema sarebbe facile ottenere all'entrata un programma completo degli eventi. Ma per orientarvi nella giungla del divertimento veneziano avete a disposizione numerosi siti, magazine e rubriche. Ve ne segnaliamo alcuni.

**www.venezianews.it** > tratta soprattutto eventi legati all'arte, architettura, musica, cinema e teatro, con interessanti approfondimenti. Pubblicano una bella rivista mensile che si trova gratis nei locali affiliati e a 3 € nelle edicole.

**www.veneziadavivere.com** > un po' più leggero e modaiolo del precedente, ma curioso.

**www.carouselloader** > ultimo nato. Promuove soprattutto eventi musicali ma trovate anche qualche suggerimento alternativo di iniziative locali che a volte scappano da altri circuiti.

**www.parcolagunavenezia.it** > qui trovate tutti gli eventi legati alle isole, alla laguna e ai temi di sostenibilità ed ecologia. Potete anche iscrivervi alla newsletter settimanale.

**www.comune.venezia.it** > sulla home page del Comune si trovano spesso iniziative interessanti, soprattutto quelle piccole e gratuite organizzate dalla municipalità che, non sempre promosse adeguatamente, riservano gradite sorprese.

Eventi

## ▨ La festa della Salute

29
Salute

Anche questa festa, come quella del Redentore, ricorda una terribile epidemia: la peste bubbonica del 1630-'31 descritta da Alessandro Manzoni nei *Promessi sposi*. In quell'occasione il Doge pronunciò un voto per ottenere l'intercessione della Vergine e far cessare la pestilenza.

Sono davvero migliaia i veneziani – anche quelli espatriati in terraferma da tempo – che ogni anno, il 21 novembre, arrivano puntuali alla Salute in pellegrinaggio (complice anche la festa cittadina), spesso sfidando la nebbia fitta, e sfilano con lunghe candele davanti all'altare maggiore dell'imponente chiesa, a perpetuare il secolare vincolo di gratitudine che lega la città alla Vergine Maria.

Per tutta la giornata vengono celebrate messe e rosari, con un afflusso continuo di fedeli. Per facilitare il pellegrinaggio viene costruito un grande ponte provvisorio in legno che collega Santa Maria del Giglio con la Punta della Dogana. Proprio dalle parti di Punta della Dogana troverete attraccato un veliero (vedi p. 190) che ospita il medico della peste – rigorosamente in costume – scortato dai bastazi della quarantena, che vigilano sul rispetto delle norme igieniche e purificano l'aria bruciando erbe aromatiche. A seguire viene servita a tutti gli astan-

ti la tradizionale zuppa di Castradina. Nei dintorni della chiesa vengono allestite bancarelle che soddisfano i piccoli pellegrini con caramei (spiedini di frutta caramellata), frittelle ed enormi palloncini colorati che vi creeranno non pochi problemi quando farete ritorno in vaporetto.

INFO
Festa della Salute • 21 novembre • Basilica di Santa Maria della Salute (Salute) • Costi: offerta libera

### Zoom

## Concerti di Natale

Oltre al tradizionale Concerto di Natale che a metà dicembre si tiene nella basilica di San Marco, sono molti gli appuntamenti con la musica classica in questo periodo. Consultate il sito classictic.com: potrete scegliere tra una grande varietà di concerti, opere ed eventi di gala eseguiti in teatrini, sale e altri bellissimi luoghi storici.

www.classictic.com

## ▨ Capodanno in piazza San Marco

Ottobre-dicembre

30
S. Marco

È un'invenzione degli ultimi anni, ma se non vi siete organizzati altrimenti per il count-down potete andare in piazza San Marco.

Dalle 22 fino a ben oltre la mezzanotte, il cuore veneziano per

eccellenza si anima a capodanno di musica, spettacoli e fuochi d'artificio (anche se non spettacolari come quelli per il Redentore).

Negli ultimi anni gli organizzatori hanno sciolto la briglia alla fantasia per trovare un tema diverso a ogni edizione: quella del 2013 celebrava un alternativo white Carnival in un trionfo di lustrini, maschere e pizzi.

**INFO**
Capodanno a Venezia • 31 dicembre • Piazza San Marco (S. Marco) • www. capodannovenezia.it • Fermata S. Zaccaria

# Gite fuori porta

# Murano

Giardini S. Mattia

- Venier
- Da Mula
- Museo
- giardini Navagero
- Navagero
- Serenella
- Faro
- Colonna

1. Museo del Vetro
2. Basilica dei Santi Maria e Donato
3. Chiesa di San Pietro martire
4. Striulli
5. Marina e Susanna Sent
6. Mosaici Donà
7. Ai Vetrai da Adino
8. Serenella
9. La Perla (ai Bisatei)

# Murano

Murano è un'isola (o meglio, come Venezia, un insieme di isole) posta a circa un chilometro d'acqua dalle Fondamente Nove. È famosa per la lavorazione del vetro e, in effetti, da almeno 700 anni qui il vetro è tradizione, cultura, arte e, soprattutto, pane quotidiano. Il momento migliore per visitarla è in settimana, quando le fornaci sono attive.

## Cosa fare

La fermata più vicina da Venezia è Colonna, ma se non volete trovarvi in mezzo ai turisti (e agli «intromettitori», con tanto di badge, che cercheranno di indicarvi le «autentiche» fornaci di Murano) potete anche scendere a una delle fermate successive. Una volta lì fate una passeggiata ed entrate nelle sale vendita di vetro dove fanno dimostrazioni: è l'unico modo per assistere all'imperdibile spettacolo della lavorazione del vetro, e ne vale la pena. I maestri vi stupiranno per l'abilità con la quale danno forma alla pasta vitrea incandescente creando cavallini, delfini, cigni... A seguire potrete lasciare un'offerta o comprare un piccolo oggetto ricordo.

## 1 ■ Il museo

Per capire veramente la bellezza del vetro e conoscere un po' meglio la sua secolare storia muranese, potete partire dal Museo del Vetro.

Qui troverete una sintesi della storia del vetro muranese (e lagunare). La collezione del Museo del Vetro ha preso corpo grazie alle donazioni di aziende, privati e altri musei veneziani; copre un arco di tempo che va dal vetro romano, a quello medievale, al rinascimentale, barocco e neoclassico fino ai grandi nomi contemporanei. Ospita a rotazione anche mostre di collezionisti e artisti, perciò è ogni volta una scoperta. Nel piccolo ma curato bookshop del museo (l'unica libreria dell'isola) trovate diversi volumi di cultura locale, storia del vetro e artisti contemporanei.

Purtroppo molti pezzi importanti sono in magazzino. Speriamo che il previsto ampliamento del museo diventi al più presto realtà.

**INFO**
Museo del Vetro • Fondamenta Giustinian 8 • 041 739586 • www.museovetro.visitmuve.it • 10-18 (d'inverno chiude un'ora prima) • Costi: 8 € (fa parte della Fondazione Musei civici veneziani ed è visitabile con il Museum Pass, vedi pp. 163-164) • Fermata vaporetto Murano Museo

## 2 ■ La basilica

L'isola di Murano è abitata fin da tempi antichi e, grazie soprattutto all'indotto legato alla lavorazione del vetro, è sempre stata piuttosto benestante. Anche per questo qui esiste uno dei più interessanti edifici religiosi della laguna veneta.

Le prime testimonianze della basilica dei Santi Maria e Donato risalgono al X secolo, ma la chiesa si è via via arricchita di interventi nel corso dei secoli. L'abside è completamente rivestito di mosaico vetroso dorato, con al centro una Madonna orante. La cosa forse più spettacolare è il pavimento concluso nel 1141, coevo a quello della basilica di San Marco. Negli anni Settanta fu sottoposto a un impegnativo restauro: venne completamente rimosso per porre una vasca di cemento che lo proteggesse dall'acqua alta, e quindi riposizionato al suo posto. È uno dei pavimenti più antichi di Venezia ed è ricco di tessiture e di intrecci geometrici molto complessi, più qualche curioso elemento figurativo.

**INFO**
Basilica dei Santi Maria e Donato • Campo San Donato • 041 739056 • tutti i giorni 9-18; le visite vengono sospese durante le funzioni religiose • Costi: offerta libera • Fermata vaporetto Murano Museo

Gite
fuori porta

## ■ Una chiesa poco conosciuta

3

Sulla fondamenta dei Vetrai, proprio davanti a campo Santo Stefano, c'è una chiesa che rischierete di non notare, ma che invece conserva qualche bel tesoro.

La chiesa di San Pietro martire è la seconda chiesa di Murano quanto a importanza. Non ha la bellezza della basilica, ma all'interno conserva una bella Madonna in trono di Giovanni Bellini del 1488, più altri tesori. Fate un salto anche a visitare la sagrestia e il piccolo museo, dove troverete oggetti votivi popolari (anche in vetro) e altre curiosità, come una bacheca con teschietti e ossa, in bell'ordine e catalogati con cartigli descrittivi: *crania fracta*, *cutis exsiccata* e altre squisitezze.

**INFO**
Chiesa di S. Pietro martire • Campiello Michieli 3 • 041 739704 • 9-16 (il martedì, giovedì e sabato chiude alle 18); durante le messe le visite sono sospese • Costi: museo offerta 1,50 €, entrata libera alla chiesa • Fermata vaporetto Murano Da Mula

---

### *Zoom*

### *I mercatini del vetro*

In alcuni periodi dell'anno (di solito prima di Pasqua e Natale) molte aziende muranesi organizzano i mercatini, cioè aprono le porte delle fornaci ai visitatori e vendono pezzi fuori produzione, campionari o prototipi. Approfittatene, oltre che per i prezzi convenienti e la certezza di acquistare originali vetri muranesi, anche per sbirciare l'interno di una vera fabbrica del vetro.

---

## ■ Acquisti importanti

4

Se siete alla ricerca di un regalo importante (un servizio di bicchieri, un lampadario, un'opera in vetro...) è fondamentale venire a Murano quando le fornaci sono aperte. Passando direttamente dal produttore non solo scoprirete persone straordinarie appassionate del proprio lavoro, ma potrete anche risparmiare parecchio (fino al 70%) e avere la certezza di acquistare un prodotto originale.

I servizi di bicchieri (aperti a caldo, quindi non tagliati a freddo con macchinari appositi) del maestro Alberto Striulli sono tra i più belli di Murano. Particolarmente apprezzati quelli a forma esagonale, leggerissi-

Murano

229

mi e con bordino colorato: il maestro è un vero campione di abilità e velocità. Specialità di Striulli sono anche i lampadari: si va dai ricchi Ca' Rezzonico ai modelli anni Venti, fino a quelli in vetro cristallino e fiori colorati, tutti molto dettagliati e modellati da lui personalmente pezzo per pezzo.

**INFO**
Striulli • Fondamenta S. Giovanni dei Battuti 10 • 041 736263 • www.striulli-vetriarte.it • Preferibilmente su appuntamento 9-12 e 12.30-16; chiuso sabato e domenica • Costi: bicchieri esagonali 22 € al pezzo, calice da collezione 70/100 € • Fermata vaporetto Faro

## 5 ■ Le creazioni di Marina e Susanna

Non poteva che essere uno spazio total white la cornice ideale per ospitare i gioielli in vetro di Marina e Susanna Sent.

Dalla ristrutturazione di una cavana (un ricovero per barche) è nato un luminosissimo open space che si affaccia sulla laguna. Qui potete adocchiare il pezzo più giusto per voi o per un regalo tra le originali creazioni in mostra, che spaziano dal gusto minimal ai colori più accesi: collane, bracciali e spille in vetro, nate da accostamenti non banali di materiali come gomma, acciaio, legno e carta. Lo showroom propone anche oggetti: sculture in vetro, ciotole, piatti e foulard, essenziali e lineari in sintonia con lo stile dei gioielli.

**INFO**
Marina e Susanna Sent • Fondamenta Serenella 20 • 041 5274665 • www.marinaesusannasent.com • 10-17, chiuso sabato e domenica • Collane 30/200 € • Fermata vaporetto Colonna

### *Zoom*

#### *A scuola dai maestri del vetro a lume*

A Murano alcuni maestri di quest'arte organizzano corsi intensivi (anche di soli 3 giorni) per gruppi da 6 persone, professionisti o principianti. In poco tempo si possono riuscire a realizzare piccoli oggetti, perle o addirittura i primi gioielli. Ogni partecipante a questi minicorsi ha a disposizione una postazione con piano di lavoro e cannello, gli strumenti necessari (aghi d'acciaio, occhiali di protezione, pinze per modellare il vetro ecc.) e un arcobaleno di bacchette di vetro. I costi sono intorno ai 150 € al giorno, materiale incluso Ai tempi della Serenissima, chi rivelava ai foresti (ovvero ai non veneziani) i segreti della propria arte rischiava la testa. Oggi invece è un proliferare di corsi. Approfittatene!

www.davidepenso.it, www.luciobubacco.com

## ▦ Veri smalti artigianali per mosaico

A Venezia l'arte del mosaico è sempre stata molto frequentata; ma come si realizza il mosaico vetroso?

La pasta di vetro viene fusa e pressata in modo da ottenere una piastra di spessore uniforme; poi viene tagliata in liste e in tessere. Nel caso del mosaico d'oro si sovrappone una foglia d'oro su dei supioni, palloni di vetro cristallino soffiato. Questi vengono tagliati a pezzi e sovrapposti a caldo sulla lastra di vetro vera e propria, in modo che i tre strati si fondano e la foglia risulti protetta verso l'esterno dal vetro cristallino. Se questa spiegazione non vi basta e volete imparare davvero, esistono anche dei corsi ad hoc (vedi p. 172).

Stefano Donà produce mosaici con metodi completamente artigianali (compreso il taglio delle tessere). Solo così riesce ad accontentare gli esigentissimi restauratori di mosaici antichi, per i quali arriva a produrre smalti in ventimila differenti tonalità (in pronta consegna ne trovate sempre almeno 500). I mosaici di Stefano sono di tipo normale, trasparente, poroso o d'oro (in 48 carati). Gli spessori e i tagli delle tessere sono di diverse misure a seconda della necessità.

In fondamenta Manin si trova la vendita al minuto (con gli stessi prezzi della fabbrica), anche per piccole quantità, con attrezzature per il taglio delle tessere, colla e supporti.

**INFO**
Mosaici Donà Murano • Fondamenta Manin 86, 041 5274561 • www.mosaicidonamurano.com • 10.45-17.30 • Costi al chilo: smalti 28/40 €, ori 140 €, bacchettine per micromosaico 190 € • Fermata vaporetto Faro

---

# Dove mangiare

Soprattutto nel fine settimana i ristoranti e i bar di Murano sono affollati e i locali più sostenibili economicamente (cioè quelli frequentati dai lavoratori) sono chiusi. Perciò se capitate di qui nel weekend, optate per qualche panino e approfittate degli accoglienti giardini presenti sull'isola.

## ▦ Una classica trattoria di pesce

A Murano non può non esserci almeno un ristorante con un nome che richiama l'arte del vetro. E infatti eccolo qui.

Murano

Ai Vetrai è uno dei pochissimi ristoranti aperti anche nelle sere invernali, quando da Murano scappano tutti, che siano turisti o lavoratori pendolari. Prediletto da molti indigeni e storici imprenditori vetrai (che pranzano rigorosamente all'interno), ha qualche piacevole tavolino in fondamenta, sul rio dei Vetrai, naturalmente.

Offre un tradizionale menu di pesce, dall'antipasto misto con canoce, folpéti, latti di seppia, baccalà mantecato, fino ai risotti e alla frittura mista. Ottima la zuppa di pesce. Potete accordarvi prima con Adino per un menu ad hoc a prezzo concordato sui 30 euro. Ne uscirete soddisfatti.

**INFO**
Ai Vetrai da Adino • Fondamenta Manin 29 • 041 739293 • 9-22; chiuso venerdì sera e domenica sera • Costi: antipasto misto 12 €, primi 7/16 €, frittura 10/16 € • Fermata vaporetto Colonna

**Zoom**

## I giardini pubblici

Murano ha due giardini dove potrete riposare un po' sotto gli alberi e magari fare uno spuntino al sacco, dopo aver camminato tutto il giorno. I giardini Navagero sono vicini alla fermata omonima; sono particolarmente adatti per famiglie con bambini piccoli perché sono attrezzati con scivoli e giochi e hanno una sola uscita facilmente controllabile.

A qualche minuto a piedi dalla fermata Venier trovate invece i giardini San Mattia, più grandi e attrezzati con molti tavoli, altalene e scivoli. C'è anche molto spazio per correre e passeggiare.

**8** ■ **Pausa pranzo con gli operai**

Questa è un'area bonificata di recente (Sacca Serenella), dove trovate solo vetrerie e cantieristica, oltre a questa onesta trattoria.

Per arrivarci armatevi di una buona mappa o semplicemente scendete alla fermata del vaporetto Serenella; qui troverete un bel prato e in fondo la trattoria Serenella. Pittau sfama ogni giorno le decine di operai che lavorano in zona con sostanziosi ed economici piatti casalinghi: pastasciutte, arrosti, cotolette. Ma anche piatti tradizionali come il baccalà, il fegato alla veneziana e le seppie in nero, oltre a grigliate miste di pesce. Propone un ampio ventaglio di menu convenienti dai 14 ai 25 euro. Se si è in tanti (prenotando per tempo) possono accendere il caminetto a legna per cucinare alla brace pesce, selvaggina di laguna o di terra.

INFO
Serenella • Sacca Serenella 54 • 041 5275238, 348 7696695 • Aperto solo a pranzo, chiuso la domenica, ma apre su prenotazione • Costi: menu completo 14/25 € • Fermata vaporetto Serenella

## ▥ **Osteria con cucina**  ⑨

Appena fuori dai flussi turistici, questa simpatica osteria vi offre un angolo di autentica veracità muranese.

La Perla è il rifugio per la pausa pranzo di molti muranesi doc. Il menu prevede pastasciutte con vongole, cozze o all'amatriciana, bistecche, verdure di stagione. Solo fino a mezzodì potete trovare i classici cicheti al banco (folpéti, polpette, spiedini di gamberetti lessi). Nei giorni feriali, se arrivate alle 12.10 precise, esce giusto giusto il risotto. Sempre che ne avanzi, perché la precedenza viene data (giustamente) agli affamati operai delle fornaci della zona.

INFO
La Perla (ai Bisatei) • 041 739528 • Campo San Bernardo 6, Murano • 10-16 • Costi: primi 5/9 €, secondi 7/10 €, contorni 3 € • Fermata vaporetto Museo

Murano

**Venezia**

S. Nicolò

**①**
**②**

**③**

S. Maria Elisabetta

**⑤**
**⑥**

**④**

**Lido di Venezia**

Malamocco

**⑦**

Alberoni

**⑧**

S.M. del mare

**⑨**

S. Pietro in volta

**Pellestrina**

Portosecco

Pellestrina

| 1. | Planetario |
| 2. | Stabilimento Venezia spiagge |
| 3. | Beerbante |
| 4. | Bar Trento |
| 5. | Al Mercà |
| 6. | Al Pecador |
| 7. | Bagni Alberoni |
| 8. | Chiosco della spiaggia libera Alberoni |
| 9. | Azienda agricola Le Valli |
| 10. | Visca |
| 11. | Oasi di Caroman |

**⑩**

Caroman

**⑪**

Gite
fuori porta

**Chioggia**

# Lido
# e Pellestrina

La laguna di Venezia è divisa dal mare aperto da diversi lidi che, proteggendola dalle onde, fanno di lei quell'ambiente anfibio che è. Questi lidi sono il Lido (appunto) e Pellestrina, due lingue di terra lunghe e sottili (soprattutto Pellestrina) che, in quanto isole, risentono meno della riviera adriatica del tipico affollamento da fine settimana: i ferryboat costano e bisogna aspettarli. Quindi ecco perché, anche in agosto, qui si può passare qualche bella domenica in spiaggia lontani dalla calca.

In entrambe le isole circolano le auto: poche, ma ci sono, perciò guardate, quando attraversate la strada! La percentuale di incidenti per abitante è altissima...

## Il Lido

È un bel posto: grandi viali con pini marittimi, poco traffico, giardini rigogliosi, campi da tennis e da golf, piste ciclabili, equitazione, bar e ristoranti. Aria di vacanza. Senza contare la settimana del Festival del Cinema, che porta il Lido al centro della scena internazionale.

L'isola è piuttosto lunga, per cui è bello avere una bici per visitarla o per andare in spiaggia dove c'è meno gente. A piazzale Santa Maria Elisabetta (dove probabilmente atterrerete con il battello) potete trovare più di una soluzione per affittarne una, poi in giro per i viali.

Se avete ragazzini al seguito e non avete intenzione di fare chilometri, la soluzione migliore è puntare a nord e optare per la spiaggia di San Nicolò, economica e strutturata: bastano tre fermate di autobus.

Se invece volete fare una bella gita pedalate lungo tutta l'isola fino agli Alberoni o, per i più allenati, fino a Pellestrina (attraversando una delle bocche di porto con il ferryboat). Nel primo tratto vi troverete a girovagare tra le villette, poi imboccherete la strada panoramica sul lato lagunare dell'isola: la vista è mozzafiato! Dominerete la laguna da San Marco alla Giudecca e giù in fondo fino a Porto Marghera, senza contare le isole minori: San Lazzaro, San Clemente, Lazzaretto vecchio... Lungo il tragitto ci sono strategiche pachine da contemplazione o da panino. Dopo circa 3 km conviene passare al lungomare, percorrendo il sentiero rialzato che costeggia i murazzi. Poi, finalmente, un po' di riposo sulla spiaggia degli Alberoni, che arriva fino alla lunga diga della bocca di porto.

**1** ■ **A riveder le stelle**

Qui si può guardare la volta celeste senza inquinamento luminoso e senza nuvole. Dove siamo? Al planetario!

Grazie all'associazione Astrofili veneziani e a un'apparecchiatura che proietta su uno schermo emisferico di 8,20 metri di diametro le più svariate simulazioni astronomiche, possiamo seguire gli spostamenti apparenti dei pianeti e della luna sulla sfera celeste; il movimento diurno e il cielo alle varie latitudini; il sorgere e il tramontare degli astri in qualsiasi parte della Terra, dal polo nord all'equatore e in ogni stagione; addirittura i moti secolari e millenari, ad esempio la migrazione del polo celeste, come in un viaggio nel tempo. La chiacchierata dura poco più di un'ora e nella bella stagione può proseguire anche la sera, con un'osservazione guidata al telescopio verso il cielo, quello vero. Appassionante per grandi e piccoli.

**INFO**
Planetario • Lungomare D'Annunzio (parco pubblico ex Luna Park), Lido • 338 874 9717 • www.astrovenezia.net • Domenica alle 16 (d'estate più radi, vedi sito internet) • I gruppi (minimo 25 max 60) possono prenotare lezioni specifiche, offerta libera • Autobus linea B

## ■ Facciamo un tuffo

👫 ●

**2**

La spiaggia del Lido è tipicamente adriatica: larghissima e di sabbia chiara. Per raggiungere un fondale di almeno due metri dovete nuotare (camminare) un bel po'. Insomma: ideale per i bambini.

Però non aspettatevi foreste di ombrelloni e sdraio. Qui regnano le capanne: la spiaggia, a eccezione delle zone libere, è data in concessione a diversi alberghi e società che ne assicurano la pulizia, la gestione delle docce e delle capanne (cioè le cabine, di diverse dimensioni e forme) da utilizzare come spogliatoio, ma che diventano quasi delle casette. Ci sono i più esclusivi e costosi Des Bains ed Excelsior, dove una capanna in prima fila può costare fino a 150 euro al giorno, o i più abbordabili Venezia spiagge (San Nicolò e zona A) dove con 20 euro riusciamo a entrare con tutta la famiglia. E se vi siete scordati il telo da mare, con una modica cifra potete affittare pure quello. Signori in divisa bianca si aggirano nel lungomare per assicurare l'ordine e il rispetto del regolamento: il tutto conferisce allo scenario un gradevole stile anni Trenta.

**INFO**
Stabilimento Venezia spiagge • San Nicolò, Lido • 041 5261346 • www.veneziaspiagge.it • 9-19 (da giugno a settembre) • Costi: un lettino con ombrellone o un camerino 19/28 € al giorno (noleggio asciugamano 2,50 €) • Autobus linea B

## I murazzi

Sono un lungo tratto di costa fatto di grandi pietroni, messi lì apposta dai veneziani per fronteggiare le mareggiate. Non sempre sono bastati allo scopo – come durante la famosa mareggiata del 1966 – ma di solito compiono il loro dovere.

I murazzi sono frequentati da chi fugge dai bambini piagnucolosi delle spiagge e ama stare tranquillo a leggere. Certo, meglio portarsi un morbido materassino: i pietroni sono belli duri.

**3** ■ **Carne e pesce alla brace**

Chissà perché dopo esser stati tutto il giorno arrostiti dal sole, la sera a cena viene voglia di carne o pesce alla brace.

Beerbante è un ristorantone con un nome creativo e prezzi modici. È perfetto per chi è stufo di pizza e ha voglia di una bella mangiata di carne o pesce alla brace. Tanti tavoli quasi in spiaggia, è facile trovare posto anche per famiglie, gruppi numerosi o anche per coppiette che non sono in vena di intimità.

Per questo semmai basterà una passeggiata sulla spiaggia.

**INFO**
Beerbante • piazzale Ravà 12, Lido • 041 5262550 • Chiuso il lunedì (in inverno chiuso la sera dal lunedì al giovedì) • Costi: grigliata mista 16 €, primi piatti 10 €, birra 3 € • Autobus linea B

**4** ■ **Trattoria casalinga**

Dopo una passeggiata al tramonto sulla riva (lato laguna) ad ammirare il panorama e le isole minori della laguna sud con Venezia lì in fondo, fermatevi a mangiare qualcosa in questa osteria.

Il Bar Trento è un'osteria autenticamente popolare, con un bancone che a tutte le ore dispensa baccalà, folpéti, bovoléti, muséto, seppioline, nervéti con cipolla. Se invece volete un piatto espresso, dovete venire all'ora di pranzo, quando la cucina

è aperta: accomodatevi sotto le fresche frasche e godetevi un sostanzioso pranzo da lavoratori affamati.

**INFO**
Bar Trento • Via Sandro Gallo 82/a, Lido • 041 5265960 • 7-21 (in esta-

te fino alle 23); chiuso la domenica (durante il Festival del Cinema sempre aperto) • Costi: menu fisso carne 16 €, pesce 22 €, spaghetti con vongole 12,50 €, seppie nere con polenta 18 € • Autobus linea B

## Osteria di qualità

Negli ultimi anni anche al Lido si è alzato di molto il livello dell'offerta di vini di qualità. E anche se ovviamente i prezzi non possono essere contenutisssimi, almeno un aperitivo concedetevelo!

In passeggiata di ritorno da una giornata in spiaggia un prosecchino fresco è quel che ci vuole, magari in una enoteca-osteria pittoresca a due passi dal Gran Viale, con tanti tavolini all'aperto e sotto una struttura un tempo adibita a mercato. Il bancone esterno è sempre affollato ed è divertente ciacolare con gli altri avventori. I prezzi non sono economici ma la qualità è alta. Bella selezione di vini al bicchiere nonché un piccolo menu di pesce direttamente dal mercato, oltre a un ricchissimo banco di folpéti, insalata di polipo, gamberoni, schìe, baccalà... fantastico!

**INFO**
Al Mercà • Via Enrico Dandolo 17/a, Lido • 041 2431663 • 10.30-14.30 e 18-23; chiuso il lunedì • Costi: cicheto 1,50 €, prosecco 2,50 €, primi 12 €, frittura mista 20 € • Fermata vaporetto S.M. Elisabetta

## I panini del double-decker

Ma cosa ci fa un tipico autobus inglese a due piani sotto gli alberi del Gran Viale? È la più amata paninoteca del Lido, per la grande varietà, la qualità e per i prezzi contenuti.

Il menu vale una lettura approfondita e una foto ricordo. I panini hanno nomi fantasiosi: Te spiego (pancetta, brie, uovo alla piastra, rucola, salsa rosa), Kevà (piadina con pollo tzatziki, pomodoro, cipolla, lattuga) Bombarda (hamburger, formaggio, pomodoro, lattuga, uovo alla piastra, cipolla, salsa rosa). Per i più piccoli fanno anche un panino dolce con la nutella. Una volta conquistati il mega sandwich e la birretta ci si può sedere ai bordi delle aiuole a chiacchierare o buttarsi nei vicini giardini pubblici, provvisti anche di tavoli picnic. All'ora di punta c'è un po' di coda.

**INFO**
Al Pecador • Viale Gabriele D'Annunzio (davanti al Planetario) • 347 8169390 • 11-02 • Costi: panini 4,50/5,50 €, birra in bottiglia 3 €, patate fritte 3 €, ambrogino con Nutella 1,50 € • Autobus linea B

Lido-Pellestrina

## 7 ■ Comodi comodi

Se ve la sentite di fare qualche fermata di autobus (20 minuti da Santa Maria Elisabetta) quasi sulla punta del Lido, cioè agli Alberoni, trovate uno stabilimento balneare di quelli che andavano quando eravate piccoli...

I Bagni Alberoni sono l'ultimo stabilimento balneare del Lido, economico ma attrezzatissimo. Qui trovate una cinquantina di ombrelloni e tutta la spiaggia per voi, con i tipici comfort dello stabilimento balneare organizzato: docce calde, spogliatoi, lettini. C'è anche un chiosco che fa ottimi spritz. Quando invece arriva la fame, sia a pranzo che a cena, al ristorante trovate buone pizze e un conveniente menu di pesce. Poi però ascoltate la mamma e aspettate a fare il bagno.

INFO
Bagni Alberoni • Strada nuova dei Bagni 26, Alberoni, Lido • 041 731029; ristorante 041 5265688 • bagnialberoni.com • 9-19 • Costi: ombrellone 8 €, sdraio 5 €, menu di pesce 30 € • Capolinea Alberoni Autobus linea B

---

**Zoom**

### L'oasi degli Alberoni

L'area degli Alberoni sul lato del mare aperto, fatta di una pineta e dune di sabbia, è un'oasi WWF. Qui, oltre a una bella tranquillità, potete trovare alcune specie di uccelli molto particolari, come il fratino, che nidifica in mezzo alla sabbia, e il fraticello che caccia i pesciolini sul mare antistante. Durante le migrazioni si può avvistare la beccaccia di mare: la riconoscete dal fiammante becco rosso.

Il WWF organizza regolarmente visite guidate anche serali alla scoperta di tartarughe, rapaci notturni e pipistrelli. Wow!

www.dunealberoni.it.

---

## 8 ■ Fricchettoni agli Alberoni

Cammina cammina sulla riva del mare, siete arrivati alla fine dell'isola del Lido. Un ultimo tuffo e poi raggiungete quella capanna che vedete laggiù, appena prima della diga.

Questo locale è poco più di una capanna ed è il paradiso dei nostalgici dei mari incontaminati. Un posto da fricchettoni, come si diceva un tempo. Elisa l'ha preso in gestione da poco ma ha le idee molto chiare: massima sostenibilità e rispetto della natura. Perciò niente plastica, gelati confezionati, merendine e patatine. Qui trovate buonissimi toast, birra italiana, yogurt con frutta fresca, latte di mandorle, limonata vera e granite alla frutta. A pranzo pastasciutte con un gustoso sugo rosso di pesce o cous cous di verdure oppure una buona pasta fredda (trafilata al bronzo) con pomodorini, tonno e mozzarella di bufala.

Se dopo la mangiata volete farvi una meritata siesta, hanno anche qualche lettino e ombrellone da affittare a prezzi modici.

INFO
Chiosco della spiaggia libera Alberoni • 340 337 4405 • 8-20 (aperto solo in estate) • Costi: primi 12 €, cous cous di verdure 9 €, birra 3,50 €, gettone doccia 1 €, ombrellone 8 €, lettino 5 € • Capolinea Alberoni Autobus linea B

# Pellestrina

All'isola di Pellestrina ci si arriva dal Lido oppure da Chioggia. In entrambi i casi è necessario il ferryboat, che fa la spola ogni venti minuti (il tragitto dura cinque minuti), a meno che anche voi, come molti che arrivano fin qua, non disponiate di una barca.
L'isola è ancora più sottile del Lido: in alcuni punti consiste di una strada che divide la laguna dal mare. È facile immaginare quale disastro possa aver subìto questo fragile territorio durante la spaventosa mareggiata del novembre 1966... A difesa della costa, lungo gli storici murazzi in pietra d'Istria, troviamo l'unico esempio in Italia di arenile creato interamente dall'uomo, anche se ai nostri occhi sembra una bellissima spiaggia deserta e selvaggia. I minuscoli paesini (San Pietro in Volta, Portosecco e Pellestrina) sono molto caratteristici con le loro le chiesette, i palazzetti e le case cinque-secentesche. Incontrerete svariati ristorantini e osterie, ma i migliori sono spesso utilizzati per battesimi e cresime e, di conseguenza, hanno ormai prezzi proibitivi. Suggeriamo allora un posticino più defilato.

## 9 ■ Pesce appena pescato a Pellestrina

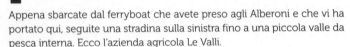

Appena sbarcate dal ferryboat che avete preso agli Alberoni e che vi ha portato qui, seguite una stradina sulla sinistra fino a una piccola valle da pesca interna. Ecco l'azienda agricola Le Valli.

Fantastico. Da Alessandra possiamo farci una vera mangiata di pesce fresco senza essere spennati. Nel suo casone, adibito a trattoria con molti tavoli all'esterno sotto la pergola, propone un menu con vongole, cozze, orate, tutte allevate in casa, così come le verdure sono di produzione propria: insalate, melanzane, zucchine, pomodori.

Si aggiungono anche ottime seppioline e altro pescato della zona.

**INFO**
Azienda agricola Le Valli • Strada comunale dei Murazzi 1, Pellestrina • 041 5279189 • A pranzo e a cena (aperto solo d'estate) • Costi: antipasti 14 €, primi 10 €, frittura 12 €, grigliata mista 14 € • Autobus linea 11, Fermata Ferryboat S. Piero in volta

## 10 ■ In bici a Pellestrina

Il modo più sportivo di visitare Pellestrina è arrivarci su due ruote dal Lido. Ma se non ve la sentite...

Il tragitto dal Lido fino a qui è lunghetto, se ripiegate su mezzi alternativi non sarà un disonore! Vale comunque la pena visitare questa particolarissima isola: potete arrivate a Pellestrina in autobus (circa 35 minuti da Santa Maria Elisabetta, compreso ferryboat) e poi, proprio all'imbarcadero per Chioggia, trovate Visca, un distributore di benzina tuttofare dove affittano anche

biciclette. Così potrete farvi una pedalata sul posto, godendovi l'aria sulla faccia. Comodo!

**INFO**
Visca • Sestiere Busetti 1, Pellestrina • 041 967591, 331 4529402 • 7.30-12.30 e 14.30-19 (domenica e festivi apre alle 9) • Costi: noleggio bici per 1 giorno 10 €, mezza giornata 6 €, per i bambini sconto 50% (è preferibile prenotare) • Autobus linea 11

## 11 ■ L'oasi di Caroman

Al limitare sud dell'isola di Pellestrina, a Caroman, troverete un'altra oasi naturalistica, più grande di quella degli Alberoni. Vale una visita.

Grazie al suo relativo isolamento l'oasi di Caroman conserva un ambiente eccezionale fatto di dune, pineta e spiaggia che richiama una straordinaria ricchezza faunistica: più di 170 specie transitano da qui durante le migrazioni (martin pescatore, gabbiano reale, succiacapre, assiolo, gruccione, sparviero, svasso, smergo, occhiocotto, zigolo...). Anche il fratino e il fraticello, quasi spariti all'inizio del secolo, stanno registrando oggi, grazie alle misure di protezione messe in atto dalla Lipu, una lenta ma costante crescita. Proprio la Lipu organizza nell'oasi visite di educazione ambientale, birdwatching, fotografia naturalistica, anche per piccoli gruppi e per le scuole. Sono sempre in cerca di volontari per tenere pulita la spiaggia, perciò se volete passare una giornata utile, contattateli.

**INFO**
Oasi di Caroman • Estremità sud di Pellestrina, di fronte a Chioggia • oasi. caroman@lipu.it • www.lipuvenezia.it • Autobus linea 11

Torcello
Burano
Mazzorbo
Punta Vela
Sant'Erasmo
Chiesa
Murano
Lazzaretto Nuovo
Capannone
Cimitero
S. Michele
Vignole
Venezia
Certosa
Punta Sabbio
Lido di Venezia

Gite fuori porta

# Isole della laguna nord

La laguna di Venezia, con i suoi 550 chilometri quadrati di superficie, è la più grande laguna del Mediterraneo. Molte delle isole, che erano popolatissime e floride alla fine del Medioevo, furono poi progressivamente abbandonate e, in parte, inghiottite dall'acqua. Però, ancora oggi, tra grandi e minuscole ne esistono circa quaranta all'interno della laguna, alcune popolate e attive, altre in stato di parziale abbandono. Qui vi raccontiamo quelle raggiungibili con i mezzi pubblici.

## Isola di San Michele

È la prima isola che si incontra a nord delle Fondamente Nove.

### ▨ Il cimitero monumentale

L'intera superficie, a parte l'elegante chiesa rinascimentale di San Michele e il convento, è occupata dal cimitero monumentale, diviso nelle aree cattolica, ortodossa, evangelica e israelitica.

Sono sepolti qui molti personaggi illustri tra cui Josif Brodskij, Sergej Djagilev, Luigi Nono, Ezra Pound, Igor' Stravinskij, Emilio Vedova. È sicuramente un'emozione particolare arrivare qui in battello e poi passeggiare nel silenzio di questo labirinto di vialetti, tra sepolcri e mausolei. L'ultimo ampliamento a nord-est è stato progettato da David Chipperfield.

**INFO**
Cimitero di San Michele in isola • 041 7292811 • 7.30-18 (da ottobre a marzo chiude alle 16) • Fermata vaporetto Cimitero

---

*Zoom*

## *Le vigne ritrovate*

Nel chiostro dei frati, dietro la chiesa di San Michele, trovano spazio le botti di un'associazione che si occupa della conservazione e valorizzazione delle vigne lagunari. Sono un gruppo molto eterogeneo: studiosi, ristoratori, enotecnici, ma anche tantissimi appassionati bevitori e basta. Recuperano l'uva dalle vigne sparse in tutta la città presso conventi, orti, case di riposo e poi vinificano con sistemi naturali. I soci si occupano in prima persona del recupero delle vigne abbandonate, identificando il vitigno e attivando un vero e proprio censimento e coordinamento al fine di promuovere e migliorare le piccole produzioni.

Insomma, se non avete mai provato l'ebbrezza di pigiare l'uva a piedi nudi questa è la vostra occasione.

Pagina Facebook: Laguna nel bicchiere

---

## ◼ Spargete le mie ceneri nella laguna

Si parla tanto di vivere in modo bio e sostenibile. Parrà forse macabro, ma anche morire allo stesso modo si può, bisogna però organizzarsi per tempo. Dopo esserci occupati della donazione di organi, potremmo decidere di optare per la cremazione. E, a Venezia, avremmo una marcia in più.

Da qualche tempo un'impresa funebre veneziana ha introdotto una innovazione interessante nel processo della cremazione: invece di utilizzare le costose e poco ecologiche bare in legno massiccio, hanno progettato una bara in cartone rivestito e sigillato in cellulosa. E, per dopo la cremazione, a chi non gradisce l'idea di ritrovarsi dentro un'urna viene proposta l'opzione più romantica di disperdere le ceneri in mare. Anche se in Italia le normative sono molto complesse, a Venezia è possibile scegliere fra tre luoghi di dispersione, uno più suggestivo dell'altro: nel Bosco di Mestre, nell'Adriatico a 700 metri dalla costa oppure proprio qui, sull'isola di San Michele.

**INFO**
Pagliarin • Cannaregio 6145, calle Giacinto Gallina (Ss. Giovanni e Paolo) • 041 5223070 • www.impresapagliarin.com • bara ecologica circa 600 € • Fermata vaporetto Ospedale

# Isola della Certosa

Come altre isole della laguna veneta, anche l'isola della Certosa ha una lunga storia di insediamenti religiosi, abbandoni, ritorni, presidi militari e quant'altro. Grazie all'azione congiunta di comitati cittadini e del Comune di Venezia, oggi l'isola è stata recuperata. I suoi 22 ettari, quasi interamente coperti da boschetti di pioppi, frassini e altre specie arboree anche da frutto, sono un vero e proprio parco, ideale per una passeggiata naturalistica.

Nella parte sud dell'isola (dove si sbarca dal vaporetto: fermata Certosa a richiesta) troviamo invece un grande cantiere nautico con darsena, bar, ristorante e piccola foresteria (camera doppia 90 euro).

## Un ristorante

Ha tutta l'aria di uno yacht club, dato l'andirivieni dei velisti che qui tengono le loro barche.

Il Certosino è un curato ristorantino con tanto spazio esterno in mezzo al verde, ideale per mangiare un boccone sotto i grandi ombrelloni bianchi, dimenticando gli stretti spazi veneziani. La proposta del menu va dalla polentina con le schie, spaghetti allo scoglio, pesce ai ferri fino a costate e tartare di carne. Per finire: dolci fatti in casa. Nei giorni feriali potete approfittare anche voi del menu a 10 euro riservato ai lavoratori dei vicini cantieri, ma dovete arrivare a mezzogiorno in punto.

> ## Zoom
> ### *Birdwatching e molto altro*
>
> La Limosa è un gruppo ben organizzato di guide ambientali che da oltre vent'anni propone stimolanti escursioni naturalistiche. Vi porteranno nei posti più sperduti della laguna per un'immersione straordinaria in questa natura sempre in bilico tra terra e acqua: un ecosistema ricchissimo di avifauna in ogni stagione.
>
> www.limosa.it

**INFO**
Ristorante il Certosino • Isola della Certosa • 041 5200035 • www.ristoranteil-certosino.com • 12-14.30 e 19-22; chiuso il mercoledì (d'inverno sempre chiuso la sera) • Costi: antipasti 12 €, primi 12 €, secondi 19 €, contorni 4 €, dolce 6 € • Fermata vaporetto Certosa

## 2 ◼ In kayak per i canali

A Venezia, nei secoli, si è sviluppata una particolare tecnica di voga (la «voga veneta»), ma non è detto che per andare in giro in laguna dobbiate per forza essere così filologici.

Il simpatico René, danese trapiantato in laguna, propone tour guidati in kayak lungo i rii e i canali di Venezia (piccola nota: i canali sono quelli più larghi, i rii tutti gli altri). Si parte dall'isola della Certosa e si voga per circa 4 ore. Ma non abbandonate per nessun motivo il gruppo! La viabilità acquea non è una passeggiata: ha delle regole severissime, molte delle quali non scritte. Non vorrete mica essere rimproverati dai severissimi gondolieri!

**INFO**
Venice Kayak • Isola della Certosa • 346 477 1327 • www.venicekayak.com • Costi: 90 € a persona per 4 ore • Fermata vaporetto Certosa

# Isola delle Vignole

È un'isola a vocazione agricola: non ha strade, ma solo sentieri in mezzo ai campi. È abitata da una quarantina di persone in tutto, che si godono l'atmosfera solitaria e non si lamentano di dover prendere il vaporetto anche solo per andare a comprare il dentifricio. È la meta preferita dai barchini e di chi va a vogare senza troppe pretese agonistiche. Si viene qui soprattutto per mangiare nelle due trattorie o per andare a visitare amici che hanno fatto scelte di vita alternative.

Se siete in barca, potete raggiungere a sud dell'isola il Forte di Sant'Andrea, capolavoro dell'architettura militare cinquecentesca, oggi in gravissimo stato di abbandono.

## 3 ◼ L'agriturismo

Le Vignole sono la fermata successiva a Murano; il vaporetto ci mette una ventina di minuti dalle Fondamente Nove. Una volta sbarcati, a un centinaio di metri dalla fermata, trovate l'agriturismo Zangrando.

Agriturismo con tavolini all'aperto – anche sotto gli ombrelloni in caso di solleone – e un bel prato per far sgambettare i bambini che fanno fatica a stare a tavola. Offre soprattutto carne: grigliate miste e selvaggina, accompagnate da verdure di stagione coltivate in loco. Ma non mancano ottimi primi piatti come le pappardelle al ragù di anatra, gnocchetti alla cacciatora o le lasagne di carciofi. Per finire torte e marmellate fatte in casa.

INFO
Da Zangrando • 041 5284020 • Isola delle Vignole 24 • Dal sabato al lunedì 12-14.30 e 18-22 (da aprile a ottobre) • Costi: primi 8 €, secondi 10/20 €, contorni 4/5 €, birra 4 €, spritz 2,50 € • Fermata vaporetto Vignole

##  Trattoria self service

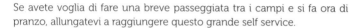

Se avete voglia di fare una breve passeggiata tra i campi e si fa ora di pranzo, allungatevi a raggiungere questo grande self service.

Trattoria dal menu molto vasto: dalla pizza alle grigliate di carne o di pesce (non proprio economiche), e molte verdure di stagione provenienti dai campi vicini.

Oltre all'ambiente interno c'è un ampio spazio scoperto dove trovano posto grandi tavoloni: ottimo per chiacchierare anche con chi è appena sceso dalla barca, proprio lì

davanti. Non si sa mai che ci diano un passaggio per il ritorno...

INFO
Trattoria self service alle Vignole • Isola delle Vignole 12/a • 041 5289707 • www. trattoriaallevignole.com • 10-22, chiuso il lunedì (da aprile a settembre) • Costi: primi 10/12 €, frittura 10/15 €, pizza 7/12 €, salsicce e polenta 9 €, birra media 5 €, spritz 2 € • Fermata vaporetto Vignole

# Isola del Lazzaretto Nuovo

L'isola del Lazzaretto Nuovo veniva utilizzata dalla Serenissima per la quarantena degli equipaggi e lo «spurgo» delle mercanzie, arrivando a ospitare anche migliaia di persone durante le peggiori pestilenze.

Sulle pareti del cinquecentesco Teson Grande si possono ancora vedere scritte e disegni di mercanti, guardiani, marinai che si ritrovavano qui ad annoiarsi per giorni e giorni, prima di poter mettere piede nella spassosa Venezia.

Sull'isola dal misterioso passato oggi potete visitale il piccolo museo archeologico, con testimonianze sulla storia della Laguna e sulle terribili pesti che periodicamente flagellavano la città.

Isole
laguna nord

Se invece siete degli appassionati di birdwatching portatevi un buon binocolo, perché nella parte nord potete approfittare di una torretta panoramica, perfetta per ammirare le specie lagunari. Attenzione, però, all'isola si può accedere solo durante le visite guidate: sabato e domenica partenze alle ore 9.45 e alle 16.30 (da aprile a ottobre) che sono in coincidenza con i vaporetti provenienti dalle Fondamente Nove.

## ■ Campi estivi archeologici

Dal 1998 l'isola è un grande cantiere archeologico: tutti al lavoro per recuperarla e favorirne la rinascita. In questo contesto sono nati i campi estivi archeologici per ragazzi.

Studenti, bambini e appassionati di archeologia possono frequentare laboratori di restauro e manutenzione, corsi di formazione e diversi stage teorico-pratici: una settimana immersi nella natura lagunare, per avvicinarsi al mondo dell'archeologia e conoscere temi di grande fascino. I partecipanti vengono ospitati nelle strutture presenti sull'isola e le quote dei campi comprendono vitto, alloggio, attività, strumenti e materiali didattici. Per i più piccoli è un'occasione per sentirsi dei novelli Indiana Jones. Portatevi l'antizanzare!

**INFO**
Ekos Club onlus • Isola del Lazzaretto Nuovo • 041 2444011 • www.lazzarettonuovo.com • Costi: 150/350 € a settimana comprensivi di vitto e alloggio (50% per gli studenti di Ca' Foscari e Iuav senza pernottamento) • Fermata vaporetto Lazzaretto Nuovo

### Zoom

## *Facciamoci accompagnare in barca*

Se avete esplorato tutte le isole della laguna raggiungibili con i mezzi pubblici ma ancora non siete soddisfatti, ci sono dei simpatici barcaroli che, oltre a portarvi in giro, vi racconteranno un sacco di aneddoti e pettegolezzi sul vivere in laguna. La scelta è varia e non costosissima; l'ideale è organizzarsi con un bel gruppo di amici, giusto per ammortizzare la spese. In media una giornata vi verrà sui 25/40 € a persona.

Info
Cristina Della Toffola (max 9 persone) • 347 4205004 • www.veneziainbarca.it

Alfredo Zambon (max 20 persone) • 335 6233328 • www.slowvenice.eu

Cooperativa «La Famiglia» onlus (max 50 persone); hanno anche un'imbarcazione speciale per portatori di handicap • 041 5040733 • www.elbragossova.it

# Isola di Sant'Erasmo

È da secoli l'orto dei veneziani. Qui si coltivano molte delle verdure che trovate dai fruttivendoli, comprese alcune specialità, come il carciofo violetto. L'isola dista circa mezz'ora di battello dalle Fondamente Nove ed è grande come metà di Venezia, ma è un susseguirsi di campi, vigne e casolari: perfetta se avete voglia di fare una passeggiata nel verde, in una strana atmosfera ibrida tra campagna veneta e paesaggio lagunare.

Un'unica strada ci gira tutt'intorno per un totale di 9 chilometri, ideale per una bella escursione in bici, che si affittano anche in loco. In 20 minuti a piedi si arriva alla Torre Massimiliana e, due passi più in là, c'è il bacàn, una strana spiaggetta dove fare un tuffo in acque che sono quasi mare, ma ancora laguna.

La prima fermata che incontrate da Venezia è Capannone. Qui vicino potete affittare le bici presso il Lato Azzurro. Se poi avete voglia di comprare un po' di verdure, l'azienda I Sapori di Sant'Erasmo è aperta anche la domenica (vedi p. 112).

## ▨ Biciclette e molto altro

♦♦♦ ♦♦

Da qualche anno questa struttura, che è da sempre un punto di riferimento per l'accoglienza in isola, è diventata a tutti gli effetti un albergo.

Nella struttura di Julie e Tonino ci sono, oltre a un buon numero di camere (con bagno privato, singole, doppie, triple e a più letti), anche un salone per cenare e svolgere le altre attività, una sala adiacente e una veranda con un ampio giardino affacciato sulla laguna.

È conveniente soprattutto in caso di gita scolastica o per comitive, perché propongono la pensione completa (con fornitura di pranzo al sacco per la pausa pranzo) a 55 euro a persona. Il ristorante ha piatti semplici e utilizza verdure locali: insalata di finocchi all'arancia, melanzane alla siciliana, buone pastasciutte e risotti o il più curioso pollo in saor (marinato all'aceto). Un pasto non supera i 25 euro e i bambini sotto gli otto anni hanno diritto a un primo gratis.

Qui potete anche affittare una bici per esplorare l'isola.

### INFO
Il Lato Azzurro • Via dei Forti 13, isola di Sant'Erasmo • 041 5230642 • www.lato-azzurro.it • Costi: camera doppia 60/120 €, triple e quadruple 95/190 €, noleggio bicicletta 5 € le prime due ore, 1 € le successive • Fermata vaporetto Capannone

Isole
laguna nord

### La torre

La laguna di Venezia è costellata di forti militari, che servivano per presidiare la laguna ed evitare che entrassero ospiti poco graditi.

La Torre Massimiliana è una fortificazione ottocentesca di forma circolare, utilizzata dall'esercito italiano fino alla Seconda guerra mondiale, poi lasciata nel degrado. Oggi, in gestione all'Istituzione Parco della Laguna, è restauratissima e ospita a rotazione mostre di pittura, fotografia, o interessanti percorsi divulgativi. L'area circostante è altrettanto curata e vi sono servizi igienici ben tenuti. Sul grande prato ci si può concedere una pausa all'ombra.

**INFO**
Torre Massimiliana • Via dei Forti, isola di Sant'Erasmo • 041 2444142 • www.parcolagunavenezia.it • mercoledì, giovedì e venerdì 15-19, sabato e domenica 11-19 • Fermata vaporetto Capannone

 ### La spiaggetta

L'estremità meridionale dell'isola di Sant'Erasmo si trova proprio di fronte a una delle bocche di porto della laguna.

In questa parte dell'isola l'acqua è più limpida e pulita rispetto alla laguna interna, perché arriva dritta dal mare, attraverso la bocca di porto. I giochi di correnti creano delle larghe secche che i veneziani chiamano bacàn e che sfruttano come personalissima spiaggia: ci si arriva in barchino con tanto di viveri, ombrelloni, sdraio e nonna al seguito e si passa la giornata tra prosecco, bigoli in salsa e bambini urlanti.
Speriamo che tutto ciò resista ai lavori per costruire le dighe mobili del Mose, proprio nella bocca di porto qui davanti...

Chi non è barcadotato può arrivare in bici o a piedi (la fermata più vicina è Capannone) e può liberamente organizzarsi il picnic sulla spiaggetta. Il vicino self service (quasi sempre aperto) non ha grandi ambizioni culinarie, ma può sempre placare un calo glicemico se non ci siamo organizzati altrimenti. Trovate pastasciutte, fritture di pesce, pizza o, ancora meglio, un gelato o una birra.

**INFO**
Spiaggia dell'isola di Sant'Erasmo • Fermata vaporetto Capannone

## ▨ Sportivi ma senza esagerare

👫

**9**

Chi ha voglia di fare sport in un contesto indubbiamente unico, può fare un salto al Lagunare Kayak e chiedere di Patrizia.

Questa simpatica associazione sportiva dilettantistica è apprezzatissima nell'isola. Mette a disposizione dei soci 2 dragon boat (da 20 posti), 40 kayak (da 1 o 2 posti), 4 canoe canadesi (5 posti) e una sede nautica con bagni e docce, spesso utilizzata anche da chi viene nell'isola per farsi una bella corsa nella natura (vedi box p. 21).
Questo tipo di barche, anche se non tradizionali, sono un ottimo strumento per far avvicinare i ragazzi al mondo della laguna. Organizzano anche campi estivi (curioso quello circense) e d'inverno attività in palestra per bambini e ragazzi.

**INFO**
Lagunare Kayak Sant'Erasmo • Via dei Forti 41, isola di Sant'Erasmo • 041 5210672 • www.alkse.altervista.org • Costi: quota di iscrizione 40 € (ragazzi 25 €) • Fermata vaporetto Capannone

## ▨ Miele di laguna

**10**

Come abbiamo già detto, Sant'Erasmo è un'isola a vocazione agricola. Qui trovate tutto quello che non c'è nella «pietrosa» Venezia: gli orti, i profumi dei campi, il canto degli uccellini e... le api.

Se siete in bici andate a trovarlo: Elio lo riconoscete subito, con la sua tuta bianca in mezzo a decine e decine di arnie colorate. Purtroppo il particolarissimo miele ai fiori di carciofo, che tanto veniva apprezzato, non riesce più a produrlo: il successo di botoli e castraùre (che sono boccioli di carciofo) non lascia più neanche un fiorellino per le api.
A seconda del periodo potete invece trovare l'Acacia (dai primi di maggio), il Millefiori (da giugno in poi) o il più ricercato Limolium (il fiore rosa della barena), da agosto in poi. Se avete amici gourmet sarà un regalo davvero esclusivo, visto che non lo troverete in nessun punto vendita di Venezia.

**INFO**
Elio Mavaracchio • Via dei Forti 19/x, isola di Sant'Erasmo • 041 2444067 • Costi: 8 €/kg • Fermata vaporetto Capannone o Chiesa

# Burano

Burano è una delle perle della laguna veneta. Non è grandissima e merita di essere vista tutta, perdendosi nei sorprendenti colori delle sue case.

## ■ Cosa fare

Appena sbarcati il flusso dei visitatori si dirigerà inevitabilmente in piazza Galuppi, dove sono concentrati i negozi di merletti (anche se ormai il vero merletto tradizionale è introvabile), le grandi trattorie piene di quadri alle pareti (buone ma costosette) e i panifici dove acquistare i bussolà buranèi (vedi box).

Voi seguite gli altri turisti, visitate la piazza e le vie limitrofe e poi allontanatevi per fare un giro sulle rive esterne per vedere gli scali per le barche, i panni stesi nei campielli e magari incontrare qualche pescatore che aggiusta le reti (raro) o per visitare da fuori la casa dello scultore Remigio Barbaro da Burano. Poi passate per la vecchia pescheria e fermatevi ad ammirare il sole che tramonta dietro Venezia. Girando tra calli e campielli ci si può ancora perdere e portare a casa il ricordo di una foto con lo sfondo del colore che più ci piace.

Per godervi l'isola cercate di evitare le ore di punta turistiche. Partite all'alba oppure, al contrario, tornate con il tramonto, quando la laguna è davvero struggente: le ore più turistiche sono dalle 10.30 alle 17.30.

Se capitate da queste parti per la regata di Burano (in settembre) approfittate di un'eccezionale frittura di pesce ai banchetti allestiti in piazza Galuppi.

## ▒ Il museo

La tradizione del merletto di Burano risale al XVI secolo e vide il massimo sviluppo nel XVII, quando veniva prodotto in grandi laboratori con centinaia di addette. All'epoca la richiesta internazionale del merletto di Burano era molto elevata: re e regine lo indossavano nelle occasioni più prestigiose. Così la corporazione del merletto divenne una delle più ricche di Venezia.

La caratteristica del merletto di Burano è la realizzazione senza alcun supporto: solo ago e fili sottilissimi di cotone, lino o seta; per questo viene detto «punto in aria».

Il merletto artigianale richiede un gran lavoro e può arrivare a costare decine di migliaia di euro. Quelli che vedete in giro sono falsificati, realizzati con metodi industriali o, ben che vada, semindustriali. Ma basta una visita alla collezione dei 200 merletti conservati al museo per apprezzare la differenza con le versioni che trovate nei negozi. E se poi volete imparare quest'antica arte c'è chi vi può aiutare (vedi box p. 124).

INFO
Museo del Merletto • Piazza Galuppi 187, Burano • 10-18 (d'inverno chiude alle 17); chiuso il lunedì • Costi: entrata 5 €; è incluso nel circuito il Museum Pass • Linea 12, fermata Burano

---

# Mazzorbo

Da Burano, attraverso il ponte Lungo, si può arrivare a piedi nella tranquilla Mazzorbo, isola con una sua personalità diversa da Burano, verdissima, piena di giardini e ville con i tipici camini che si allargano verso l'alto. Con una breve passeggiata riusciamo a percorrerla tutta.

Giù dal ponte a sinistra seguite la fondamenta; a destra c'è il colorato complesso residenziale realizzato negli anni Ottanta dall'architetto Giancarlo De Carlo: un'interessante rivisitazione in chiave moderna dei caratteristici insediamenti lagunari.

Proseguendo per la fondamenta, poco dopo il cimitero, trovate la chiesa di Santa Caterina.

La passeggiata può continuare fino alla fondamenta opposta dove troverete la vigna e poi ritornerete al ponte Lungo che ricollega a Burano.

Isole laguna nord

## 12 ■ Visita all'ultima chiesa

Come altre isole della laguna, Mazzorbo ebbe nel Medioevo il suo momento più scintillante, per poi declinare lentamente in favore della capitale Venezia.

Dell'antica Mazzorbo rimane questa chiesetta (che faceva parte di un più ampio monastero benedettino) che dall'esterno si confonde facilmente con le altre casette, se non fosse per il campanile. Conserva un bel portale con lunetta scolpita e altre preziose testimonianze storiche della laguna medievale.
L'entrata è gratuita e la visita, sempre che riusciate a trovare aperto,

dura circa mezz'ora. Di solito la mattina è più facile che accada, ma è sempre meglio prenotare.

INFO
Chiesa di Santa Caterina • Isola di Mazzorbo • www.studitorcellani.it • Di solito aperto la mattina 10-12 • Costi: gratuito; visite 10 € a persona, bambini fino a 6 anni gratis, dai 6 ai 12 anni 5 €. I gruppi devono essere min 10 max 30 persone • Fermata vaporetto Mazzorbo

## 13 ■ La vigna ritrovata

È possibile fare il vino in laguna? Quali sono i vitigni autoctoni? Se avete queste curiosità, fate un salto da Venissa.

Venissa è una meta vip nel cuore della laguna nord, con tanto di design moderno e chef stellata in cucina. I prezzi sono davvero sostenuti (menu degustazione 8 portate, vini esclusi, a 95 euro), ma con una visita guidata alla vigna, agli orti e alla pescheria dell'azienda si compie un bel viaggio nella produzione enogastronomica locale e nei meritevoli tentativi di conservarla e promuoverla.

Prima di cominciare il giro però concedetevi un'esclusiva e freschissima colazione di alta qualità (solo dalle 8.30 alle 10.30).

INFO
Venissa • Fondamenta Santa Caterina 3, isola di Mazzorbo • 041.52.72.281 • www.venissa.it • Costi: colazione 20 €, visita gratuita, max 30 persone, su prenotazione • Fermata vaporetto Mazzorbo

## 14 ■ Una mangiata di pesce

Dopo una bella gita a Burano potete venire qui per una passeggiata serale e, prima di prendere il battello alla fermata Mazzorbo, cenare come si deve.

Proprio davanti alla fermata Mazzorbo del vaporetto troverete questa trattoria tradizionale di pesce. D'estate ci si siede all'aperto verso

Gite
fuori porta

il canale, all'ombra della pergola o nella quiete del giardino sul retro immerso negli orti. I loro piatti forti sono: l'antipasto misto con dentice mantecato, sarde e scampi in saor, gamberetti, capesante al forno e saltata di cozze e vongole, i tagliolini gamberi e carciofi, oltre al gransoporo al rosmarino. Da settembre, con l'apertura della caccia, possiamo trovare (su prenotazione) anche piatti di selvaggina da piuma, catturata prevalentemente nelle valli da pesca della laguna.

**INFO**
Alla Maddalena • Fondamenta Santa Caterina 7/b, isola di Mazzorbo • 041 730151 • www.trattoriamaddalena.com • A pranzo e cena (la sera è preferibile prenotare); chiuso il giovedì • Costi: pasto completo di pesce 30/40 € • Fermata vaporetto Mazzorbo

# Torcello

Difficile credere che quest'isola, che oggi conta poco più di una decina di residenti, fosse un centro attivissimo con migliaia di abitanti, 7 chiese e una cattedrale (divenne sede episcopale nel 639).

## ▨ **Cosa fare**
👪 👫

⑮

Oggi è un'isola molto verde, dove andare per una gita naturalistica, ma anche per visitare la bella basilica. Impossibile perdersi: c'è solo una stradina che collega la fermata del vaporetto con la basilica e il museo.

È veneto-bizantina, la basilica di Santa Maria Assunta, e i suoi splendidi mosaici valgono il viaggio. Il Museo Provinciale, invece, vanta una collezione di reperti del territorio lagunare che coprono un arco cronologico che va dal Paleolitico all'età moderna.
L'isola offre molti angoli verdi ideali per sostare, anche per un pranzo al sacco: i pochi ristoranti presenti, oltre che fuori budget, sono di solito affollati, soprattutto di domenica.

Tornando al vaporetto, fermatevi per la foto di rito sul trono di Attila (una sorta di poltrona di marmo) o sul Ponte del Diavolo: lo riconoscete perché è senza parapetti, come un tempo erano quasi tutti i ponti veneziani.

**INFO**
Isola di Torcello • Basilica 041 730119; museo 041 730761 • 10.30-17; chiuso il lunedì • Costi: biglietto cumulativo (museo e basilica) 8 € • Fermata vaporetto Torcello

Venezia

Sacca Fisola

Palanca

Redentore

Zitelle

**1**
**2**
**3** S. Giorgio Maggiore

**4**
**5**
**6**

Giudecca

Le Grazie

**7**
S. Servolo

**8**
S. Lazzaro degli Armeni

Lazzareto Vecchio

Lido di
Venezia

1.  Chiesa di San Giorgio
    Maggiore
2.  Fondazione Cini
3.  Le Stanze del Vetro
4.  Spazio Punch
5.  Cartavenezia
6.  Casa della memoria
7.  Isola di San Servolo
8.  Monastero Mechitarista

Gite
fuori porta

# Isole della laguna sud

Anche la laguna sud è costellata di isole; a differenza della laguna nord, però, non ci sono isole grandi e popolate, come Murano o Burano. Più che altro ci trovate isole piccole, che nei secoli sono state destinate a ospitare lazzaretti, conventi, presidi militari e quant'altro. Alcune meritano sicuramente una visita.

## San Giorgio Maggiore

Vale la pena fare un salto sull'isola di San Giorgio anche solo per ammirare il panorama: da qui si domina il bacino, e se non vi basta, provate a salire sul campanile della chiesa.
Questa piccola isola è anche un concentrato di tesori, attività e spazi espositivi tutt'altro che trascurabili.

### Dal campanile di San Giorgio Maggiore

La chiesa di San Giorgio è una delle chiese più visibili di Venezia. Se ne sta lì, proprio davanti a Palazzo Ducale, con la sua facciata palladiana e il campanile svettante. Prendiamo il battello a San Zaccaria e in una fermata siamo lì.

Oltre che per il progetto del Palladio, questa chiesa benedettina merita una visita per l'ampia cupola, il magnifico organo a canne, ma anche per le preziose opere di Tintoretto e Carpaccio, Jacopo da Bassano e Sebastiano Ricci qui custodite. Se non vi basta la vista dal campo di fronte alla chiesa non vi resta che prendere l'ascensore e arrivare in cima al campanile dove avrete una vista a 360 gradi, il punto in assoluto più panoramico della città. Con un po' di allenamento riconoscerete i vari campanili (ce ne sono più di cento, a Venezia), le varie isole della laguna e, se la giornata è limpida, scoprirete che le Alpi non sono poi così lontane.

**INFO**
Chiesa di San Giorgio Maggiore • Isola di San Giorgio Maggiore • 041 5205906, 041 5227827 • chiesa 6-19; campanile 9.30-18.30 • Costi: entrata libera, accesso al campanile 6 €, ridotto 4 €; le visite sono sospese durante le celebrazioni liturgiche • Fermata vaporetto S. Giorgio

## ② ■ Il complesso monumentale

Dedicate qualche ora alla visita di tutto il complesso monumentale di San Giorgio (accesso solo con visita guidata): non ve ne pentirete.

Il cinquecentesco chiostro dei cipressi, il chiostro e il cenacolo palladiani, l'antico refettorio benedettino, lo scalone, la biblioteca e l'appartamento abbaziale del Longhena e la nuova Manica lunga (l'antico dormitorio benedettino, trasformato oggi in centro bibliotecario). Infine il bellissimo giardino/labirinto dedicato a Jorge Luis Borges (peccato che lo si possa solo ammirare e non giocarci in mezzo) e il teatro verde: un anfiteatro costruito negli anni Cinquanta nel cuore del parco sul modello dei teatri antichi greci e romani.
Ne uscirete rasserenati e un po' mistici.

**INFO**
Fondazione Cini • Isola di San Giorgio Maggiore • 041 2414022 • www.cini.it • Sabato e domenica 10-17 (una visita guidata all'ora); nei giorni feriali solo su prenotazione • Costi: visita 10 € nel weekend; giorni infrasettimanali, per gruppi fino a 25 persone, 120 € • Fermata vaporetto S. Giorgio

## ▨ **Vetro contemporaneo**                    ❸

Il vetro e la sua cultura non risiedono solo a Murano. Nonostante le centinaia di negozi di vetro di cattivo gusto e dubbia provenienza, Venezia ne è intrisa.

Le Stanze del Vetro è un bellissimo spazio espositivo situato nell'ala ovest dell'ex Convitto di San Giorgio Maggiore. A cadenza annuale qui vengono allestite mostre, di solito monografiche, dedicate all'arte vetraria del Novecento e contemporanea, per valorizzare le innumerevoli potenzialità di questa materia e per riportare il vetro al centro del dibattito e della scena artistica internazionale.

Lo spazio ospita anche convegni e altri eventi dedicati al vetro. È possibile prenotare una visita guidata gratuita per piccoli gruppi.

Da segnalare il bookshop, molto fornito di volumi specializzati sull'arte vetraria soprattutto contemporanea.

**INFO**
Le Stanze del Vetro • Isola di San Giorgio Maggiore 1 • 041 5229138 • www.lestanzedelvetro.it • 10-19; chiuso il mercoledì • Fermata vaporetto S. Giorgio

# La Giudecca

È parte integrante di Venezia però non è collegata da un ponte al resto della città: è la Giudecca, la lunghissima isola parallela alla «pancia» del pesce veneziano. L'isola è percorribile interamente grazie alle fondamente e ai ponti che la costeggiano sul lato nord, cioè quello che dà su Venezia.

Cosa fare di meglio, negli assolati pomeriggi estivi, che passeggiare qui all'ombra, contemplando un orizzonte che passa da San Giorgio, a San Marco, alla punta della Salute, alle Zattere, fino al porto passeggeri?

Ogni tanto potete infilarvi in qualche calletta e scoprire luoghi inaspettati, che rivelano le antiche e nuove vocazioni dell'isola: prima luogo di villeggiatura e di piccola coltivazione, poi sito artigianale e industriale, fino alla sua identità mista di oggi, un po' residenziale un po' architetti-fotografi-studi-di-comunicazione.

Alla fine della passeggiata godetevi un tramonto su Porto Marghera, lì in fondo, sorseggiando un aperitivo all'osteria alla Palanca (vedi p. 79) o, se volete proprio strafare, al Molino Stucky (vedi p. 60-61).

 ■ **Uno spazio d'arte**

Questa parte della Giudecca era, fino a qualche decennio fa, un'area industriale. C'erano fabbriche di strumenti di precisione, una birreria e un mulino.

A pochi metri dal grande Molino Stucky che produceva farina per (quasi) tutta la città, si è formata una enclave creativo-artistica che negli spazi postindustriali di vecchie distillerie e birrifici ha trovato una collocazione più appartata rispetto alla Venezia mainstream e che richiama molto alcune affascinanti atmosfere nordiche. In un ex magazzino di stoccaggio, infatti, troviamo lo Spazio Punch, un'associazione di artisti dediti alla scoperta, comprensione, promozione di realtà artistiche e soprattutto editoriali indipendenti, che organizza spesso eventi e mostre molto seguite in città.

**INFO**
Spazio Punch • Giudecca 800/o (Palanca) • www.spaziopunch.com • Fermata vaporetto Palanca

# Le passeggiate patrimoniali

Un Faro per Venezia è un'associazione culturale che promuove la conoscenza del territorio attraverso i principi della Convenzione di Faro del Consiglio europeo. Lo scopo è sensibilizzare i cittadini verso il patrimonio del proprio paese, attraverso itinerari sul territorio che coinvolgono non solo il patrimonio storico-artistico, ma anche luoghi di lavoro, di vita quotidiana, di socialità e dialoghi con persone del luogo che fungono da «testimoni».

www.unfaropervenezia.eu

## Un orto

Se guardate la Giudecca dall'alto (non serve prendere un aereo, basta Google Maps) noterete i grandi giardini e gli orti di cui è costellata, chiusi in spazi privati e non visibili dall'esterno.

In uno di questi luoghi «segreti» trovano spazio le coltivazioni dell'associazione Spiazzi, un gruppo di giovani e meno giovani, accomunati dalla voglia di stare insieme, fare insieme e decrescere felicemente. Qui, seguendo con spirito libero le regole della Permacultura, coltivano cipolle, carote, cavoli, broccoli, pomodori e altro ancora. Lo scopo è rimanere in contatto con la natura e prodursi il proprio cibo in modo sostenibile, facendo un'opera di divulgazione per tutti su queste tematiche.

D'estate organizzano spesso incontri in orto, divertenti e istruttivi anche per i bambini, che possono finalmente riuscire a sporcarsi in libertà e giocare con tanta terra, foglie verdi e foglie secche, legnetti, sassi, mattoni rotti, fili d'erba, mucchietti di cacche di lombrichi, piume perse da un nibbio, nidi abbandonati, code di lucertola, semi di mille colori... Una grande opportunità soprattutto per i piccoli veneziani.

La merenda è ovviamente a base di pane e marmellata e succhi naturali.

INFO
Per informazioni sui laboratori, per visite all'orto e per associarsi spiazziverdi.blogspot.it • Costi: quota associativa 5 €

## ■ Un chiostro per artigiani

**5**

Nel chiostro dell'ex convento rinascimentale dei Santi Cosma e Damiano, grazie a un importante restauro da parte del Comune, trovano spazio molti studi e residenze di artisti e artigiani.

I laboratori si affacciano sul luminoso chiostro, ideale per lavorare circondati dalla tranquillità, anche con spazi all'aria aperta. Fernando Masone lo trovate quasi sempre qui, tra presse e torchi. Produce carta artigianale, con la quale riesce a creare dei veri e propri bassorilievi, imprimendo figure nella materia fibrosa. Perché, ad esempio, non ordinare qui delle originalissime partecipazioni di nozze?

Spesso organizza minicorsi, fino a un massimo di 8 partecipanti, dalla fabbricazione della carta a telaio fino alla rilegatura d'arte.

**INFO**
Cartavenezia • Chiostro dei Santi Cosma e Damiano, Giudecca 620 (Palanca) • 041 5241283 • www.cartavenezia. it • Riceve su prenotazione • Costi: corso 3 giorni 250 € • Fermata vaporetto Palanca

## ■ Una splendida villa

**6**

Il dominio napoleonico portò in tutta Venezia all'espropriazione di molti terreni appartenenti a monasteri. Qui alla Giudecca alcuni di quei terreni vennero occupati da fabbriche, altri invece (in particolare gli orti) furono utilizzati per l'edificazione di sontuose ville della borghesia, spesso straniera, portando in questo quartiere-isola un periodo di vivacità mondana.

Costruite sul terreno di una saponeria della zona agli inizi del XX secolo, le due splendide ville del cosiddetto complesso Hériot (dal nome dell'antico proprietario, un ricco francese) sono oggi di proprietà del Comune e visitabili. Entrando nello splendido giardino con vista sulla laguna sud non è difficile immaginare le grandi e sfarzose feste ospitate negli anni d'oro.

Oggi il complesso ospita la Casa della Memoria e della Storia del Novecento veneziano: un luogo di incontro e aggregazione aperto alla cittadinanza, alle scuole, agli studiosi, dove poter conservare, valorizzare e divulgare tutte le tracce materiali e immateriali (documenti, memorie, interviste, fotografie, volumi, oggetti) che testimoniano le vicende e le profonde trasformazioni di Venezia e provincia nel corso del Novecento. Uno spazio aperto anche per mostre ed esposizioni, iniziative, eventi, manifestazioni. Se siete da queste parti il 2 giugno, si fa festa grande.

**INFO**

Casa della memoria • Calle Michelangelo 54/p, Giudecca (Zitelle) • 041 5287735 • iveser.it • Lunedì e mercoledì 9.30-13 e 14.30-17.30, martedì e giovedì 9.30-14.30 • Si possono effettuare visite guidate su prenotazione • Fermata vaporetto Zitelle

# Isola di San Servolo

Ecco una buona idea per un pomeriggio alternativo, che siate da soli, in coppia, con i bambini o anche in gruppo. L'«isola dei matti», come la chiamano i veneziani, è l'isola minore meglio recuperata e più fruibile della laguna, ma stranamente poco conosciuta. Approfittatene.
Ogni mezz'ora da S. Zaccaria parte un vaporetto che in dieci minuti vi porta qui.

## ▨ Un'isola, molte possibilità

🏃 👫 ©

Appena scesi troverete il complesso monumentale visitabile, sede di molte attività tra le quali master postuniversitari internazionali, convegni, una foresteria e un bar aperto al pubblico.

Potrete passeggiare liberamente per il bellissimo e grandissimo giardino dove, oltre alle opere d'arte della collezione permanente, spesso sono ospitate istallazioni d'arte legate alla Biennale. È un posto ideale anche per stare un po' tranquilli a leggere o a meditare, aspettando un magnifico tramonto.
Se invece siete in vena di cultura prenotate una visita guidata all'isola, che comprende anche il museo dell'antico manicomio (altrimenti chiuso), la speziera (farmacia) e la chiesetta. Fatevi raccontare del periodo «monastica lussuria» delle monache benedettine che qui hanno risieduto nel 1400! Tenete d'occhio il sito internet: regolarmente vengono organizzati spettacoli e danze all'aperto (di solito gratuite).

Isole laguna sud

Sull'isola è presente anche una buona mensa self service a prezzi modici e due nuovi campi sportivi in materiale sintetico per giocare a tennis, pallavolo, pallacanestro e calcetto (chiusi nei mesi invernali).

INFO
Isola di San Servolo • 041 2765001, 041 5240119 • www.sanservolo.provincia. venezia.it • Sempre aperto • Costi: accesso libero e gratuito, visite guidate 3 € (gruppi oltre le 20 persone 2 €, under 18 gratis), campi sportivi 10 € l'ora, mensa pasto completo 10 € • Fermata vaporetto S. Servolo

# Isola di San Lazzaro degli Armeni

Dopo la fermata di San Servolo, il vaporetto prosegue per l'isola di San Lazzaro degli Armeni dove sorgono un monastero e una chiesa di origine gotica ricostruita nel XIX secolo, circondati da un immenso giardino.

**8** ■ **Cosa fare**

L'isola è completamente occupata dal monastero dell'ordine dei Mechitaristi (ordine religioso cattolico fondato nel 1700 da Mechitar), uno dei più antichi centri internazionali di cultura armena.

È possibile visitare il monastero tutti i giorni, ma solo accompagnati da una guida. Per un'ora e mezza andrete a spasso per il chiostro, la chiesa, il refettorio, la foresteria, il museo e la biblioteca. Tutti questi luoghi ospitano pezzi straordinari: arazzi fiamminghi, quadri e ceramiche armene, oggetti greci, fenici, assiro-babilonesi, perfino una mummia egizia.Per non dire dei numerosi dipinti, tra cui *La pace e la giustizia* (1731) di Gianbattista Tiepolo. La biblioteca conserva oltre quarantamila libri antichi in numerosissime lingue, particolarmente interessanti per diversità e provenienza, e più di quattromila preziosissimi manoscritti armeni. Purtroppo dell'antica tipografia, che ha avuto grande importanza per secoli nella diffusione della cultura armena nel mondo, rimangono solo alcuni macchinari; il resto è stato trasferito in terraferma. È possibile però acquistare alcuni piccoli stampati di loro produzione.

Gite fuori porta

**INFO**

Monastero Mechitarista • Isola di San Lazzaro degli Armeni • 041 5260104 • www.mekhitar.org • Tutti i giorni visita guidata di 2 ore, partenza da San Zaccaria linea 20 alle ore 15.10 • Costi: 6 € (bambini e studenti 3 €) • Fermata vaporetto S. Lazzaro (per i gruppi è obbligatoria la prenotazione)

# Quarto d'Altino

**⑤ Altino**
**⑥ ④**

## Tessera

## Mestre

**②**
**③ ①**

## Porto Marghera

## Murano

## Venezia

Gite
fuori porta

# Terraferma

Una delle conseguenze di essere vicini alla bellezza di Venezia è che si rimane in ombra rispetto alla sua scintillante presenza. È quello che accade ad alcune realtà della terraferma, luoghi interessanti e molto particolari, che andrebbero valorizzati e visitati con calma.

## Un grande recupero ambientale affacciato sulla laguna

È un'area restituita ai veneziani dopo un lungo e importante recupero ambientale e paesaggistico. Inaugurata nel 2004, copre per ora un'area di 74 ettari che si affaccia sulla laguna, tra il ponte della Libertà e l'aeroporto; una volta completato, con i suoi 700 ettari totali di terreno che comprenderanno anche canali, barene e laguna, diventerà il più grande parco d'Europa.

### Zoom

#### Un pomeriggio nel bosco

Sembra impossibile percorrendo gli snodi di tangenziali che la ingarbugliano, invece la terraferma veneziana è ricca di polmoni verdi: sei boschi e due parchi. Potrete vedere i cigni neri al parco Albanese, il tritone crestato e il picchio verde nel bosco di Carpenedo. Sono aree piacevoli per una passeggiata o un giro in bicicletta, dove spesso vengono organizzate attività sportive, ludiche, ricreative, culturali e sociali.
Scaricate dal sito del comune le mappe delle piste ciclabili e le informazioni su flora e fauna.

www.enti.comune.venezia.it

## 1  Parco San Giuliano

È il nostro Central Park: ci si va a correre a piedi, in bici e con i pattini, a giocare a freesby e a far volare gli aquiloni.

Nel parco trovate due bar e una pizzeria ristorante a prezzi abbordabili ma è possibile fare un bel picnic sotto gli alberelli piantati che stanno crescendo bene e cominciano ad assicurare finalmente un po' d'ombra. Se non avete la bici, all'entrata ne trovate un centinaio a disposizione gratuitamente.
Il parco ospita regolarmente eventi che vanno dalle mostre canine alle gare podistiche, dai concerti rock ai giubilei papali (questi ultimi un po' meno frequenti, diciamo).
Con una passeggiata di 10 minuti e grazie al futuristico ponte pedonale che vi farà superare indenni la trafficatissima rotonda del SS14, si può raggiungere Forte Marghera.
Nel sito dell'Istituzione Bosco e Grandi parchi si possono trovare molte informazioni sugli altri grandi spazi verdi cittadini nonché sulle piste ciclabili.

INFO
Parco S. Giuliano • Strada Statale 14, Mestre • 041 5317785, 041 2516721 • www.enti.comune.venezia.it • Autobus da Venezia: linee 5, 12, 12/, 19, 24

## 2  Forte Marghera

Anche in terraferma, e non solo in prossimità delle bocche di porto, c'erano dei forti militari che assicuravano il controllo della laguna.

La grande area di Forte Marghera è affacciata sulla laguna e dovrebbe diventare parte del grande progetto del parco San Giuliano, ma il dibattito cittadino è ancora in corso. È comunque consentito accedervi liberamente: potete passeggiare lungo i viali e girovagare tra capannoni storici dismessi e reperti militari. È un luogo molto caratteristico, nella sua doppia identità militar-agreste.
Sono presenti varie attività, più o meno formalizzate. A ogni visita si può fare una scoperta o rimanere delusi: chissà se troveremo ancora quel simpatico minichiosco con le birre fresche? Spesso viene utilizzato per manifestazioni con musica, grigliate e tanti banchetti che ospitano le più svariate associazioni; in queste occasioni sbucano raccolte fondi solidali, magliette artigianali, oggettistica in legno, serigrafie personalizzate...

INFO
Forte Marghera • Via Forte Marghera 29, Mestre • 9-24; chiuso il lunedì • Autobus da Venezia: linee 5, 12, 12/, 19, 24

## ■ Mangiare al Forte

👪 👫 🍃

## 3

All'interno del Forte è presente la cooperativa sociale Fucina Controvento, attenta all'integrazione lavorativa di persone diversamente abili, alla socialità e al ristoro sostenibile.

Appena entrate al parco, sulla sinistra, trovate due spaziosi e piacevoli locali. All'osteria ordinate piattoni di grigliate sotto un gran capannone aperto; al ristorante con tavolini, anche all'esterno, trovate invece un menu che prevede gustosi piatti come pollo al curry, pasta fresca fatta in casa con sugo d'anitra, vellutata di porcini, braciola di maiale ai ferri, burrata e verdure grigliate o risotto di asparagi; per concludere un tiramisù o una crema catalana casalinga. Tutto economico, informale, buono e che privilegia prodotti biologici e la filiera corta. È apprezzato per la pausa pranzo durante la settimana lavorativa.

**INFO**

Osteria Gatto Rosso • Via Forte Marghera 29, Mestre • 334 5632438 • A pranzo solo sabato e domenica; chiuso il lunedi • Costi: menu a prezzo fisso 15 € (comprende antipasto di porchetta, una grigliata mista, contorno, acqua,vino, pane e caffè) • Autobus da Venezia: linee 5, 12, 12/, 19, 24

Ristorante La Dispensa • Via Forte Marghera 29, Mestre • 345 0143022 • A pranzo e cena; chiuso il lunedi • Costi: menu lavoratori infrasettimanale (primo, secondo e contorno) 11 €, piatto unico 10 €, insalatone 8 €, bicchiere di vino 2/3,50 €, antipasti 5 €, primi 6 €, secondi 11/15 €, dolci 4 € • Autobus da Venezia: linee 5, 12, 12/, 19, 24

---

### Zoom

## *Visita al Museo storico militare*

Il Forte ha una storia militare appassionante. Alla domenica pomeriggio, grazie ai volontari dell'associazione, vengono organizzate visite guidate gratuite ai cimeli e a tutto il materiale qui conservato.

www.museofortemarghera.it

# Prima di Venezia

Da Venezia prendete la strada per l'aeroporto, ma quando lo vedete, alla vostra destra, tirate dritto. Poco dopo vi ritroverete in mezzo alla campagna e poco più avanti una freccia a sinistra vi indicherà Altino.

**4** ■ **Il museo di Altino**

Proprio qui, in epoca romana, sorgeva una città che potremmo definire l'antenata di Venezia. Oggi rimangono una chiesa, un museo con molti reperti e gli scavi archeologici, tutti da visitare.

Dal VII secolo a.C. importante emporio internazionale dei Veneti che si affacciava sulla laguna, Altino deve il suo nome al dio omonimo (di cui è stato ritrovato il santuario). Poi città romana con un importante impianto urbanistico in cui coesistevano vie di terra con vie d'acqua; era anche luogo di produzione di magnifici vetri, testimonianza di tecniche antiche poi ereditate dalla manifattura del vetro veneziano.

Qui passava la via Annia, strada consolare costiera costruita nel 153 a.C., che collegava Adria ad Aquileia attraversando i territori dei tre importanti centri di Padova, Altino e Concordia.

Grazie al fatto che nell'area ci sono state poche edificazioni successive, nel 2007, in seguito a una campagna di riprese aeree realizzate ed elaborate con nuove tecnologie, è stato possibile scoprire la città di Altino nella sua totalità. Dalla fotografia si possono vedere gli edifici pubblici, le case, le vie e pure (sembra incredibile) un ampio canale navigabile che attraversava la città, la cui immagine evoca il Canal grande di Venezia!

Oggi di quella città non è rimasto molto, ma visitando gli scavi potete scoprire i resti della monumentale porta-approdo con due torri, un tempo affacciata sull'acqua, i resti di belle case con pavimento a mosaico, e anche camminare sui basoli della principale strada romana.

Nel museo conoscerete la storia del territorio e ammirerete i ritrovamenti degli scavi archeologici nella città, nei santuari e nelle ricche necropoli: dai minuti frammenti di ceramica così importanti per la storia, ai pesanti monumenti funerari in pietra con iscrizioni, ai fragili e magnifici vetri colorati.

INFO
Museo Archeologico Nazionale di Altino e aree archeologiche • Via Sant'Eliodoro 37, Quarto d'Altino • 0422 829008 • 8.30–19.30 • www.archeopd.beniculturali.it percorso Musei / Altino • Costi: 3 € (gratuito scuole, under 18 e over 65) • Linea Atvo Venezia-S. Donà

## ▨ Un giro in bicicletta ⑤

Proprio di fianco alla chiesa trovate la cooperativa sociale Le vie che, con molte iniziative culturali e naturalistiche, cerca di valorizzare il territorio altinate all'insegna della sostenibilità.

Se, oltre al museo, volete scoprire i dintorni, qui trovate biciclette di tutte le taglie per una bellissima gita anche con i bambini (ma ricordatevi di prenotarle). Il ristorante della cooperativa è buono e predilige prodotti di stagione e di produzione locale. Solo nel fine settimana è aperto anche un bar-bookshop dove trovare un'interessante selezione di libri di archeologia, guide al territorio, ambiente e bicicletta, cucina e stili di vita, oltre a prodotti del commercio equosolidale, come snack dolci e salati, biscotti, marmellate, sciroppi, borse e magliette prodotte da cooperative sociali.

INFO
Le vie • Via Sant'Eliodoro 39, Altino • 329 4645230 • www.leviealtino.it • Ristorante: sempre a pranzo, anche a cena giovedì, venerdì e sabato; chiuso martedì • Costi: bicicletta mezza giornata 5 € (per bambini sconto 50%), menu del ciclista 15 € • Linea Atvo Venezia-S. Donà

## ▨ Una trattoria ⑥

A due passi dal museo trovate questa accogliente trattoria a gestione familiare con veranda sulla strada.

Dentro è molto spaziosa però vi può capitare comunque di trovarla affollatissima nel fine settimana. La presentazione dei piatti è senza pretese ma i sapori sono onesti e appaganti. Il menu comprende risotti di verdure o di pesce e buone fritture miste. Durante la settimana c'è un menu lavoratori molto conveniente a 10 euro. Nel fine settimana i prezzi aumentano, ma anche il menu diventa più vario.

INFO
Antica Altino • Via Sant'eliodoro 57, Quarto D'Altino • 0422 829124 • A pranzo e cena; chiuso il lunedì e la sera del giovedì • Costi: risotto 5,50 €, frittura 8,50 €, caraffa di prosecco 7 €, menu lavoratori (solo a pranzo nei giorni feriali) 11 € • Linea Atvo Venezia-S. Donà

Terraferma

273

# Ringraziamenti

Infine un doveroso ringraziamento a chi, anche solo accompagnandomi e supportandomi, mi ha permesso di scrivere questa guida: Emanuela Amici, Elisabetta Ballarin, Chiara Barbieri, Annabella Bassani, Adriana Bellenzier, Eliana Caramelli, Federico Casali, David Sebastiano Chiarion, Rosa Chiesa, Elena Cimenti, Jane da Mosto, Gianni Darai, Doretta Davanzo Poli, Barbara Del Mercato, Catherine Dian, Fiammetta Fazio, Elisabetta Franchi, Elena Fumagalli, Paola Jovinelli, Maria Pia La Tegola, Gigi Miracol, Paolo Modolo, Vito Bon, Giovanni Moretti, Claudio Nobbio, Giovanna Palandri, Barbara Pastor, Francesco Resini, Roberto Scano, Matteo Secchi, Adrian Smith, Gaia Stock, Serena Testolin, Delia Tillett, Aurelia Ulinici, Marco Zordan.

Ma ci sono due persone senza le quali assolutamente questa guida non avrebbe visto la luce, che mi hanno accompagnato con grande competenza e tolleranza in ogni fase: Marianna Aquino, che ha avuto la balzana idea di includere Venezia in questa collana di grandi città (impresa non semplice), e di proporre a me di realizzarla, e mio fratello Nicolò che si è prestato generosamente a correggere le mie voragini stilistiche.

Finito di stampare nel luglio 2013 presso
Grafica Veneta - via Malcanton, 2 - Trebaseleghe (PD)

Printed in Italy

ISBN 978-88-17-06663-1